所以因为 著

SISHUILIUNIAN HUANFENGHUA

似水流年唤风华

北方联合出版传媒（集团）股份有限公司
万卷出版公司 VOLUMES PUBLISHING COMPANY

图书在版编目（CIP）数据

似水流年唤风华/所以因为著．—沈阳：万卷出版公司，2012.12

ISBN 978-7-5470-1997-9

Ⅰ．①似… Ⅱ．①所… Ⅲ．①侠义小说—中国—当代 Ⅳ．①I247.5

中国版本图书馆 CIP 数据核字（2012）第 207216 号

出版发行：北方联合出版传媒（集团）股份有限公司
万卷出版公司
（地址：沈阳市和平区十一纬路 29 号 邮编：110003）
印 刷 者：三河市华润印刷有限公司
经 销 者：全国新华书店
幅面尺寸：165mm×235mm
字　　数：258 千字
印　　张：18
出版时间：2012 年 12 月第 1 版
印刷时间：2012 年 12 月第 1 次印刷
责任编辑：张　旭
策划编辑：吕晶晶
装帧设计：姚姚工作室
ISBN 978-7-5470-1997-9
定　　价：28.00 元

联系电话：024-23284090
传　　真：024-23284521
E-mail：vpc_tougao@163.com
网　　址：www.chinavpc.com

常年法律顾问：李福

如有质量问题，请与印务部联系。联系电话：0316-3656029

似水流年唤风华

SISHUILIUNIAN HUANFENGHUA

目录

目录

楔子：霓光雪莲封万里

塞北无垠草原的尽头，是终年积雪笼罩的冰川雪原。据传说霓光雪莲就生在雪山冰冠。有关它解毒、疗伤、滋补、驻颜甚至起死回生一类功效的传言数不胜数，且多年来屡屡现世，并非那么玄虚难得。因此年年大雪封山的季节，都不乏不畏艰险上山采莲的有心人。

“大小姐，你这脾气闹得好没道理呀!”武林第一杀手兼神偷再兼百打听，反正是什么名头都敢往自己身上揽的这个男子，南肆，轻衣短打，声线仿又添了几分成熟，然一摊手一耸肩，形态神色间终还欠稳重，“你既是在圈子里公开下彩头寻人，怎么我就不能来应征呢?”

若思寒若冰霜的表情中其实哪里有发脾气的娇嗔颜色？明明就是完完全全的冷寂。两年前那段孽障的合作让她明白绝对不要去跟南肆争辩什么是非黑白，你反驳上的只言片语，只会让他后头千百倍的诡辩辞令破堤而出。

若思略作思索，以南肆那死皮赖脸的手段，既然自己为了寻引路人入塞北冰冠而发出赏银花红已经多日，却只得南肆独自来赴约，不用猜别的人手一定都已遭他拦阻。她面色不善道：“拦着正经向导来领赏你倒是擅长，不过上冰冠你确定你认得路?”

“跟聪明人合作就是省口舌。不给同行机会分红难道不是我们这行的寻常手腕么？再说若不是如此，咱们怎么有机会再续前缘呢?”南肆嘴角的邪笑与当年并无二致，几年间脾气秉性真是毫无进步，“大小姐，这又不是咱们头一回搭档了，我是什么水准，你还不是一清二楚!”

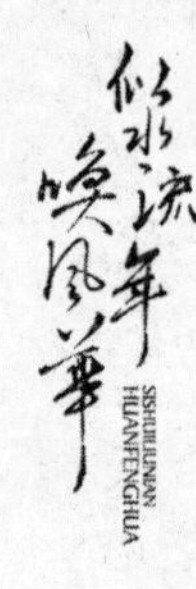

江湖杀手排行榜上只言简意赅地描述杀手办过的案子、赢取过的彩头，却没提起南肆这张死人都能被气活的臭嘴。若非那样东西要得这么急，若思宁可自己上路，也不愿跟南肆扯上半分关系。

只不过天下之事，多半如此别无选择。这一路上，怕是没有片刻清净可寻了。

“明明生得娇艳如花，为什么老做出一副苦大仇深的表情来，多愧对老天。山上已经够冷了，不如多笑一笑，咱们路上也多少暖和点儿吧。”

看南肆不正经地近身来，若思只在拢紧狐裘的动作中微微旋身，就错开了他的欺近，冷冷道：“废话少讲，带路上冰冠吧。”

南肆却还是笑，摆明了不成功誓死不休的无赖范儿，换着法子去搭若思的香肩，“我哪儿舍得让大小姐受苦受冻呢？”他掌下薄薄的肩膀，虽覆着裘皮却依然不及盈握，裘衣底下显然还是中原惯有的轻薄常服。“这会儿冰冠上头铁定滴水成冰了，想上雪山，大小姐还是做足准备，换了全套衣衫再来吧。”

鉴于这番言论虽然语气不对味，至少内容正当，若思暂时对那狼爪视若无物，只紧了紧眉峰，就跟在他身后朝山下城镇去了。

此时，塞北草原上的牧草已开始泛黄，而雪山冰冠之上正是飞霜满天、冰封万里的时节。

暗想烟波月摇荇

1.1 生辰之行

清寒冷筑如今已不似多年来给武林中人的霸道印象。自从武林盟主柳卿陌消失，那一场复仇般的闹剧，也只留在了几个当事人心中。

远离中原的东瀛，那曾经，从指尖流逝的，爱恨情仇。

孰是孰非，如今已经说不清了。只徒留，曾经的痴缠、曾经的亏欠，以及那一段三王鼎立至今未果的姻缘。

墨玉公子萧洛璧、清冷少侠寒子凉，以及有公子世无双之名的谦谦君子柳莫行，每一个都是武林中不可多得的英才。三个人，眉眼心间，唯一个她。

天下第一庄若水山庄少庄主，赫连皙。

两年来，赫连皙与三人的情缘纠葛，看在局外人眼中，是武林三位年少有为的公子竞相追求；殊不知，一个青梅竹马的柳莫行，一个外域所来的神秘男子萧洛璧，还有当年赫连皙与之举行婚礼却未完成的寒子凉，他们四人之间，根本不是简单的男欢女爱所能形容。

赫连皙的心，至今，念自如昔。

两年了。外传的武林盟主之子柳莫行和武林盟主亲子寒子凉，师兄弟二人回到了清寒冷筑居住。因为二人喜好清净的性子，大多仆役都已遣散，只留下寥寥数人照顾起居和这偌大的岛屿庄园。

武林盟主在武林中消失。多少人企图打听，多少人好奇而观望，都在无人呼应中冷却。武林是健忘的武林。武林是强者的武林。

"莫行……"清寒冷筑，这时秋意正浓。寒子凉一袭儒雅的长衫，负着一手，边招呼边去推动柳莫行的房门。说起礼数是大大的不合，然而以他二人的交情，却也无伤大雅。

只不过，门内并无翩翩公子起身相迎，反是人去楼空，一室空寂。

这……怕又是先他一步出门了吧。

自他们一行人出海归来已两月有余，严酷的烈日已然转凉，入了落叶萧萧的节气。许是他这清寒冷筑听起来沾染寒气的缘故，越发留不住归人。不说借住在赫连家的萧洛璧从未到访，就是跟他兄弟一场的柳莫行也不时得空就往若水山庄跑。

当然面子上的事情柳莫行是不会落下，也几次询问过他可要同往。可萧洛璧、柳莫行这兄弟二人，一个客居，一个访故，都不像他那样要找种种借口才能安心踏入若水山庄的大门。面对柳莫行的邀约，他也只得硬着头皮婉拒。

坦言自己去拜访若水山庄是为了制造机会迎娶少庄主赫连皙？虽然实质上已然求婚多次，寒子凉还是抹不开面子坦诚这个事实。

若水山庄的庄主赫连兆影，虽已在近年前那场风波之后成为实至名归的武林盟主，却一改从前盟主对武林事务的诸多干预，仍保留着原先的风格，乐善好施，广结善缘，客迎四方。

当然，德行、仁义、公理，还是若水山庄秉持的原则。只不过善有善报恶有恶报，武林中真正需要武林盟主主持公道的事务，照实来说并不太多。

因而寒子凉能以武林事务为由叨扰若水山庄的机会也不是常有。

今天却是个拜访若水山庄的好日子。

寒子凉一派正经颜色，正经八百地递了拜帖，跟盟主一番寒暄客套之后切入正题，口口声声说是商讨最近武林中崛起的新兴门派与老门派间发生多起磕碰的处置方式，其实想的却是那特殊的日子愈发近了，自己却多日没有见到佳人的真容，心下一早就长了草，巴不得立刻脱身。

赫连兆影跟原来的武林盟主虽是同门，行为处事却大为不同，并无半分对武林的控制欲，对那些无伤大雅的小争端反而乐得作壁上观，并不喜欢多加干预。他对这几个孩子的事又怎么会不了解，无论是柳莫行与爱女的两小无猜，还是借住在此，常拉着爱女游玩的萧洛璧，乃至前武林盟主之子寒子凉本是爱女未婚夫却因为那场风波而主动退婚一事，他心知肚明，亦给孩子们完全自主的空间。爱谁，是谁的朋友，要跟谁在一起，本就只有当事人才最清楚。其他人，微笑着，旁观足矣。

因此，话题刚打住，赫连兆影就打趣道：“莫行那孩子都来了个把时辰了，难为你还能跟我坐得住。”

寒子凉其实架势摆得十足，焦躁之情根本不形于色，现在被长辈这样一说以

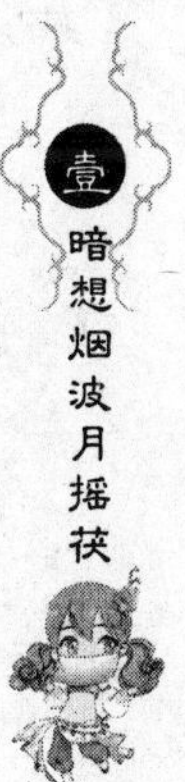

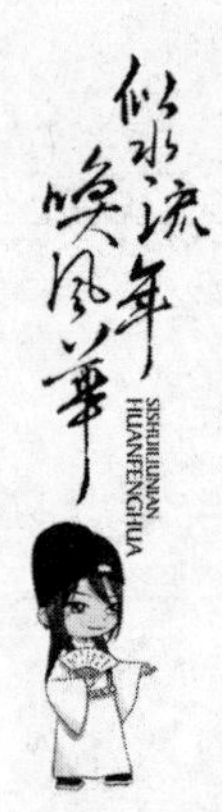

为自己的不耐露在了脸上，脸上便立刻露出羞愧的神情，“伯父这是哪里话……”

赫连兆影露出促狭的一笑，“好了好了，你还是个年轻人，也别满脑子的武林正道，还是快上后头去跟他们几个玩儿吧。”

这个笑容里的玩笑味道简直跟他女儿十足相像，于是寒子凉在这对父女面前只得无一例外地丢盔弃甲慌慌而逃。

竹林，石桥，小河流水。这分景致以及记忆中的绝色容颜都不曾因为时间而改变分毫。赫连皙伏在藤椅的扶手上侧过头来，用她那仍是三分玩味七分甜意的声调开口，“寒公子，真是稀客。”用字遣词清冷客套，虽然语调愉悦。

话虽如此，凉亭里的三个人对于寒子凉的来访，其实都了然于心，没有半分意外。

亭中，桌子对面面向门口而坐的柳莫行含笑抬起头，翩翩公子的那种风华清明，多年来不见丝毫违和。看着如今的他，没有人能想到两年前他为寒子凉演的那一场绝情犀利的苦肉戏、离间戏，感觉多么遥远。

柳莫行招呼寒子凉落座，仿佛一直在等他，顺手再斟上一杯热茶，茶具果然有他的一份。背对寒子凉的萧洛璧倒没有特意回头打招呼，状似专注于桌上的棋局，却一边落子一边大放调侃之词，“寒大侠此等正义之师投帖拜会，这会儿不在前厅与盟主大人高谈阔论，却跑来女眷居住的后院做什么？”

这萧洛璧不知是不是在介怀寒子凉跟赫连皙那次大张旗鼓的婚礼，对他格外的嘴坏。寒子凉当然不好意思说是赫连兆影亲口叫他过来，只好接过茶杯妄图以喝茶来掩饰。可惜被赫连皙一个不怀好意的眼神飘来，立刻呛了一口，面色通红地咳了起来。

他们相识了这么久，她的脾性他倒也摸得清晰。明明就是一副清雅风华的绝美，却偏爱对他烟视媚行，三分温柔七分甜蜜地魅惑。她一直如此未曾变化，就如他始终独独对她没有丝毫的办法与脾气。

赫连皙这才开口，名义上替寒子凉解围，实则心满意足地看他那口气继续顺不过来，“寒公子对我这个没过成门的妻子已经够冷淡了，十天半月能来打个照面就不错了，谁还会有闲心说他假公济私呢？”

想到在一起这么久了，就不得不佩服寒子凉的坚持。他怎么就能在一次又一次的挑衅调笑中坚持这样的反应，完全不曾稍稍变得圆滑一点呢？不过，这就是他的可爱之处。

最后还是柳莫行落了子停手，重新给寒子凉斟茶，柔和地笑笑，和煦温暖，

“子凉兄，你再尝尝看。”

寒子凉尴尬到窘迫的心神，自然就落在了温和平静不曾与他作对的茶杯上。杯中零星的茶叶色泽绿艳，茶香淡雅，初入口有难掩的苦涩，是保存得宜的夏茶。

以赫连晳的喜好最多品品明前茶，大多时候沏的都是花草。而这一壶，完全是寒子凉的口味。

柳莫行无须多说什么需要费心应对的场面话，小小细节，也能让寒子凉知道其实大家都是有心在等他。

玩笑被戳破，萧洛璧扫一眼柳莫行落在局中的白子，一副大势已去的模样推了棋。柳莫行仿佛不曾关心的样子，转而去对着赫连晳道：“晳晳，绣娘到庄上来等你挑生辰贺服的布料也不短时辰了，你还不去看么？”

赫连晳一点也不介意寒子凉知道自己是在故意等他，反而在寒子凉略有惊异欣喜的视线望过来时，甜笑着抛个幽怨久候的神色过去，玩味地看寒子凉又生硬别扭地转开头。

等柳莫行自然而然地在座上弯下身整理好她起身后有了皱褶的长裙下摆，赫连晳愉悦地旋身，“那么，我就去挑生日的新衣服咯。”

生日啊……赫连晳的生辰确实是转眼即到呢。不似之前在海上漂泊的时日，逢到生辰只能做单调的安排，这一次……望着赫连晳窈窕的背影，寒子凉唇角挂上了几分无奈却满载温情的弧度。

身侧突然发出吵的声响，寒子凉转过头的时候萧洛璧正用合上的扇骨敲击自己的嘴角，犀利的视线毫不避讳地扫着寒子凉的表情，“听见生日两个字，那点阴谋都浮在脸上了。”

“子凉兄又不是你，哪里来的‘阴谋’？”对面柳莫行重新清了棋子，温和的淡淡轻笑几乎无可动摇，平平替寒子凉挡了话。虽然是与自己骨血相容的亲兄长对视，两个人也不曾刻意迁就或敬辞。兴许是性格所致吧，萧洛璧从小恣意生活已久，对赫连晳之外的人并无执念或心思；而由赫连兆影一手带大教养良好的柳莫行，知他心意，便也没有对突然相认的血亲弥补亲情。两年前他们兄弟二人甚至免去了相逢的客套。在这个武林中生存，只有真正聪明的人才会懂，亲密无间远不如保持最合适的距离、选择彼此都期待的最本色而适合的态度。说来，这也算是亲兄弟间的一种无声默契吧。

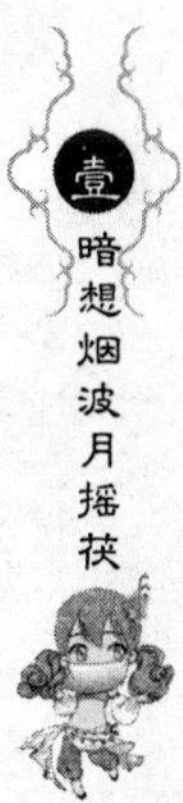

萧洛璧邪邪地挑起唇角，眯起眼睛，却仍不斜视地用颇具压迫力的视线锁定寒子凉，“不要小看寒大侠的好。别看他外头是道貌盎然的花架子，私底下铁定学会不少小花招了，保不齐这会儿正算计着学人家花前月下、夜后私奔什么的……对那些假君子真小人掉以轻心，可是要吃大亏的。”

寒子凉一直不畏惧在任何时刻直视任何人的眼睛，均是因为自问扪心无愧。这一次，他却被萧洛璧盯得首先移开了视线。萧洛璧的视线太过透彻清明，会让人有一切私藏都被看穿的错觉。

柳莫行还在低头摆弄着棋盘，仿佛对这两个人的眉来眼去毫无察觉，只是这次笑得都出了声，“你不是还要说都是跟你学的吧？如果各个像你，咱们不必做别的，天天都要满世界问路寻人了才是。”

有着恶劣拐带私逃案底的嫌疑人萧洛璧，作若有所思状，却半点也没有自省之意，只是似笑非笑间冷哼了一声。

看萧洛璧自赫连皙一走就没了继续下棋的意思，柳莫行这才抬头，“兄长还是少以自己之心度子凉兄之腹了，这次皙皙生日难得大家都安心在一起，就别各自在私底下做什么动作了吧？”

自然看得出柳莫行这些说辞原本都是为谁出头，没想到却让受惠的寒子凉心下凉了半截。

萧洛璧那般清邪的性子，在落井下石方面是不落空的，明明看得出寒子凉的郁结，还故意以一副毒舌抛引在三人中间，“哦，这意思是大家摆上明面公平竞争？”

见柳莫行的视线也扫过来，寒子凉只得强压下心头动荡，僵硬地点点头，“自然……是要公平。”武者外练筋骨内修气息，言语间吐息皆发自肺腑丹田，因而深沉有力，气定山河。寒子凉的武功原本走的就是硬气一线，这一句话说出来却多多少少欠缺些底气。

他正想到最近跟若思的信函中提到赫连皙的生日，若思一直说这是他们近年来唯一一段平静无事的安生日子，一定要仔细地准备庆贺。尤其，是要费心准备独特的礼物，好在姑娘的芳心里占一席位子。更重要的是，信中所指若思早已动身前往塞北，必为他寻得冰冠霓光雪莲。

寒子凉不知道要怎么把这件并非出自他的授意，却归为他“私底下”准备讨好赫连皙的“小花招”跟对面的两个人坦白。尤其是，在从他嘴里说出了“公平竞争”这个提议之后。

“公平，哦……”听到这话，萧洛璧似有似无地瞄了寒子凉一眼，微微上挑的唇角挂着一抹讥诮，闪身出了凉亭。

直至眼见萧洛璧走远了，柳莫行才维持着不变的温文起身，对身旁的寒子凉指了下厅外。两个人沿着与萧洛璧不同的另一条路慢慢前行，柳公子波澜不兴地开口，“子凉兄可是有什么话要说?”明明有洞悉万事的敏锐，言辞间却不给人半分压力，走得微微靠前，连眼神都点到即止。

单独对着这样没有半分攻击性可言的好友，寒子凉紧两步追上他的步伐，犹豫彷徨着，几乎有些面色潮红，最终还是将若思和雪莲的事情和盘托出。两年前他们结识了罗兰水国宫主若思，几番照面与纠葛下来，若思和看似最不会与女人相处的寒子凉反倒成了至交。寒子凉虽然冷峻严肃，骨子里却比谁都善意而正直，他与若思全无男女之情的交际，倒促成了两个人的默契。当然这种默契，尚不似他与从小一起习武长大的师弟柳莫行。寒子凉与柳莫行之间，早已不是谁救过谁，谁信任谁那么单纯，他们之间，更深的是一种胜过血缘的羁绊。这也是寒子凉会愿意和柳莫行无话不谈的原因。

不出意料，柳莫行继续步步前行，步伐速度不曾有变，对此只报以一笑，不见惊异之色，更不曾谴责，神态反而较似安抚起寒子凉来。

“我并不是……”见柳莫行未曾开口，寒子凉不禁疾走几步，跨到他的面前。

柳莫行倒像是被逗笑，抬手做了个打断的手势，“难道我还不知道子凉兄你的为人么？好了，再耽搁恐就迟了，你还是跟我来吧。”说罢也不再给寒子凉开口的机会，拉着他一纵身就翻过院墙落在大丛灌木林当中。

寒子凉刚刚一路上一直只顾心事，纠结隐忍地编排措辞，竟未发觉这一路被柳莫行带着，不知不觉走到了若水山庄宴客用的偏厅。而更重要的是，此刻偏厅接待的是来为赫连晢量体裁衣的绣娘。

“这……”

不妥二字还没来得及说，柳莫行已经眼明手快地按下了寒子凉。他不经意地摇摇头，示意寒子凉安静查看。

制止的动作同样秉持着柳莫行事的点到即止。寒子凉讪讪地，才反应过来实在不应该去质疑柳莫行的品性。再细听，果然早没有绣娘和锦缎商人的响动，反倒是意料之外又情理之中，刚刚独自走开的萧洛璧，此刻正在大厅里跟赫连晢说着话。

他们不过刚进院墙，离偏厅多多少少还有一段距离。只不过大厅为迎客门窗大开，屋里的人又不曾压低声响，所以刚好听得一清二楚。

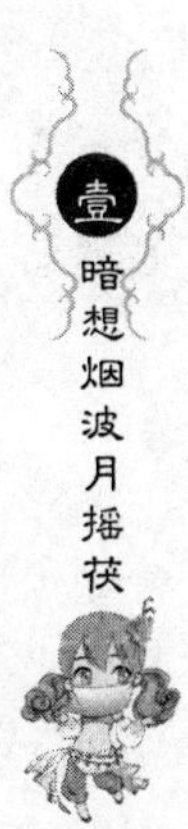

“……那里无论湖光山色还是风土人情，作为生辰庆祝的探险之旅再适合不过了。”萧洛璧正坐在赫连皙对面的太师椅上抓着她的手在掌中摩挲，抬起眼睛来看着她的时候，眼里满载的情愫如星辰般明亮耀眼，“我又有哪次骗过你?”

看似凉薄、漠然，实则激烈而专注，萧洛璧带来的一切从不平淡，而是强烈炫目的光华。他眼睛里那汪冰川只燃一抹烈焰，仿佛永远都燃烧不尽，而这般深情，专属她一人。

没有人能在这样的注视之下说出拒绝。就算赫连皙真有那个意图，萧洛璧也断然不会让她成功说出口。猛然一个前倾，快得只够赫连皙咽下嘴边的话后撤闪躲，才没有被他吻个正着。

“小赫连，我们就这么说定了，晚上我来接你一起走。”

后墙蹲守的寒子凉备受打击地扭头去看柳莫行。柳公子即便是躲在树丛里也不失从容，听见里面的对话也不惊讶，还有些运筹帷幄之中的淡然。见萧洛璧早闪得不见踪影，而寒子凉在一旁欲说还休，柳公子即刻伸手不轻不重地拍拍寒子凉的肩膀，“你还真信他说什么公平的鬼话不成？回去准备一下，晚上一起走吧。”

柳莫行是从来不会拂了赫连皙的意，生日想怎么过，要去哪里皆尽随她。只不过这人选……就不能由着萧洛璧的性子了吧，难道他以为自己会跟寒子凉一般干看着他们两个在眼皮底下玩儿失踪不成？

寒子凉手指紧了紧，又放开，“……不了。”如果赫连皙是想跟萧洛璧一起过这个生日，他又何必去不识相地打搅呢？他在退婚的时候早已承诺过，尊重她的选择，不是么？

他那耿直的思路，明明低落偏又强撑的样子，柳莫行一眼就看得穿，却只能暗暗叹气，不能表现在明面，“你又没有亲自问过皙皙本人的意思，怎么就肯定她中意单独出去？更何况去塞北路途遥远，江湖险恶，她这样的姑娘你放得下心?”

也不知道前后两个理由哪个更加打动寒子凉一些，反正他最终僵硬地点点头，仍在嘴硬，“暂且……跟去看看吧……”

当晚。

萧洛璧并无猥琐隐匿之姿，手里反而拎着一盏不小的灯笼。月黑风高夜，却成秉烛夜游天。不打招呼也能从上锁的门窗出入自如，他进赫连皙香闺的手段之高，连房间的主人也觉匪夷所思。

房外的翩翩公子此刻换了件暗色的长衫，斜倚围墙，衣摆随风而动，平添一丝飘逸。即使是黑色衣衫，柳莫行的风神玉骨，柳莫行的精致恣意，依然温柔得没有任何违和。那么绝代风华，波澜不惊。

一旁的另一位看客见了萧洛璧这驾轻就熟的路数明显气得不轻，几乎有些咬牙切齿。柳公子于是淡淡安抚着，“皙皙房里灯还亮着呢。”神色间还是温文恬淡，不起波澜。

偶尔这种时候，寒子凉心下就会有点疑惑，不知道自己这至交好友到底在赫连皙身上放了几分深情。似乎没什么事情，能让他着恼。

世人常说柳公子出尘清净，不染世俗，全不似凡人庸碌。然只有近看他之人，才会知道，那些个看似恭维的赞美说法，远不及他清明的千万分之一。

萧洛璧进了屋，一点也不意外等着他的赫连皙身侧没有收拾出任何行李。别说这样变相地拒绝了，就算她是明说，结果也不会有什么不同。对象是赫连皙的话，反正横竖用强的他也很喜欢。

五年画像倾情，五年白茶花叶的相望，直到近两年，他才与她面对面，与她咫尺相隔。他不会让那亲昵的温度，有机会变成远如天涯。

“萧公子，一年多了，你的脾气秉性还是一点没变。”坐在橡木椅上的赫连皙，似乎轻叹。可她稍一抬头，便落入萧洛璧紧盯的视线中。墨染如霜，却又纤尘不染。她那双晶莹的玉眸，忽然就多了种说不上是调侃还是无可奈何迁就的味道。

萧洛璧心尖，忽然地，因为这般熟悉的目色与言辞，温润无双。

一年前他在她与寒子凉婚礼上掳她而去，她对他叹息一语，几许温柔、几许甜美，“萧公子，你的强娶，于礼不合。”那时候他似笑非笑，由着性子回她一句，“小赫连，你可知道我这个人，坏得彻底。”他还记得，那时候她抖落了大红嫁衣上远渡重洋的尘嚣，莞尔莫测，“反正你在我心中，从来也不是好人。”

她从不曾对他的任性或霸道置气。

小赫连，既然知道我不是好人，你缘何还能那么美好地面对我？

于是，萧洛璧那张漂亮的脸上的笑容，由唇边展开，清明的、高贵的弧度。

“也对，跟我一起还用什么行李，天为被我为床，小赫连这打算深得我心。”手臂强硬地揽在赫连皙的腰上，他拿来的灯笼还不曾放下，烛光闪烁，映在他充盈柔情蜜意的眼里，相得益彰。

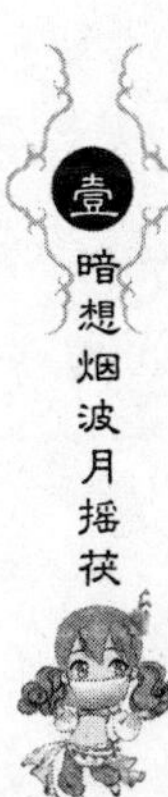

他的手劲，不容拒绝。他的力度，却拿捏到恰好不会伤到她。

“我们走吧，我的……小赫连。”

*

柳莫行和寒子凉纵马到达官道的时候，刚刚拿在萧洛璧手里的灯笼外皮已经在路边燃烧殆尽，只剩下里面的蜡烛还闪着幽幽的光。

此刻萧洛璧正垂着一条腿坐在车辕上，有一搭没一搭地跟车里的赫连皙聊塞北的瑞雪冰川、珍禽异兽、塞外美食以及美酒佳酿。在四季如春的中原来看，他绘声绘色描述的雪原景致还真的别有一番风味。

但车篷里安静无声。

萧洛璧挑开幕帘笑笑地望进去，赫连皙看看他，倒也不是生气，只是若有所思，“你不觉得，这场面似曾相识?”

对拐带私逃劣迹斑斑的萧洛璧来说，似曾相识这说法算是太轻。

见她不是很累，索性一把将她拉出来放在身侧搂进怀里，嘴角笑意温情不减，语气却幽怨起来，“这么费尽心思的难得独处，小赫连还在想着别人?”玩笑的语气，温热的气息就落在项背，不近不远。

赫连皙又不是那种不能享受月下私奔的乖巧的小家碧玉，况且背后的人是萧洛璧，索性就顺着他的玩笑，笑靥娇艳，“这次莫行哥哥也在，你以为你能把我拐到哪里去?”

“天涯海角呀。”忽然就紧了的拥抱让这紧贴耳畔的玩笑半真半假起来。萧洛璧的笑容深了几许，像是忍俊不禁，也像是清浅的怜惜。

赫连皙背靠在他胸口，听着萧洛璧沉稳的心跳，没有回答却也没挣开他的手。

单骑的速度自然远胜马车，两日之内尾随的柳莫行和寒子凉就走到了萧洛璧跟赫连皙的前头。

寒子凉明明从未自萧洛璧那边听说他们的去向，柳莫行却笃定地往塞北走。几次投宿之后都看见马车如期而至，让寒子凉不信服也不行。只不过他绞尽脑汁实在解释不出尾随的理由，因而说什么也不听柳莫行建议四人同行的点子。

结果萧洛璧得了空子，次次投宿都跟店家介绍两人是夫妻同游，每每只开一个房间，搞得寒子凉一天比一天焦躁。

可一提现身制止，他就又一脸隐忍地退却。

转眼快出中原，萧洛璧的马车又慢了下来，停在城里采买。午间他进了药铺，马车跟赫连皙就留在了门外。

至少萧洛璧准备的御寒衣物药品还合得上寒子凉心意，他在药铺对街的酒楼要了临街的雅间，柳莫行看他整个心思都在监视萧洛璧和遥望赫连皙上，就自行定了午饭菜色，只觉大概无论摆上桌的是什么佳肴，寒子凉也尝不出味道来吧。

中午这会儿街面上正热闹，偏偏赫连皙不肯闷在车篷里面，反倒站在车前逗弄拉车的马匹。以她的姿色，平常出门若不是总有或凶神恶煞或邪气丛生的护花使者跟在一旁，不知道得惹出多少麻烦。这下自己站出来，若不招蜂引蝶反倒让人惊异。

美色当前，自有色令智昏者自告奋勇。当然若是半点身份也无的普通混混倒真不敢当街对赫连皙这样一位姑娘出言不逊，怕指不定就给随便哪位少侠的英雄救美做了嫁衣。所以上前的男子身后跟着不少家丁护卫，大概还真是哪位世家公子。

寒子凉远远地在酒楼上，瞧见萧洛璧悠哉游哉提着药不紧不慢地出门，对那群围着赫连皙的登徒浪子不温不火的样子，几日来积攒的火气都涌上了气海，直看得上菜的小二手脚止不住发抖。

“他这是怎么照顾人的……”

柳莫行倒不受影响地继续吃菜，“看不过你就现个身啊子凉兄。”

淡淡一句，就让寒子凉怒气冲冲的脸扭曲到不行。

此刻那正努力跟赫连皙搭讪的公子哥身后上来个武师模样的人物，他们交头接耳地低语了几句。公子哥远远回头张望，立刻就被寒子凉的表情唬得一惊。

武师赶紧又俯过去咬耳朵，“那可是武林中鼎鼎有名的寒子凉少侠，下任武林盟主的人选。这位天仙姑娘怕是大有来头，公子您还是……”

这公子哥心说别提来头什么，光看寒子凉那张脸，有胆子接着搭讪的估计都得是武林中榜上有名的高手了。所谓识时务者为俊杰，他连告辞的话都没敢说，挥挥手招呼下面的人尽量得体地、不太灰溜溜地撤走了。

柳莫行这样云淡风轻的人见了这番动静，再看看寒子凉发青的脸色，都忍不住闷笑。

大约是觉得有趣了，之后几天柳莫行也不再劝，任由寒子凉的性子来，一路

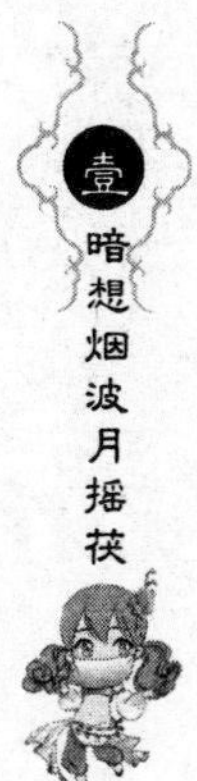

跟在赫连皙一行身后。

一路北上，行程并不焦急，天气却是一下子就凉了下来，衣衫一件件往身上加，连皮裘都取出来以备所需。不足十日，已然能看见茂密的松林和终年积雪的山峰。

寒子凉尾随着他们进山，越走越觉着危险。待得遇见某处野山丛林，萧洛璧竟然不绕行，反倒弃车，挽着赫连皙步行攀爬起了雪山。

人迹罕至的地方不易藏身了，虽有林木遮挡掩映，马蹄踏雪的声响在寂静无声的山谷中还是过于醒目了。鉴于寒子凉全然不愿现身，他们也只好把马寄存在驿站，循着路上登山的痕迹远远地跟着萧洛璧一行。这一跟，竟就跟到入夜。

也不知萧洛璧怎么辨认的路线，竟然在天黑的时候找到一处山间村落。寒子凉和柳莫行到的时候，村子里的农家正凑在一起欢声笑语地烹饪着萧洛璧带来的野味款待他们，山珍、木耳、菌菇炖煮出的香气四下满溢。

这村落很小，总共也没有几户人家，寒子凉唯恐不小心跟那两个人照面，思索再三还是略显不安地跟柳莫行说："怕还要委屈你露宿。"

柳莫行拿出行李里准备的弓箭敲过去，笑得温暖，"多虑。倒不如先比比剑法啊？"

晚上坐在岩洞口的篝火旁边，看着柳莫行裹在大氅里安静的睡颜，寒子凉开始检讨自己这样毫无道理的固执，还害得兄弟受累，到底是不是错了。

后半夜是柳莫行来盯，天微亮时寒子凉自然而然地醒过来，柳莫行就坐在身边搅动篝火，"再睡一会儿也无妨。他们大概是不着急，怎么也会等太阳起来了再上路。"

他这副随遇而安毫不言苦的自在样子，反倒是让寒子凉更加自责不安了。

"我们还是去跟上他们结伴走吧……"

对寒子凉突然的改变主意，柳莫行也没有表示什么讶异，只是点点头，"离远了上山大概也不好跟，再说这里又不比中原，一起走倒安全得多。"自然而然就给寒子凉的变化圆了借口。

谁知再回村子里去，才发觉那两个人竟是天刚亮就出了门。村民都很淳朴，柳莫行温婉的君子风一出，都毫不怀疑，倒提起他们询了登顶冰冠的路。

半路气候极冷，不多时飘起了小雪。这下顺着村民指的路过去，要走上很远才能艰难地发觉萧洛璧他们留下的痕迹了。

寒子凉不禁屡次加快脚步，生怕一个不慎就把他们跟丢。

没想到一路越追越近，却发觉他们的脚印跟一大群人纠缠在了一起。

1.2 旖旎一夜

找到人的时候，萧洛璧正跟几个明显训练有素配合默契的高手过招。对方虽无杀念，气场却强硬，招式大开大阖，摆明自恃占尽了地利人和。

其实光看招式，寒子凉对萧洛璧处于劣势很是不解。他虽不喜欢萧洛璧的为人，确切地说是不欣赏萧洛璧性喜坑蒙拐骗的行为，但终究不曾怀疑他在武学方面的造诣。区区几个招式普通的武人，没道理能跟他缠斗良久。他总不会是……借机在跟赫连皙邀功？

虽然不明就里，毕竟事关赫连皙的安危，寒子凉还是放弃偷偷尾随之举，没有袖手旁观。当然柳莫行一见赫连皙在荒山遇袭，立刻就出了手，他们的行踪本来也藏匿不住了。

只是很少几个招式的动作间，寒子凉就察觉到不妥。

对方几个高手的功夫也是上乘，跟他们三人一心联手却仍差距甚大。但他在这战局中时间越长越觉得气息难调，很快就有后力不续、唯恐不敌的感觉。看看萧洛璧和柳莫行，毕竟是熟悉，虽然两人极力掩饰，还是能察觉到他们也有同感。

不知是在哪里着了道。然他们虽年轻毕竟阅历丰富，几个眼神交流过去，不需言语，就明了硬拼无望，应速战速决转移阵地。于是他们边过招，边开始慢慢移动，同时下手也重了起来。四人渐渐退却，上来交手的人也就越少。

很奇异，后续并无追兵，他们在一片纷飞冰雪中早已分不清方位，只知退到一个山坳处时，再不见人追赶。

山坳里积雪较山脊上厚实，女靴的款式又短，这会儿赫连皙被一直驮着她的萧洛璧放在岩块上，轻轻跺着脚，立刻露出靴子上沿化雪洇湿的裤脚。

“你又是上哪里引来的这些凶神恶煞?”柳莫行对他跟寒子凉的突然出现一派天经地义，倒像是早约好要同行一般。他毫不避讳地伸手过去握住赫连皙的小腿，放开时淡淡热气腾起，裤脚却是干了。

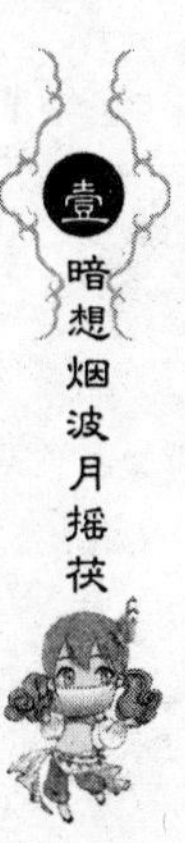

刚一句原本是直指萧洛璧，却在柳莫行的动作间失了目标，虽是追问但语气柔和，变得更像调侃。不能让一旁的姑娘陷入危险之中是大家的共识，以萧洛璧的慧黠又怎么会自引追兵？认真为此质问完全没有必要。

“你们还真是慢。”萧洛璧虽然实质上有得到寒子凉和柳莫行的援手，却半分狼狈的样子也没露出来，也不管是不是由于自己刻意提早出门才让那两个人跟丢，神态悠然恣意得很，“退是不能退了，上山好了。”

寒子凉却还是对尾随一事有几分尴尬。沐浴在赫连皙含笑的美目之下，他一时之间口不能言，只远远看另两个人的专注，都聚在赫连皙身上，和谐得无隙插足。

柳莫行一抬眼，就捕捉到赫连皙明显的跃跃欲试，只因他的目光焦点只流连在她身上。他可能有一瞬间难以察觉的蹙眉，但宠溺地由着赫连皙的性子来已经差不多成了一种习惯。所以他不动声色地收回了想要向她递出的手，冷眼看着萧洛璧拉着赫连皙的手搭在肩膀上，想要把她背起来。

“寒公子……”赫连皙婉转的声音恍若一次轻柔的触摸，寒子凉简直为这犹若实质的点名微微战栗，“可以请你帮忙么？”

跟赫连皙相处的时候似乎总有莫名的不自然，不喜言谈的寒子凉无法准确表达出那种感受。她永远爱在寒子凉最意外的时刻做出让他最意外的事，比如在萧洛璧和柳莫行都近在咫尺的时候叫出站在最远处的他的名字，朝他微笑着伸出手。

寒子凉告诉自己后背的温度是源于狐裘而非搭在肩膀上纤纤玉手的主人，却又不得不一再跟自己强调背后的人就算退了婚仍旧是自己的未婚妻，于情于礼均无不妥。

她是以让自己纠结为乐吧……这样感叹的时候，胸口的悸动源自何处，寒子凉却说不出来。

所以，当风雪中万籁俱寂的旅途里赫连皙又甜笑着玩笑一般开口问“寒公子，我重么？”的时候，寒子凉没有回答，而是把她搭在左肩上的手，微微向下拉了一段。

萧洛璧对自己被拒绝少见地没有任何表示，即便眼前的这一幕也只是让他侧头一撇，“小赫连，你还真是心疼人。”

“听到什么声音……”赫连皙伏在寒子凉背上，对他们脚下的轻微震动感觉不明显，但走在前面的萧洛璧和柳莫行几乎是同时停步转回身来，甚至比她说话还提早片刻。

隆隆的声响不细听几乎与风声分辨不清，只不过他们没有料到，只是这细微的动静，还未来得及抽身，铺天盖地的冰雪就朝他们涌来……

*

夜幕，浓重。连呼吸都听不到的寂静，铺天盖地。

风，掠过漫天漫地的冰雪之崖，在吹散的雪沙冰河间低低呜咽。半空之上，乌压压的暮色迎着瀚海长风，裂了千顷云霭。

坟墓一般的安静，盘踞其上。

宛若死域。

不知过了几时，平静的雪原陡然隆起一个小小的雪包，随着覆于其下之人的起身，逐渐开裂。

抖落的雪尘，凝着夜雾缭绕，一步一步，冰凉彻骨。那人却仿佛无所知觉，而是四下环顾，眼神专注。

那被浓墨着色的脸，在须臾转身间，被渗入的淡淡映雪之色，慢慢地擦亮了轮廓。那收敛了所有波澜的脸，有抿着零度的唇，和氤氲着未知情绪的眉目上挑。

那是萧洛璧。

灰蓝色的蒙蒙雾霭还未散尽，有隐约的响动自身后传来。踩在雪上的脚步声，细细碎碎，喑哑难明。

和先前四顾未表的担忧不同，萧洛璧没有回头，他依然面向前面，以犀利如刃的目光，一寸一寸，搜寻过漫漫雪原的一棱一角。

“莫行……莫行身在何处?”

寒子凉的声音，让萧洛璧的唇弯成讥诮的角度。

“我倒先想向寒兄问一句。”他低沉的声音浸在风里，漫不经心地洒扬，似乎不带一丝的恼意，“小赫连又身在何处?”

“赫连姑娘?”寒子凉一怔，下意识看向方才雪崩前护在身下的那团身影。

适才雪崩来得太过突然，危急之间，他下意识就扯住华丽米色皮裘的一角，将她拥到怀中，紧紧护住。此时，覆于厚厚的毛毯下的人，仿佛因为刚才受到了惊吓，正微微颤抖。

“赫连姑娘就在这……”刻意压低的声音，有满满的安抚，随着小心掀开的毛毯，咽在了喉中。

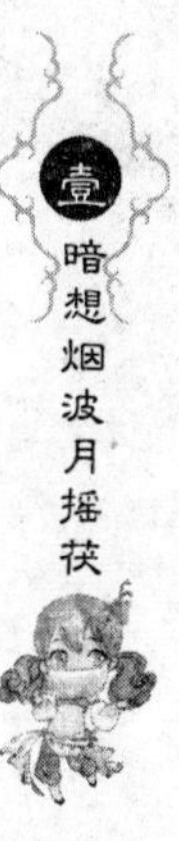

滴溜闪烁的幽黑双眸，嫩白如雪的肤质，虽着华丽的衣衫却隐有磨损和污痕……裘衣下的，竟是一个约莫十一二岁，正泪眼汪汪注视着他的小男孩。

不是赫连皙！

寒子凉握住毛毯一角的手，倏然紧握，骨节青白分明。他的脸色，也似乎映衬了心情，青白紧绷。

“呜……呜哇！大哥哥！我害怕！”还来不及问一句你是谁，为什么会披着赫连皙的裘衣，有着一双凤目使他看起来更加弱不禁风的小男孩，忽然就眼泪决堤，抽抽搭搭扑进寒子凉的怀中。

那孩子哭得实在是凄惨。

萧洛璧扬了眉，终究回过了身，腰侧垂挂的长箫与琅琅玉佩轻碰回响，“小赫连……在哪里呢？”

仿佛不带半丝烟火气的询问，却让寒子凉垂首噤声，不能回答。只是那握成拳的指，更深地抵入了掌心。

萧洛璧没有责怪他，却比明白的指控更让人痛苦；这漫长的无声，像是不断的鞭笞，让寒子凉受尽了煎熬。

怀中的孩子还在哭，直到一声叠一声的“大哥哥”，才让寒子凉回了神。低目，他不太熟练地环着小男孩，轻轻抚拍他因大哭而抽搐的身子，试图平缓他的情绪。

明明是那个最心软的人啊！如果赫连皙在此，怕是会如此轻言了吧。萧洛璧神色不变，仅是听着，在寒子凉略显生硬的低声哄问下小男孩才抽抽噎噎拼凑出的事情的经过。

方才的群攻纠缠，原来，是冲着这个孩子而来。

塞北的冰雪之城，是一处远离中原封闭式的古镇。古镇中人很少会离开这里，大多是自给自足地生存，维系古镇安危与制度的是冰雪之城城主。比起中原的武林盟主，冰雪之城城主一家更像是王公贵族。数十年来，城主一家住在城堡内，治理着冰雪之城。

如今的城主，正是小男孩的养父。因为膝下未有子嗣，便收养了他预备培养成下一届城主。十年来和睦的生活，城中生活富足美好，如此身份地位，现流落至此，不出所料是因为城内发生了问题。一直很慈祥的城主在一次访客后，变得十分残暴，不仅囚禁了自己的妻子——冰雪之城圣女，还命人杀害自己的养子，也就是这个孩子，冰凌。

小冰凌不知道发生了什么事情，只得在从小就很信赖的哥哥——也是城主侄儿落西凌的安排下，跟随他手下的护卫临时逃出城堡。不想在半路却遇上追踪而来的刺杀者，从而走散。

萧洛璧和赫连皙则是碰巧遭遇，并卷入了打斗之中。

寒子凉苦笑。

随后而来的他们，只看到一群人的袭击，并没有发现，人群之中还有一个披着毛裘的孩子。这个孩子身上的毛裘，碰巧和披在赫连皙身上的一模一样。所以在雪崩的那一刻，他潦草一扫，只护住了入目所及处披着毛裘的人。

那一刻，护住那人的瞬间，他心中暗自庆幸和放心，只要她没事……以及醒来后以为唯独不见柳莫行的焦躁，才会让他内疚地第一个去找比兄弟更亲近的他。

谁料，以为保护在怀的，不是要保护的她。

想要保护的她，却不知去向。

那么……柳莫行和赫连皙，还埋在这漫山的冰雪之下吗？

思及此，寒子凉猛地抬起头，正好撞上萧洛璧一直凝视于此的目光。那半敛的眸，睇着小孩子身披的毛毯，藏了百转千回的心思。

“哥哥……呜呜……哥哥，我要回去，我要找西凌哥哥！你们能帮帮我吗？呜呜……”怀中的小冰凌仍在号啕大哭，还未张开的小手紧紧抓着寒子凉的衣襟不放，仿佛出壳的小雏鸟认准第一眼看见的人，自此依赖依靠。

已经被寒风吹刮得发红的小脸，在寒子凉的怀里胡乱地蹭着。软弱的童音带着哭腔，听上去甚是可怜。

寒子凉本性正直，自是受不了如此哀求，但偏偏心挂下落不明的赫连皙与柳莫行，如此两相心焦，一时之间为难相煎。

“喂，小东西。”轻笑声传来，萧洛璧的唇，扬着讥讽的角度，“我问你，这雪山冰冠，是否处于冰雪之城的疆域？”

似是被萧洛璧的语气惊吓到，小冰凌哽住泣音，眨着泪眼瑟缩成一团。萧洛璧却不再重复问句，只挑了眉，淡漠地睇了过去。

终是承受不住这种视线，小冰凌顾不得委曲，结结巴巴地回应，“这座山，当……当然是我们冰雪之城的山。”

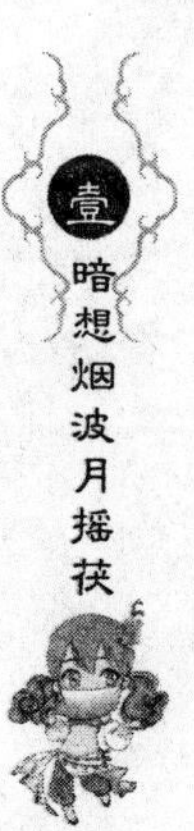

“那么，你当初是从哪里出现在那壁山岩之后？我记得，那里并没有上下山的路径。”

“山里……山里有好多好多的洞洞…………”冰凌强撑着回答完，将脸深埋到寒子凉的胸前，不敢再抬头。

“萧公子……”似是不忍萧洛璧如此对待一个孩子，寒子凉出声，却让萧洛璧将目光定在了他的身上。

“没能近身护住小赫连这一事，虽然让我无比扼腕，但我更加庆幸的是，现在和小赫连在一起的，是柳莫行，而不是你。”萧洛璧的侧颜，映着皑皑的落雪，有一种凌厉的锋芒。

“莫行和赫连姑娘在一起?”寒子凉闻言猛地抬头，心下却宽慰了几分。虽然那两人现在下落未知，但他们在一起，比他们各自落单要安全得多。

萧洛璧此人，或许莫测，或许难明，但从不妄言，尤其事关赫连皙的安然与否。所以他的话，寒子凉未曾怀疑。

更何况，萧洛璧适才目之所及虽然隐露焦虑，但未乱心神。这表明，雪崩之前的最后一刻，他看到了柳莫行和赫连皙最后的方位。

“你最后看到他们，是在哪里?”寒子凉四下远望。天色已暮，能见度已是非常的低，入目之处，皆是雪岩冰峭。

长指摩挲着身侧的长箫，萧洛璧微微一哂，不答反问：“寒兄，你预备拿这小东西怎么办?”

“我……”寒子凉看着怀中那眼中水光开始凝聚的孩子，一时之间没有决断。

萧洛璧的额发，在风中散扬，唇角那么明晰地弯成上扬的角度。那双回望过来的眼，深黑得无星无月。“寒兄，你看到的入心的太多了。”

而我，只会看着小赫连一个，也唯她入心。

这后一句，萧洛璧没有说，也没有必要说。他们四人已经在一起经历过很多事情，彼此对对方都很了解，寒子凉的正直品性，萧洛璧的恣意随性，以及，柳莫行的温润心性，虽都对一个人情之所钟，终究，还是不同的。

不待寒子凉反驳，萧洛璧已经转过了身，“那么寒兄，我们就在此分道吧。”

寒子凉急道：“萧公子要走？那莫行和赫连姑娘怎么办?”

狭长的眸子半敛，隐下了难明的心思。萧洛璧勾了唇，莫名失笑，“难不成寒兄有劈山动地之本领，将这整个雪山掀个底么?”他意有所指地看向寒子凉怀中露出半张脸怯生生看向自己的冰凌，“更何况，我们只是殊途同归而已。”

“你是说……”思及刚才萧洛璧对小王子的询问，寒子凉顿悟。

“寒兄可以兼顾你的责任感，但在下恕不奉陪。在找到小赫连前，任何会成为拖延的存在，都是障碍。”萧洛璧的衣衫，随着他的移动发出细碎的摩挲声，融润在越发寒冷的夜里。“看在小赫连的分上，萧某赠寒兄一句忠告：并不是眼见的，就是真实的。”

寒子凉不似柳莫行的潜默相守，亦不似自己安睇世态。除了赫连皙，还有很多的人和事，会在他的心中加上重重的砝码，使之偏颇难为。

萧洛璧，一眼一心，唯一人矣。

所以这一次，宽我不择，恕我不让。就在上天的注视下见证，谁之情譬如朝露，谁之情天地同荒。

半山之上，雪崩之后暂停的雪花又飘了起来，无声无息地没入沉睡的大地。幢幢人影，在一阵风掠过后，不见踪迹。

*

赫连皙从风雪中转醒过来的时候，脸颊上有温温的抚慰感觉，那只手白皙柔和，始终在她咫尺的距离施以保护。于是，她笑了，笑得几许甜美几许灵慧，用一双透彻明眸，将那个人所有的温柔体贴，尽入眼帘。

他们两个已经许久不曾有过这样悠然的单独相处了。

他们两个，好像总是在不经意间，与彼此单独相处。

他雪白的皮裘一大半都搭在她的身上，为她御寒，也为她挡去世间一切的侵袭与伤害。柳莫行在赫连皙身边，十六年来，从未变化。

青梅绕床竹马来，他们两个，在此刻虽然尚未成为彼此的另一半，却无疑比任何人，都信任对方，都有心有灵犀的默契。

一年前东瀛的事情。他千夫所指背负着所有人的质疑与憎恨，唯有她，不离不弃站在他面前笑一抹清莹婉转，“莫行哥哥，我信你。”这是十数年的情感，比男女之情，更深更重了一抹亲昵。

所以，很多时候，看柳莫行和赫连皙比肩而立，与其说是情侣，不如说是兄妹；与其说是兄妹，不如说是挚友；与其说是挚友，不如说是夫妻。

“你醒了？”温文而润的音调，柳莫行在赫连皙意欲起身的时候很习惯地搭手给她肩膀以力量，让她能更轻松地起身。轻轻褪去他雪白的皮裘，里面是他们遇袭时她披着的米色裘衣。上面有针线刺绣的白茶花，那是若水山庄特意请人依她

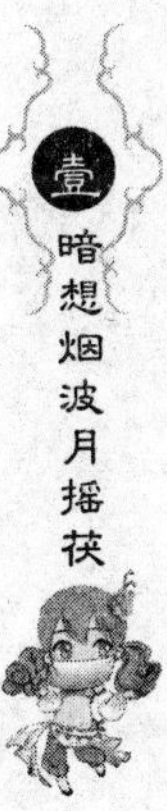

爱好而缝制的。

“我们这是在哪里?”赫连皙轻轻甩了下马靴足底深陷的雪渍，依稀记得雪崩前那些突然出现的黑衣人，好像不论在哪里，只要有人行不轨之事都会黑衣蒙面，就像说好了一般。原来坏人也是知耻的呢，呵呵。

“与其说是坑洞，不如说是机关地窖。”轻声回答，柳莫行看着眼前这个少女精致的眉眼，暖洋洋的光线从几乎齐天的洞口若隐若现地照进来，凝成一道柔润的温和落在她的白皙脸颊，说有多美就有多美。

赫连皙即使柔弱无依，仍是沉静了所有的杂质，不惊波澜。他一直很喜欢看她。喜欢看她眼中比谁都干净的清莹，谁都没有的那一分似水而温。

“其他人呢?”

面对赫连皙的疑问，柳莫行甚至不用摇头，她就能从他的眼中看出神色所谓哪般。也对，雪崩时那么混乱，谁都无暇顾及他人。莫行哥哥会拉住她并不意外，奇怪的反倒是她明明记得那一刻萧洛璧是对她势在必得地伸出了手……中途风雪的痕迹更重了一分，让她没有看清，他忽然顿了身形所谓哪般?

“也罢，大家武功都不弱。”莞尔地对柳莫行露出甜美的微笑。他从她站起来就一直坐在原地，此刻也没有要起来的意思，反让她几步凑过来，轻轻地蹲在他的面前。看那一张俊美无双的容颜，别样的温柔无双。

两个人就那样彼此对视着。

赫连皙美目清灵，绝代风华；柳莫行自也眉眼清明，临风惊世。

直到，赫连皙率先打破了安静到静谧的沉默。

“莫行哥哥，疗伤药在萧公子那里。”

“我知道。”他简短的三个字给她，却像是蕴涵了三生三世的温存。随后，看到她那抹“我就说嘛”的笑痕，她背转身对他，慢慢地踱步在遍布是雪的坑洞内。

此坑洞之深，已不单是坑或洞那么简单了。人力要想挖掘出如此深的洞穴，恐怕都要两个成年人劳作上两三天。等劳作完毕，那两个人却无法离开这里。这坑洞就是一般武人使用轻功都无法擅自飞离的高度。

赫连皙简短观察了一圈雪山坑洞，柳莫行也在端详着她。

熟悉的、纤细的身影，即使只是背影，依然是清晰而娇柔的美丽。乌黑的秀发飘逸地散落在米白色的裘衣裙衫上，盘踞出海花的涟漪缠绵。

香气。即使远远相隔，仍不自觉地领略。

于是他不自觉就闭上了双眼，感受着熟悉到连心都打上烙印的曼妙。

不多会工夫，她重又坐回他身边，身子习惯性地依偎进他的怀里。他的手心，便轻轻攀握上她皙白如玉的柔软手腕。

“冷的话告诉我。”

“有莫行哥哥在，我就放心了。”赫连皙一双眸色如月，清波顾盼。笑开了唇角娇艳的弧度，清艳如斯。

原来，在雪崩发生时，柳莫行脚踝稍受了一点压迫，导致一时无法全力运用体力支持轻功。这便是两个人不得已暂时待在这里的原因。赫连皙自是不会责怪或介意什么，因为以他的身手还会受伤，不消问必是为了护她。

她醒来见只有两人，与他对视，只三两下，就看出了其中端倪，不得不说两个人青梅竹马的默契，早已根深心间。

好像，在很早以前，他们就是这样……

那时候十四五岁的少女，腻了总是在若水山庄的作习，挑一抹艳阳天，对身边白衣翩翩的美少年说：莫行哥哥，我们去游湖吧。

那时候十八岁的柳公子，虽然大部分时间都待在自宅清寒冷筑，还是在接到飞鸽传书的时候，回到了曾住过十年的若水山庄。

他一袭玉衣，长身挺立，俊秀的面庞似水而温，虽有路途之遥，整个人却不见丝毫风尘。他修长的手指，暖暖地牵起她白皙纤细的柔荑。

赫连皙生在武林，自不比待字闺中的小家碧玉。这个武林没有男女授受不亲，她自是不会扭捏做作，更何况与她同行之人乃是她青梅竹马了十余年的柳莫行。

两个人游山玩水之心，甚是怡情。

然武林总是风波，未必浪静。

途径西湖，看那泛舟，西湖水在夏日暖温的阳光下，一片一片波纹承载了一分一分美丽。一舫华丽却绝不过火的香船，缓缓飘荡在美丽的西湖上。

听说江南第一美女就在那舫香船中；听说她确实美丽，无愧于江南第一美人之称的美丽；还听说此刻，她美丽的脸上却没有一丝笑意，有的只是那样一分含着悲伤的忧郁。

赫连皙和柳莫行本都不是好管闲事之人。柳公子洁身自好从无登徒子袭美心理，赫连皙身为女子就更没有多余的兴趣于所谓的美人。两人当日本打算绕开人

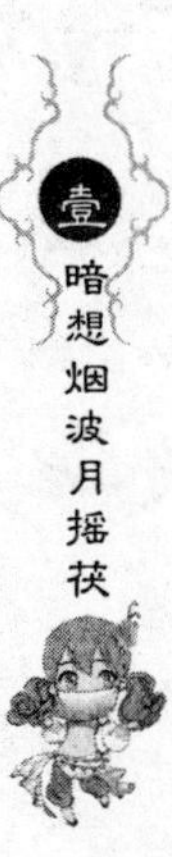

多之处，找一偏僻安静地租船，却不想那个江南第一美女一见柳莫行便差人拦住他二人。

一封书信，白纸黑字。诉不尽的缠绵衷肠。

看在每个人眼中，都深觉武林盟主之子柳莫行与江南第一美女有过什么故事。只是江南第一美女眼见心上人如今另有佳人相伴，只能暗自伤怀。

唯有赫连皙，从柳莫行眉宇间，分明读到了他对这封信的微微莫名。莫行哥哥必是不认识那个女人的，别说他们青梅竹马了十年，就算近年他离开了若水山庄，也必不会是为了别的人。这一点，赫连皙很信任。

那么那个女人想做什么？让他们中间产生误会么？只是，她这么做的理由在哪里？

若是单纯的美女投怀送抱，赫连皙自是会应允柳莫行随后那句“皙皙，我们走吧”而无视香船，偏巧她不认为那个江南第一美女看莫行哥哥的眼神有爱慕，这倒不是不相信柳公子绝代风华的吸引，而是若一个人总是把自己的温和与清明拿捏有度，总是谦谦如玉从未出格，是不会给其他人有遐想的机会的。赫连皙觉得此事有蹊跷，正是因为柳莫行为人太清朗温文，太俊逸无尘，反而会让天下的女子自动以倾慕的心情保持距离。那么，那样一封痴情软语的情信，就太不可信了。

“莫行哥哥，最难消受美人恩。”赫连皙玲珑百巧的心思柳莫行怎能不懂，只是她眉眼盈盈笑得玩味，他唯有将叹息隐忍成无可奈何的宠溺。

“那你，等我一下。”

不出所料，在柳莫行踏水而行，似飞似影，步履轻盈地登上香船的瞬间，原本只是围在西湖旁看美人看热闹的人群中，忽然涌出了数十个衣着打扮很相像的人。他们将赫连皙团团围住，为首的那人才说了句“赫连小姐，跟我们走一趟吧，弟兄们想请赫连庄主施舍一些银两花花。”船上的江南第一美人就扯下了不便行走的绸缎披纱。

原来这江南第一美女，竟是一个男人所扮。

柳莫行看到这个男人的时候，唇角掀开一抹不为人知的倾斜。他虽不认识此人，却能够判断出这种男扮女绑架手段是出自近段时间很有名的一个小团体。那小团体的头目是个唇红齿白的男人，经常先以柔弱示人，待对方放松警惕，再让团伙群而攻之。看来他们今天的手法也是如此，而他们的目标，就是天下第一庄少庄主赫连皙了。

此情此景，本该动怒，柳公子却仍是目色温润未改。一派不愠不火的作风，既不急躁，也不担忧。那些人已经抽出了佩刀面对赫连皙，是他觉得自己离得太远便只能无能为力地放弃了么？

赫连皙笑着摇首，只说了一句话给距离她最近的那个劫匪，一句话之后，劫匪及其团伙都没有再清醒地听到第二句话。

那时候，西湖漫天的水花，随着谁一个衣袂纷飞的转身，激起了千百层的波涛。忽然就像个水帘瀑布，弹起了劫匪们与姑娘的围堵，隔开了两个转角的距离。

柳莫行一袭白衣，风姿清郁。一步一步，不紧不慢，踩着因他转身而起的水格，像降临人间的谪仙一般走回了岸边。

他身后的江南第一，不知是不敢动弹，还是已无法动弹。

事后，柳莫行笑着问赫连皙说："皙皙，你那时说了什么？"原来，即使是隔着水面，公子仍没有错过姑娘每一个神色如昔。

"我说的话不就是莫行哥哥说的么？"那时候，赫连皙顽皮地眨眼，提一片裙裾，旋身飞踏西湖，似乎轻舞水面；在柳莫行的眸色中，娇艳欲滴。

——莫行哥哥说了，让我只等他一下就好。

——我跟皙皙说，只让她等我一下就回去。

柳莫行看到赫连皙安静下来，看到她望着一阵风吹过从天而降的雪花飘飘扬扬，那清艳的目色中，分明是柔软的暖意。公子的唇角，也弯出了用言语根本无法述之千万的宠爱柔情。

赫连皙没有说她想到了那一年的旖旎韵事，柳公子也能从她的眉、她的眼、她的笑意中，毫无二致地推测出内容。那一天，他牵起她的手陪她在湖面共舞，她笑得清艳温柔，他没有问她这种笑，是为了游湖之乐，还是为了……那一句唯二人才有的灵犀。

第三个人都不会将一句普普通通的话解读出深层的暗示，唯他们之间，尚在年少，却有着不分彼此的领悟。

一眉一眼，一心一情。

偏偏，只是为了你。

赫连皙忽然就感觉手心更加的温暖。明明握着她的那双手并没有更加用力，柳莫行也没有开口问她什么，她仍是在依偎他心口的脖颈间都能感受到的火热中，明白他和她想到了同一个画面。那漫天飞舞的闪烁，胜过了满天繁星。

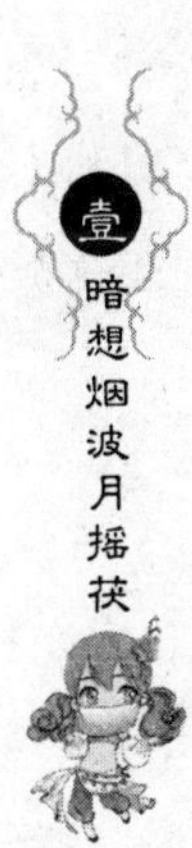

“莫行哥哥，你还记得那天之后的事情么?”所以，赫连皙轻轻开口的瞬间，合上的眼帘，仿佛又将两个人带回了多年前的那一夜。

西湖泛舟之后，他拿捏着她随风动而肆意飘散的几缕长发，看着她白皙如玉的美颊，忽而心情大好地对她说：“皙皙，我们去个地方。”

于是，他们就看到了，那里。

夕阳的流线如同宫廷内娴雅的女子舞花时轻扬的飘带，绵软流长，温柔中更带着一种贴近心头的自然。

“我怎么不知道，山谷中也能有这么美的地方?”赫连皙眼神捕捉着那风情的涟漪，侧目间，也不忘在柳莫行眼中寻找那更自然的魅力。

而柳莫行只是微笑，也不言语，就看着赫连皙，看着她走动的每一个步子。踩着脚下的麦田，每一步都是柔软清新的。白裙衫因为转圈而散起的一圈涟漪，像极了白茶花开的出尘。

“莫行哥哥怎么发现的这里?”那年小小的她仰望他的脸，带着一种不属于同龄少女单纯的欣赏。

“你喜欢吗?”柳公子笑着，上前一步靠近那轻轻旋转的纤细身子骨，他一伸手，便拉住那个少女皓白的手腕。

细细品味，有一种暗示，已然清晰。

于是，赫连皙扬起的笑靥中，更深了那一分如水的甜蜜。她心领神会地搭手给他，他的掌心便握住她的指尖。和心的润，连心的柔。

一旋、一转，虽然没有更大的动作，那仿佛两人共同的起舞，一时间，还是深深地存在天地之间。

很多时候，一种事情的发生不是必然，只是它想要发生。

这个没有规则的随性的舞蹈，跳了有多长时间没有人记住。但是当本该沉寂在黑夜中的天色陇起了一漾闪烁时，那华美的乐章，仿佛才正式开始。

翩飞闪亮的光点，纤纤、盈盈，一抹流光飞艳，一抹迷离绚烂。

——在这少有人来的麦田之上，竟然，会有如此之多的萤火虫。

突然出现，带着它们的光芒，照亮这一方夜色，让夜色中的两个人如同仙宫中的王子公主，牵手的时候，天地都很安静。

“好漂亮!”赫连皙不由得赞叹出口，漂亮的大眼睛流连忘返在那片广袤的麦田和岸边，看着，笑着，内心也体会着谁带来的愉悦。

“不及千万分之一。”

耳边，忽然听到谁似乎不着边际的自语。赫连皙轻轻回眸，对视上那双清明恣意的目色，谁和谁之间，一眼望到对方的眼里，越看越深，深到谁都不介意时间就停止在这一刻。

那张精致到让人连妒忌都不会的脸庞，最出色的那个男子，眉眼之间，是一抹无悔至最深刻的笑意。

“我说这世上的最美，亦不及皙皙你，千万分之一。”

那一夜有星空的繁星，有比繁星更闪烁的荧光。

那一夜有小河岸边上少年少女席地而坐，手指着那广袤的麦田说着你一言我一语的故事。

那一夜，有两个人靠得很近，彼此间的体温晶莹着一分不知不觉的感动。

那一夜，已是记忆里永远的一夜。

1.3　地牢初遇

夜已深了。在一片洁白无瑕的雪地里，却反映得天空还是亮的。朦胧间，星辰的闪烁，点点滴滴挥洒在雪山之巅。

景色虽美，气候却严寒至极。

本来塞北就是严寒之地，到了晚上还没有篝火升起，穿得再暖也会感觉阴风阵阵侵袭。柳莫行怀中的赫连皙不自觉地瑟缩了一下，只一下，仍没有逃过柳公子观察入微的眼。心下叹气，柳莫行悄悄地抬起手心，将一股一股内力渐渐传至赫连皙体内。

最困难的事情，不是这一夜冻死他们两个他却无可奈何，而是他有觉悟牺牲自己保护她，却没自信能避开她冰雪聪慧的眼与心。皙皙绝不会接受以命换命的做法，他也不会原谅自己丢下她一人，这种看似伟大实则先行离去的自私。

若说下午时分，他们回忆与依偎，勾勒起多年前的记忆暖心，是坚信萧洛璧等人一定会寻到他们。然而入夜了，才不得不面对最不愿的猜测，如果那两人也像他们一般，身不由己，又该如何？

他多少会怪自己当初放任萧洛璧拐她出门，从而玩味地看着与寒子凉一路跟

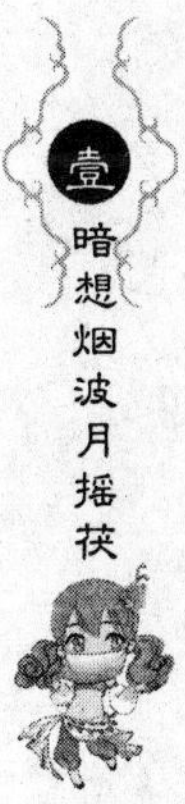

在后面保护。那时候内心应该多少是自负三个人的武功，必能保护她无碍至须臾。孰料，塞北这个地方邪气得紧，登山时那种不协调感，与遇袭时那种武功不能尽情发挥的不适应感，就让柳公子暗自加强了警惕。

若说单纯是自然的因素，似又有所不妥，可是人为……他实在想不到这武林中还有谁，能这般不动声色却轻而易举地算计于他们？

柳莫行无语。一直一直不曾言语。

只是当他偶尔感到赫连皙似乎因为身体僵硬而轻微转动身子时，才会低垂了眉目，轻柔询问："皙皙，你可是想睡觉？"

天愈是冷，他愈是密切注意着她的精神。

"如果你困了，我陪你聊天可好？"

赫连皙并没有睡着，只不过她也没有马上回答柳莫行的话。四周的寒风顺着深坑撕裂而来，仿佛也要撕裂他们。一年前，无影土城很危险，楼兰水国很危险，东瀛孤岛也很危险，但哪一次，都没有让她感觉生死之间的距离竟如此模糊。

那时候，他们四个人在一起。

那时候，她也有和柳莫行单独在一起。那时候，他抱着她一步比一步走得艰难，却也一步比一步更为坚定。那时候，其实她就有种感觉，如果那是一条永远不会有尽头的路，他也会抱着她一直走下去。

他们两个人，青梅竹马十余年，早已把彼此放在了心尖最重要的位置。

见她不语，柳莫行微侧过脸，企图从赫连皙那张绝美无瑕的脸上读到她的心情，却见她早已在望着他，并同时拉过他放在她腰身暗输内力的手掌。

"莫行哥哥，如果现在就是生命的最后一刻，你想对我说什么？"

她与他手心对手心，她似乎玩似的看着她纤细雪白的手心在他修长手掌的包裹下，几厘的差距，便是冰凉与火热的温度感。

她的话，让他心尖掠过一丝瑟瑟的疼。是比无能为力更为不忍、不舍得的痛。他的皙皙，纵马江湖可以，琴瑟齐鸣可以，却绝不可以有这般凄艳如斯的清冷。

所以。

柳莫行忽然就站了起来。没有提前打招呼，也没有告知赫连皙，而是抱着她一并站了起来。两个人沐浴在月光的恩泽之下，满身的银裘，满身的柔情缱绻。

“你看，是不是很漂亮?”柳莫行开口，抬起她原本握住的他的手，修长的指尖，勾画着点点繁星。漫天的星光，在他指尖的挥动下，竟像是连接成一片，银河闪耀。但这也不比柳公子唇边的闪耀，他安然平和，他清宁淡定，仿佛他和赫连皙不是生死未卜被困在雪坑，而是在屋顶迎着春风赏月。

“嗯，这么看过去，就好像天下间只有我们两个人。”她应和着他的话，看他眼中那一抹清明所谓何意。

“我喜欢这种感觉。”

“……我也喜欢。”是谁，在猜他似乎不着边际的话里的隐意。却见他笑着，拂过她脸庞，握紧她冰冷的双手。

“我知道你会喜欢的。”那一片月色，满天群星照耀下的雪坑内，柳莫行清亮眉眼的深邃，定格在赫连皙娇柔唯美的面庞之上。

他看她，也让她看他。彼此，很近，也很清晰。温暖的、温柔的掌心，掌心相熨，相熨的还有彼此的一种感动。

柳莫行的声音是那么清朗明润，在这安静的夜晚，全天下都只有他一个人的声音，听在耳中，听在，心中。

“皙皙，等从这里回去，你也该嫁给我了。”

这瞬间，还以为是幻听。

十六年了。柳公子温润似水，柳公子清明矜持，柳公子无微不至的关心与爱护，他什么都有，就没有一句说给她听的私心。

赫连皙眉梢浅浅弯出皓月的弧度，娇美的脸庞意味难明的朦胧，侧目回首。迎上柳莫行不曾移开的眼眸，他的眼永远有如流动的水波，不需惊涛拍岸，不需蜿蜒挥洒，只要那么一抹清澈，已足以陷人流连。

人有很多种，有的人，就是这般赏心悦目，让人连移开视线都难。

看他一眼，就已经沉沦。

下一刻，他却像比她更快地沉沦，扯开唇边十五度不愠不火的精致，一抹火热，欺上她猝不及防的冰冷。

柔软的唇瓣，激烈地恣意。

嘴唇和嘴唇的距离，不曾有过的距离。

这个吻，带着柳莫行不曾有过的侵略气质，一触，就是电光石火般的逼近——陌生的温度，在唇上游移，凉凉的，一碰惊心而令赫连皙几乎忘记该反抗。

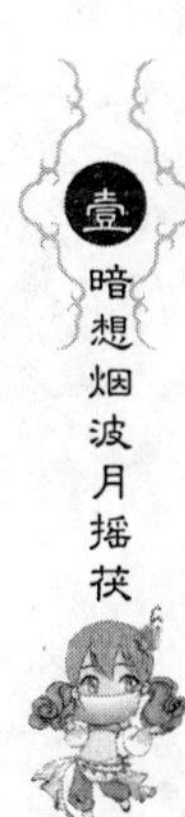

朦胧间，一年前在东瀛岛上的夜袭，那掠夺了她初吻的人，其实，她看得比谁都清楚……

一瞬间，思维被唤回，因为谁的唇离开又不曾离开——舌尖的柔软，开始轻轻地、软软地、灵活地抚慰……唇舌的缠绵，极尽温柔。

血液中，仿佛多了种醉意的缠绕，一吻一咬，一咬一吻。

赫连哲仿佛感到一种清浅的醉意缭绕。闭眼的时候，柔软甜美的呼吸，让空气中漾起了一阵甜蜜的香郁。

吻住她的那个人，这时间，呼吸之间，多了分痴缠的暧昧。

于感官、于心……醉死人的柔情。

一吻，可以记一辈子。

当唇齿间依依不舍地分离，最是一抹娇艳，浮现在白皙的颊边。赫连哲此刻的容颜，在月光下自有三分温柔七分甜美的动人。即使她不想表现得如此外显，仍在他目不转睛的凝视下，绯红了轮廓。

“……莫行哥哥不该是这样的。”一年前，对着假装失忆的他，她也说过相同的话。但那时的她，满心满眼为一个他为何做戏的答案。

“我该是什么样？”一年前，他也是那么回答的，只是那时寒子凉还与她有婚约在身，所以他只能挥一挥衣袖，不惊波澜。

“晳晳，我自小就告诉过你，什么都可以凭智慧，却莫要以习惯去衡量一个男人。”柳莫行开口的言语，就说在赫连晳香暖的肩膀。这是低柔般挑逗的性感，也是对她独一无二宠爱的玩味。他抱着她的姿势，落下颚轻顶她香肩，有几分萧洛璧的随意，却少了轻脱，反而多的是让人避无可避的温柔侵蚀，传递自肩颈，是一路蔓延的酥麻。

“而我，无疑也是你身边的一个男人。”

你的莫行哥哥，又岂会一辈子都只是哥哥呢？

这样的柳莫行，无比陌生。这样的柳莫行，却又似乎冥冥中哪里熟悉。赫连晳忽然就错觉了，想起了两个人第一次谈起白敖禹的事情。

白敖禹，武林第一贵公子。那些传说他俊美风华的话都暂且不表，他有一种魅力，他轻轻地站着，他不必夸张或内敛来讲话，想表达的意思就能第一时间被对方所重视。这种存在感，天下绝无第二人。

即使他已是百年前的传说，他的传说，却给了之后武林难以计数的影响。有人惧他，就有人爱他，有人恨他，就有人敬他。

赫连晳对白敖禹的敬，就是她会说出“当男人想要娶一个女人的时候，开口前，他最好先确定自己有没有让那个女人尊敬的资本——没有一个女人会爱上她看不起的男人。”这句话的起因。

柳莫行和赫连晳多年青梅竹马，自是知道她的习惯；那些拜访若水山庄的人，却不知其中缘由。也由此，在一次拜访者中有人肆意评论白敖禹当年毁掉四大世家的残虐时，赫连晳少庄主首次做出了逐客的举动。

之后，柳莫行陪着赫连晳一路走回后院，“很少见你会对赫连伯伯的客人不悦。”

“白敖禹是武林的一个传奇。像他那样的人，本就不该是他人轻言议论的。”十四五岁的年纪，已经出落成水灵甜美的少女，眼角满是不屑的冷漠。毕竟年少，有些情绪还是无法操控自如的。

柳莫行的眼角，笑绽一抹避开所有人的温润如水。

他一直知道赫连晳的性格其实很尖锐，尖锐到她的锋芒还不能尽敛在平静如水的笑靥中。她骨子里的骄傲即使和谐地尽融眉眼的温柔，仍会在不经意的时候坚持并淡薄。

他其实很欣赏她这一点。泛滥的温柔，在这个武林中生存的男人反而消受不起。

“他今后都无颜再在中原立足了，晳晳还不满意吗？”意有所指，年少的柳公子在问话的时候，眉眼也是投注在那个少女身上的。他从没有将给予她之视线，再给第二人。

“怎么了，莫行哥哥这是嫌我不乖了吗？”听懂，不答，反问。赫连晳晶莹的琥珀色双眸，眨了眨落进柳莫行眼里。

“我甘之如饴。”谁唇边的笑容，带着贵气的优雅，扬起。都说柳莫行是个绝对的君子，但他身上，偶尔，也会流露出属于王者的清高。

还是孩子的两个人，对视，漾着温意的和谐。

一眉，一眼，一望穿。

他们初逢之始，那个还是幼童的小女孩，递给他一叶竹笛的瞬间，已经冥冥中注定，此生此人，最依赖的那个人是他。柳莫行知道，知道得很清楚。

而他同样知道，爱情是一柄双刃剑。它可以让两个人更加亲密无间，也可以让两个人从此在心底留一个属于自己的角落。

那么他跟晳晳，最后会成什么样子呢？柳公子无法预知未来，所以他不知

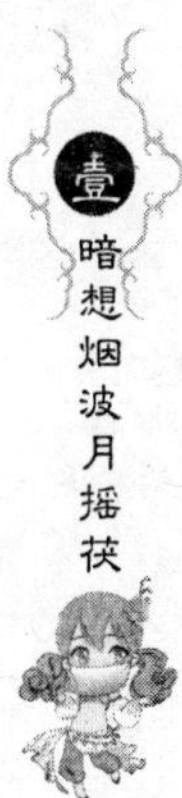

道。就像他不知道，他和赫连皙，会不会相爱。

不过，那都不碍的，不是么？

她的一笑一魅，早已是他心底最深沉的烙印。而他，就在不近不远的距离，没有任何犹豫地熨帖。

他一个轻轻扫眼间，她低眉顺目笑藏了一心的优雅。她太聪明了，聪明到让他为她所吸引，只能无悔地认定了她的一生一世。

公平的不择手段也好。

冷静的步步为营也好。

都是他始终笃定着，她必定会伸出一只手给他的结局。执子之手，她会在他的怀中，度过她选择的长相厮守。

恍然回忆。恍然回神。很久之前，她似乎忘了什么，直到现在，她也没有想起来。但是他的这个吻，却像是一把钥匙，开启了一种叫感觉的锁。逼得她，不得不正视，一种，深蕴了十六年的疑惑。

赫连皙再看着那个有点肆意有点清高，却仍比所有人都温柔地抱着她看着她的柳莫行，不由得就问了一句话。这句话在她心里已经很多很多年了，她一直一直也没有想通。

“莫行哥哥，这么多年都未近水楼台地求婚，你到底在等什么？”

“我在等你。”

这四个字的叹息犹如发自心底。这么多年了，到了今天，柳莫行才将它真正说出来。同时，他亦在赫连皙第一次用充满迷惘的目色看他时，将她放在了地上。

呼吸的节奏，随着对视的深刻舞动。她精致的容颜，每一分每一寸都在他的眼中沉淀，消融了所有杂音，只剩她唯一的颜色。

柳莫行眼中，赫连皙即使披着米白色的皮裘，仍是山中最清淡但亦最艳丽的颜色。

当她果然追问“等我什么？”的时候，他说：“嘘，皙皙，你听。”

*

即使在风雪中，那鞭子抽打的声音，仍是格外的明显。柳莫行就是凭着那鞭声，找到了雪坑中向下通行的一个地道。

自然而然牵着赫连皙的手，领她走了下去。由于那突如其来的吻，两个人仿佛都忘了刚才生死间那种冷冽。只一味无声地走在地道中，看它所通往的方向，究竟为何？而那可以说是救了他们的鞭声，又来自哪里？

一路前行。虽然没有烛火，虽然黑暗不见五指，对于拥有夜眼的柳公子而言，那些都是不碍的。他就像赫连皙的眼，牵着她一路前行。她全心地信任于他，从没有走错、迷路过一次。

记得小时候，他们在若水山庄后山玩捉迷藏。赫连皙躲进一个岩洞，那里因为长年累月的水滴形成了空漏，她一个不小心跌了进去崴到了脚，等到晚上还没有人找来。外面诸多人寻找的声音或远或近，却没有人能听到在封口处被挡出的她说话的声音。不过八九岁的小姑娘，那时候还想不到生死之间的距离，只是觉得一个人这么待下去很委屈，想试着往外爬，却蹭撕开了裙角，细嫩的肌肤擦出了一道红印。觉得疼，她低头去看，再抬头时，那个熟悉的声音也在耳边轻轻响起："皙皙，我找到你了。"十二三岁的柳公子，也不过是孩子的年纪，却依然能伸出比谁都温柔坚定的手。他将她从那个空漏中抱出来，看着她在他怀里撅着嘴，她还没有说出你来得好晚，他已先向她保证，"皙皙，下次，你在哪里，我便在哪里。"

那时的柳莫行还没有如今的清明风华，却让赫连皙觉得，她的莫行哥哥，是这个天下最可靠的男人。

……怎么会想起这件事呢？好像自他们一起在雪坑之内，她就不断地想起以前的事情。赫连皙不自觉侧目去看柳莫行，黑暗中，她应该看不到他的侧脸，却仍不自觉地觉得安心。

也罢。既来之则安之，想不明白的事情就等能明白的时候再想好了。这也是莫行哥哥小时候告诉她的。不要强求自己，不要苛刻自己，这天下永远没有第二个自己。学会爱别人之前，首先要懂得珍重自己。

他们已经走了差不多一炷香的时间。身边略前侧的柳莫行先停下来脚步，赫连皙也跟着顿了步子。这里有一道门，从门缝中飘出昏暗的烛火光。这里依稀还可辨鞭打的声音，但是却从未听到被鞭打的人发出哀号或者求饶的声音。

柳莫行和赫连皙彼此对视了一下，有些奇怪啊！他们听到的绝对是鞭子和人身接触时的声音，但有谁能在不断的鞭刑下完全不发出呻吟？

不会是鞭尸吧？赫连皙微微蹙了眉。

此时的柳莫行好像又变成了原来的他，没有方才两个人独处时那忽远忽近的清傲与暧昧。他对赫连皙发散太快的思维，唇角淡淡勾起一个无可奈何但宠溺的

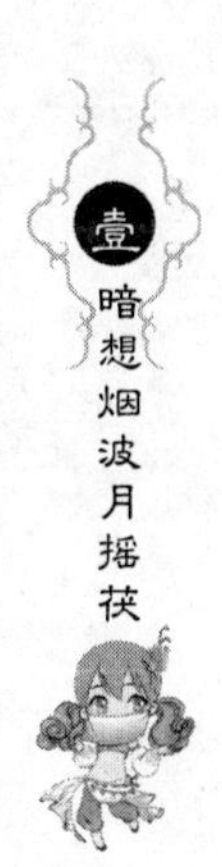

弧度。

“我进去看下，你在这里等我。”以眼神示意赫连皙自己的决定，柳莫行静静观察了一下门对面的情况，轻轻一推便迅速闪身晃了进去，快得连本想一同跟进去的赫连皙都找不到见缝插针的机会。

原地等了片刻，那边没有人声，也没有大批量的脚步声。想来柳莫行没有被发现，赫连皙也便推开了石门，掩身而入。

里面隔几米处便有灯盏，虽然昏暗，仍足以看出来他们进来的地方像是个隧道。不，由于前后望去都能看到铁门，给人的感觉更接近地牢。

莫不是雪地里雪妖的城堡，抓住了所有因暴风雪掉进坑洞内的人等着烹饪吃肉吧？这么想着，赫连皙也毫无畏惧悠悠然地向着前方走去。

她不知道柳莫行选择的是哪个方向，但她知道即使走错了，他也一定会找到她。

走过了大概两个铁门之后，隧道出现了向右拐的弯转。同时，这么久终于听到了人的脚步声，赫连皙也没有多想安全与否，闪身进了右拐处第一间半敞的铁门。

铁门内并非是一般关押犯人的牢房，而是用一扇高墙隔出了里外两间。而听到外面的脚步声似乎就是向着她所进的房间而来，赫连皙在室内匆匆一瞭望，随意地跳上了外间一处高悬的横梁。

随即，铁门再度被推开，走进来两个身穿武服的男人。他们径直走进了里间，并没有抬头，赫连皙便也将注意力放进了里屋。

这是她第一次看到那个被鞭打的人，并非彪形大汉，反而相当的高挑清瘦。他身上满是血痕，与他洁白的肤色形成鲜明对比。她在高处，他低着头，她看不清他的长相，却凭直觉想象着他是一个和柳莫行差不多年纪的男子。

挥鞭子的那二人穿得实在不似官宦，怎么看都像是在动私刑。但介于中原也有不少大庄大堡私设牢房，也并非稀奇事。她好奇的，还是这男子竟在那一鞭一鞭之下，完全不做呻吟。别说是求饶，就连吭一声都没有。若不是能清晰地听到呼吸吐纳声，她几乎要以为那些人真的在鞭尸。

那样的鞭刑大概持续了一段时间，赫连皙心中数着约莫是三十多下。一般人恐怕早已在那凶狠的抽打下丧命了，这男子却仍不卑不亢地承受。

赫连皙探身的动作更前倾了一点，她的动作完全没有声响，也不知道是巧合还是下面的人竟那般敏锐，发现她的不是那两个施虐者，而是那个被鞭刑的男子。

他忽然就抬起了头。

那一双锐利清凉的眼忽地就和赫连皙嫣然清莹的美目对上。

一瞬间，赫连皙以为他会讲出她的所在；一瞬间之后，却见那男子唇边挂起一抹似有似无的笑痕，又低下了头。

直到那两个行刑人离开，他都没有再抬起头。

*

柳莫行和赫连皙走的方向正相反。

柳公子之所以选择向左边走，也是拜两个正在巡逻的人所致。进入隧道没有多久三人便遇到，他以迅雷不及掩耳之势闪身点了那二人穴道。柳莫行为人虽清善不欺，武功修为特别是轻功却堪称武林翘楚。当年为了教好赫连皙轻功，他没少由着她性子拿捏速度。

拿出巡逻人腰上的钥匙，将他们随意放入了一个铁门中。由于点穴前那两人嘴里正说着什么“中原来的那个女子”云云，柳公子心念一转，便向着关押那人的牢房而去。

很快便找到了关押之所，他挑出钥匙，轻轻一转，就这样和一行人中最早来到塞北的若思见面了。

因为早先听了寒子凉说若思为他入塞北寻礼物一事，柳莫行在未进牢房前就大体推测出中原来人该是若思了。如今见到果不其然是她，柳公子颔首施礼之时，也暗暗对这趟塞北之行有了戒心。

特别是在为若思解开铁链束缚时，听到她言简意赅地说起会流落此处的原因。

原来，若思当日和南肆一进入塞北就被人盯上了，直到他们到达冰雪之城，马上被一群携着武器的人围堵，并带进了城堡。被称为城主的男人是个凶神恶煞的中年人，他对中原来人特别排斥。若思本以为那男人会杀了他们，岂料当有人给他送了一封信后，那城主改变了决定。他将她留在城里，却命南肆去找一个失踪的叫冰凌的小孩子。因为有她做人质，南肆不得不接受了这个本跟他们无关的指令。只是在她被关起来前，她听到那个城主又问南肆：“你们来自中原的话，可知道武林盟主之子是谁?”

南肆那是什么脾性，自是吊儿郎当不肯正面回答，而是反问：“武林盟主有

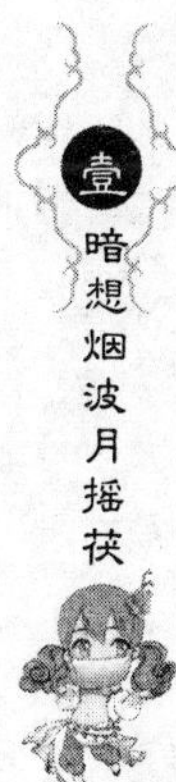

好几任，你问的是哪一个哦？”

“废话！除了柳卿陌还有谁！”城主的火气又被挑了上来。

那时候若思已经感觉到城主问盟主之子有着负面情绪，而他既然不知现在的盟主是赫连兆影，也必定不会知道柳卿陌亲子实际上是寒子凉……她给了南肆一个冷冽的眼色，意在禁止他随便乱说。不知道南肆是懂了她的意思还是故意想把事情变得有意思一点，他居然摸摸脑袋跟城主说：“哦，你说的是柳莫行啊！”

城主狠狠地重复了这个名字几遍，便不再做声。随后，若思就被关了起来，而南肆也被放出了城堡找小孩子。

静静听着若思的话，柳莫行陷入了沉思。

果然，他就觉得是有问题的……

本该只是一趟无忧无虑的游山，想着带皙皙去看很少看到的全雪景的风貌，却似乎在步入塞北的那一刻，就被人盯上。具体是让什么人盯上了，起初他也无法说清。只是短短交手间功力的不济，绝不是普通的高地效应或水土不服那么简单。雪崩后他们走散，他有试过调息，虽然没有告诉皙皙，但是他总有种内力被什么遏制而无法畅快淋漓发挥的感觉。

现在若思的话，无疑是证实了有人要对付他们。虽然所为何事他还不清楚，但竟会问到武林盟主……

想到这里，柳莫行忽然冷下了神色，推开铁门就向回路而去，“若思姑娘，我们边走边说，皙皙还在后面。”

*

铁门关上，隧道内是脚步渐行渐远的声音。

赫连皙略做思考，从横梁处下来。她慢慢站定在受刑男子的面前，随着一声性感沙哑却带分调笑的“你看够了?”男子才抬起了头。

和柳莫行相仿的年纪。

和柳莫行十分相像的精致五官。

甚至连气质中那种清凉，都和柳莫行有几分诉之不清的重叠。

若不是赫连皙和柳莫行青梅竹马太过熟悉，稍一恍惚，她可能都会错认眼前人的心性也如柳莫行一般温润似水。

君子清薄谁来去

2.1 劫持伏笔

室内很安静。

空气中的血气，浓浓淡淡地侵袭。在那个眉目清秀，唇角却带着丝丝血渍的人几乎目不转睛的注视下，有什么感觉，在不经意间弥漫。

……但这人不会是莫行哥哥。赫连皙敛下眉目间的风情，已然不动声色地隔开了两人间安全的距离。

“这里是哪里?”

“我以为……你会先把我放下来。”

可能是因为受伤的关系，男子的声音比起柳莫行要低沉和嘶哑一些。若柳莫行是清逸温柔的，这男子就是清凉迷魅的。与同样是魅惑人的萧洛璧相比，少了种无邪的邪气，多了种亲近。萧洛璧总是若无其事地和人隔开距离，非他所在意的，他连看一眼都不屑；虽然是亲兄弟，但这点和柳莫行的与人为善相距甚远。

……这么说来，若是单从表面看，眼前这个男子倒更像是柳莫行的亲人。

不过他们从未来过塞北，按理说不该和这里的人有什么交集。仅是一个巧合么?

赫连皙端详着男子每一个表情，思索着他们之间的对话，没有马上动作。而男子也就任她近乎肆意的观察，漂亮的黑眸溢满等待的兴趣。

“你根本没有受重伤?”琥珀色的翦水美瞳似有似无地领悟，赫连皙在同时也抬起手，指尖滑过男子胸前或深或浅的鞭痕。果真如她所料，所有的均是皮外伤，没有一处伤筋动骨。

像这种碰陌生男子身体之类的事情，长在武林的女孩子多半少有顾忌。但是像赫连皙这般全无顾忌的类型，落西凌也是仅见。所以他微微眯起了墨色瞳眸，笑得几许诱惑、几许迷离。

“期待别人受伤是不对的哦。”

“你明明可以自己逃开，却不曾逃走，为了什么?”

落西凌不禁失笑，“你一上来就问了我三个问题，我该回答哪一个好呢？”

“你信不信，我挥的鞭子，绝对不是你张开内力就能自保的。”赫连皙那双眸的光彩，流光溢彩，她微微一笑，却比板起面孔更有气势。

这明显是一个比玩笑更认真的威胁，手脚仍被铁链缚住的男子忙不迭点头。“好可怕啊。”一点也没有可怕感觉的人边说着违心的话，边对眼前的美人露出几乎可以和柳莫行重叠的温柔笑靥，“在下落西凌。若皙皙不介意，放下我，我必定知无不言。”

只一句话，便让赫连皙锁了甜美，定格在清疏。

这时，落西凌才不紧不慢地补充，“皙皙可能不记得了，但我在中原的时候，曾和你有过短暂的见面。”

为什么有这么多和她有过一面之缘、她本该记住却完全没印象的人？联想到一年多前与萧洛璧初识，赫连皙没有立即对落西凌的回应下一个是说谎还是真话的判断。

无论真假，她都知道落西凌和萧洛璧不同。萧洛璧和她有那五年白茶花叶的羁绊，有东瀛岛上漫天飞舞的樱花。萧洛璧之于她，是能对她说：“小赫连，唯有卿心，我生死不弃。”而她，是信任的人。

这个落西凌呢？即便他和柳莫行很像，却让她本能地感到一种抗拒。对一个初次见面的人便有这样无法解释的距离感其实是很奇怪的事情，但柳莫行曾温柔地郑重地跟她说过很多次：“皙皙，这天下，你要保护的人，只有你自己。”

所以，答应我，无时无刻，你都要以自己为最优先。其他的，等我来。

又想起了柳莫行说过的话。

赫连皙眼中多了分若无其事的甜美笑意，她轻轻一个旋身，取了刚才施刑人留下的鞭子，向着落西凌扬起。

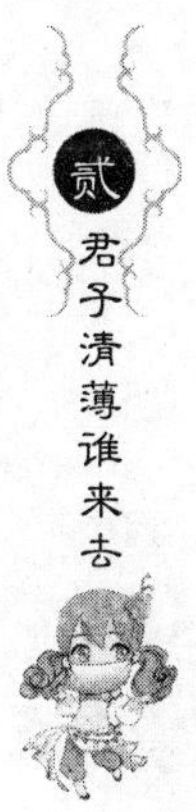

啪。

一声之后，锁住落西凌的铁链就哗啦啦坠在地面。他轻轻呼出一口气，背靠着墙面坐了下来，扬起脸庞对赫连皙露出一抹似有似无的苦笑，“我刚刚还以为皙皙你要杀了我。”

“我跟你还没有亲密到这种程度。”

清凉声线的警告，看似不着边际，却是暗指落西凌对她的称呼。后者满不在乎地耸肩，“我觉得，以我们的关系，叫赫连小姐实在是太生疏了。”

“我跟你有什么关系？”

"……你真的忘了么?"就在这个瞬间，那张清凉漂亮的脸上，出现了一闪即逝的寂寞，看得几乎让人心都跟着生疼。落西凌的表情，没有玩笑，没有任何夸张的表演，有的只是最真实的，寂寞。

也许，还有一丝丝对于她忘记他的，哀怨。

赫连晢却是愣了，在这个陌生的地方，这个陌生的男子，究竟和她有过什么样的交集?她心中明白这或许是一出戏，只是，她却觉得，这样的戏码……那么熟悉!

可她明明没有记忆……怎么回事?!

"晢晢……"

来自身后的声音，适时地将一分令人窒息的沉默打破。赫连晢闻声回转身姿，看到的正是那个一路赶来，却难掩风华的男子。

看到她安好，他的唇边是三分清逸三分优雅三分平静和一分令人目不转睛的温柔，如同落在她脸上的眸光，让一切变得温暖。

是柳莫行来了。

他一笑，任自己的温柔尽落她眼底，也将她的精致无双，无瑕在他专注的心尖。

很奇异的，原本所有的紧张气氛，似乎都因为柳莫行的到来而变得平和。赫连晢原本冷艳的眸色，也因为他暖了光泽，亮了神情。

一个轻轻的侧步就和柳莫行站了平侧，赫连晢与随后进门的若思眼神相交，两个人谁也没说什么。

倒是柳莫行与落西凌对视之时，让一种安静更安静了几分。仅仅几秒，仍没有逃过赫连晢的眉眼。

莫行哥哥不喜欢这个人。她知道他很少会对初次见面的人有直观的憎恶与喜欢，但是他却不喜欢落西凌。

为什么呢……

"在下落西凌。"

"……柳莫行。"

无论面对什么人，无论感情是亲疏喜恶，柳莫行都不会失礼于人。尤其当落西凌唇角挂上浓浓笑意先开口，他更没有道理留个冷脸拉人离开。

两个人只互报了姓名，外面就忽然喧闹了起来。不单是隧道内出现了匆匆脚步声，隧道外似乎也在喊着什么“刺客……刺客……”的声音。

没有时间多做寒暄了。

柳莫行顺手牵起了赫连皙的素白，他一个眼神，她心领神会这里似乎是名人之所。

“他怎么办?”若不是落西凌在前面两人有肢体接触的一瞬不自然地咳嗽了一声，不知道赫连皙会不会直接和柳莫行、若思出门去，而把他彻底遗忘在这里。

不过一面之缘，偶尔想起，都只因他有着像柳莫行的眉眼，却甚至连名字都不再记得。不过路人，如此而已。

面对赫连皙的疑问，她回望那个因她瞬间低眉而笑柔了唇角的男子；柳莫行还没有开口做决定，倒是落西凌不紧不慢唇瓣张合，先为自己争取了同行的机会。

他说：“我在这里生活了二十多年，没有人比我更熟悉这里。”

柳公子并没有马上接话。

他说：“三人同行，经过前面那道必须双数人通过的门扉……你们打算留下谁?”

这次连若思也顿下步子，一同回首。

终于，柳莫行仍是未曾回身，但每个人都听到他轻但是绝不会漏听的一语成行，“那么，就有劳落公子先穿上外褂了。”

*

小赫连会去了哪里呢?

与寒子凉和柳莫行对这里完全不熟截然相反，萧洛璧因为很早以前就和养育他长大的师尊来过几次，对塞北这里十分熟悉。从小冰凌那里听到冰雪之城发生的事情，他就有心来探个究竟，毕竟，原本他打算给小赫连的生日惊喜还需要拿这里的宝物来献美。

塞北雪山有很多入口可以直达冰雪之城，与其在雪山上漫无目的地找寻，他更愿意相信柳莫行已经将赫连皙带入了城中。别的他不相让，不代表他不相信柳莫行的慧黠和敏锐，看似谦谦君子，心智却冰清亦成熟。比之虚长他们几岁的寒子凉，他不知道要懂得保护自己和他人多少。

其实与寒子凉相识一年有余，萧洛璧也不是那么讨厌这个人。他对人从无喜恶，唯一一个赫连皙，入眼入心。寒子凉，曾是赫连皙名正言顺的未婚夫，却因

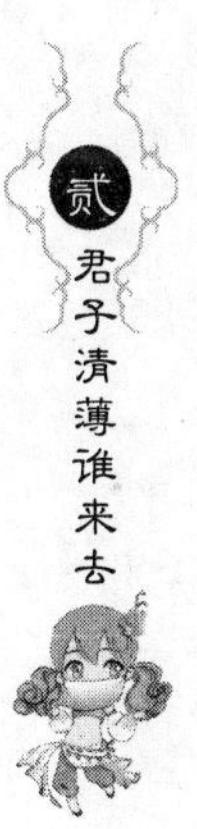

为过于堂正的心性，唯恐她承父相逼而主动退婚。明明是爱到能为她在楼兰喝下弱水，明明是在兄弟相残的复仇闹剧中能为她而牺牲自己……这样耿直性子的人，莫说武林，连世间都少有。萧洛璧何尝不会觉得不屑之余，有种好感弥漫。

虽说若寒子凉娶赫连皙为妻，他一定会像之前所为再度劫美，却不代表，他对寒子凉个人有何种不满。若坚持说，萧洛璧的不满，仅仅在寒子凉还能看进赫连皙之外的人。

世间已有一个她，还需他人作甚？

如果要说一脸闲适在冰雪之城最中心的城堡闲庭信步的萧洛璧的心理活动是惊慌失措，那是不太可能的。知道赫连皙是跟柳莫行一起，他实在担心不起来。

考虑到之前的意外，初期消耗体力的试探、之后骤然中断的追兵、最后混乱仓促的交手以及半点不自然的雪崩，萧洛璧几乎可以确定他们是进了人家请君入瓮的局。

是城中人，还是中原跟来的仇家？这一手强请是善意还是恶意？小赫连和柳莫行是否受制于人？那小男孩的话有几分真假？

绞尽脑汁思考这些毫无头绪、线索的问题，绝对不是萧洛璧的处世之道。既然来了别人的地盘，当然是追根溯源，去找到圣女亲口询问，才是正道。

放眼望去整个城池一片银白，不单是因为树梢屋顶地面的积雪，就连堆砌城池的石材都是纯净的白色，因而围墙窗棂、影壁亭台甚至直接开凿浇筑出的冰壁全部都白皑皑反射着阳光，在置身事外的游客眼里绝对是中原闻所未闻的冰冠胜景。

沿山势而建的房屋没有明确的朝向，亦看不到独特的装饰标志，萧洛璧对着原本计划以闲情逸致赏玩的冰雪之城，却是不胜其烦。

因为其中的哪一间才是圣女的所在，他完全找不到线索。

在城池地势最高、巡防最严密的建筑群落里淡定驻足片刻，萧洛璧做了一个决定。

“有刺客!”

*

众多人脚步的声响，牢房内的四个人已从原本不见石门的地方离开。落西凌随意披好了素色外衫，披散着长发，即使只是背影，仍有着和柳莫行相似的神韵。

还在赫连皙默默思考之时，他已然对三个人指向一面全无缝隙的石墙，轻轻几敲，“我们走暗道吧，会快一点。”

然后，那道石墙就被缓缓打开。扑鼻而来的全是尘土气息。落西凌率先走在前侧，赫连皙在柳莫行一个阻拦不及时垫步跟上。若思看了眼柳莫行，柳公子不语间只迟疑了片刻，微微颔首，示意若思先行。

毕竟是女孩子，即便若思武功精妙，男人仍该有走在最危险地方的觉悟。

这个决定初时已让柳莫行有了隐约的陷阱意识。但毕竟公子谦谦，有些事纵知难为，仍要偶一分心。

落西凌果然没有说谎。他对这里的熟悉，就像在自家后花园般恣意，即使不打火折子，每一步的起落竟都是精妙的准确。

他随意地就要牵起走在身后的赫连皙的手腕，赫连皙本向后撤了一步，却反被一股恰好迎来的力道拱到了他的身侧。

“小心点。”落西凌一个意犹未尽的微笑，黑暗中，他甚至不在乎赫连皙本是看不清他的眉眼。她满身幽若的白茶花香，已是他咫尺之握。

赫连皙没有说什么，脚下的步子因些微踉跄，勉强任他握了几瞬。但她纤细的指尖很快从他掌心滑落，好似没有发生刚刚这一幕。

若思走在第三个人的位置。自是没有看到柳莫行注意到落西凌有小动作时，那一颜如水的清凉，满目虽无愠色，却冷了温润。

柳莫行之所以没有加以阻止，不是怕了对方地理熟悉，也不是因为若思在前面形成障碍，而是他隐隐约约能够看见——皙皙面色虽有不悦，侧目时，那美丽的瞳眸中，却无任何的厌恶。

赫连皙他最了解不过。虽然武林中女子大多比较洒脱，她又是其中看似最随意的一个，却不代表，这种肢体上的轻薄，是她能无条件接受的。多少年前，那众多几乎踏破门槛的追求，全部扼杀在了萌芽前。赫连皙不是柳莫行，对不喜欢的人，她从不强颜欢笑；赫连皙虽不是萧洛璧，但她跟他一样的任性，无关系的人，她不屑分毫注视。

但如今，面对落西凌，皙皙明显就在迁就。那种没有缘由的迁就，从她起步跟他进隧道，再到方才那握住与抽离的转瞬，都让柳莫行感到了违和。

这个地方，和落西凌这个人……

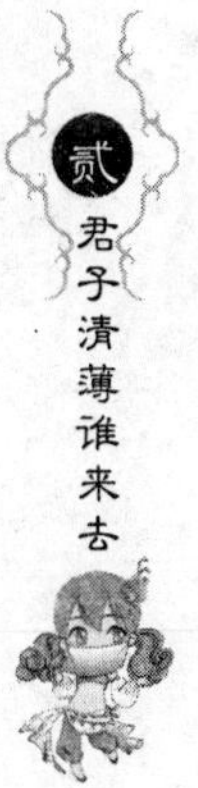

柳公子的思维一动，便是最睿智的缜密。

可惜这一次他慢了一步。不是慢给了落西凌，而是赫连皙自黑暗中轻启的一句："你在做什么?"

若思和柳莫行在同一时间，都被一阵耀眼的白光晃花了眼——尤其是柳公子，夜眼在黑暗中尚能视物，猛遇白光会比一般人感受到更强烈的刺痛。

可他这一刻并未选择闭眼，或者挡住光源，柳莫行的深思熟虑怎会不知道这恰是落西凌的手段？可他骤然向前的身影，还是因和若思擦身而慢了一步。

只一步，那轰然开启的门，又悄悄闭合。

随无声息，却快得不留痕迹。

落西凌，终究还是把赫连皙劫持而去。

而他就在她身边，却只能恍然回忆。

摊开的掌心，从未有过的清冷，蔓延开来……

当身边若思似乎是说了句"我们要不要追……""先从这里出去吧。"柳莫行的话才清朗出口，温润优雅，不动声色，仿佛刚才那一瞬间的失魂，并不是他。

*

随着"有刺客"的喊声一起，冰雪之城中立即源源不断涌出带兵器的从众。与若水山庄不同，那里广迎四客，根本不备打手。果然能养出小赫连那般迷人的女子，需有赫连兆影豁达磊落，但看来这武林的名家，大多还都是习惯以众欺寡。

似乎冷笑了一声，连空气的温度都为之降下几度。萧洛璧已经回到了最初栖身的角落，远远观望城中紧张有序的布防。

他在确认被重兵围住的房间。

奇怪的是这样的房间竟然只有一个。

萧洛璧潜身过去的时候违和感大增，因为警戒的护卫首领直接进入了房间，而照理法来说他们本不应进入圣女的居所。果不其然，还不待他多想，房间里的人已经自己提剑奔出，不是圣女，却是城主本人。

已经有人来回报城中遍寻不着刺客的消息，萧洛璧靠唇形仔细辨别城主发出的指令，增派人手、严守岗哨、扩大搜捕范围，却完全没有关于保护圣女的内容。

这倒出乎萧洛璧的意料。按照他的记忆，以前来造访的时候圣女就居于此处，而且城主本身武功卓绝，他本料定大批护卫保护的对象会是圣女才对。

看来那孩子倒所言非虚，这冰雪之城，透着古怪。有什么直觉让他留在守卫重重的院落，没有走开。

直到大部分守卫按照城主的吩咐散去，萧洛璧才看到城主在侍卫总长的耳边轻声交代了几句。

“冰窖。”

只是一个词，伪刺客的嘴角便露出招牌邪笑，再找不到小赫连或者圣女来求证的话，难保冰雪城不会因他的不屑而天翻地覆。

所谓的冰窖，不过是主城后部依雪山开凿的天然隧道，是一处一边挖掘一边沿途浇水筑成冰壁冻结而成的洞穴。那里一般来说都用作贮藏，以前倒是没有特意去过。

萧洛璧趁着全城戒备的混乱估量着方向过去，果然在一片侍卫紧凑巡防的间隙之中见到熟悉的身影出现。

不过，那并不是圣女，而是他要找的另一行人。

只是那一行人中，却并没有他唯一想要找的人。

柳莫行，寻常白衣，却突兀于在这片冰天雪地的洁白背景之中，有着无法被相同色调掩盖遮蔽的光彩夺人。

他刚察觉到萧洛璧存在的时候灵敏异常地止步护住身后，而后几乎立刻就分辨出了隐藏者的身份。

萧洛璧一眼扫过去，却在看见柳莫行身后披着他的狐裘、只露出精致小脸的姑娘时，冷了声调，“这么快就换了新人相伴，真是好有雅兴。”

柳莫行的衣物裹在若思的身上略显宽大，但若思并不同于其他弱质女子，根本不存柔弱依人的暧昧之姿，气场上简直比周遭的寒冰更冷上几分，“此处不宜久留，不妨先离开城堡再叙旧。赫连姑娘刚刚在地牢跟我们走失，现在估计还截得住。”

一提到赫连皙的去向，萧洛璧似乎就对若思的出现、地牢、走失之类内容毫无兴趣了。他甚至没有张口问清前因后果，只看到柳莫行以略带愠色却不争辩的自制表情向他用眼神示意了方位后，抽身就想离开。

“等等，寒公子是不是跟你一道？”

因为若思明显心系他人的问话，在这个时候与他们关注的焦点截然不同，萧

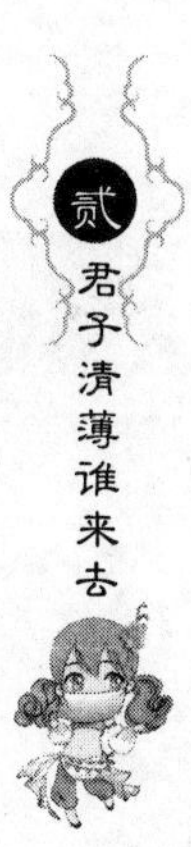

洛璧转回头的嘴角重新挂回了不良善的冷峭漠然，“怎么会？我就算找人伴游，也只中意小赫连而已。”

若思抿了抿嘴唇，眯起的明眸几乎有些血腥色泽，但最终没有开口。她知道萧洛璧暗讽的是柳莫行，但硬要把她也扯进来就着实让人不愉快了。可惜这个时间这个地点都不是争执的好机会，既然他们在雪崩中就已分开，倒不如看看南肆那边有没有更多消息。于是若思只将裘衣打开扔到柳莫行肩上，“既是如此，就此分道吧。”

柳莫行披好狐裘，不太介意若思去留的样子，也没有小心珍重之类的客套。萧洛璧终还是成功地让他介意，毕竟皙皙在他身边应该万无一失，而不是被一个连他都认为危险的人物单独带走。

于是当若思沿途寻找着南肆特有的标记逐渐出城的时候，萧洛璧则跟着柳莫行一路沉默地潜向主城背后。

*

早从落西凌以老鹰捉取食物般迅雷不及掩耳之势掐住她的手腕时，赫连皙就有感到这个男人目的在她——其实退回去细想，也不难猜。他本有逃走的实力却甘愿挨鞭刑、恰到好处地解救他们于雪坑之中、等到刺客纷乱才与他们一起脱身……落西凌所做的事情，单看每一件可能都没有可疑，全部放在一起，却是简单到不行的算计。

而她，竟如此这般轻易地让他掳了落单……不，有哪里不对。在一片白雪皑皑之中，赫连皙看着落西凌酷似柳莫行的身形，捕捉到了某种微妙的不和谐。

落西凌根本不像是一个要掳走她的人，他们二人一出隧道暗门，他立即放开了她初要挣扎的身子，不弄痛她，也不让她的不满加剧。其实有没有不满，赫连皙都没想清，她为他这冒失的强迫，本该早有准备，却又似莫名其妙。

落西凌毕竟不是萧洛璧。

萧洛璧曾多少次劫她而走，也曾多少次肆意亲昵，但因为他是萧洛璧，于她，早已没有一丝不自然。不是习惯也不是喜欢他那样做，但萧洛璧能做的事情，永远只有萧洛璧一人能做。

而今……落西凌这个陌生人，突如其来地强抢，那种不真实感，甚至胜过了事实。

赫连皙白皙的脸庞，精致的五官，在雪光的映衬下，更显得绝艳华丽。她并没有发怒，也没有质问，因为落西凌不再钳制于她，她自也落得转身离开。

原路折回她是不会，有些暗门开了一次便不能开第二次，这一年多她也听寒子凉讲了不少。昔日武林盟主高徒，如今清寒冷筑的寒少侠，在教她这些奇门遁甲的知识时，总是很挫败——因为她不是在他全心讲述下捏起他腰间的配饰戏玩，就是在他猛一抬首时抿了娇艳的唇角，“寒公子，你偷看人家作甚?”寒子凉会僵硬脸红几乎是可想而知。

明明相处了这么许久，他还是拿她没有办法的。不知道她是不是就是喜欢他这般专情而为她无措，往往与他在一起，她会越发的肆意而灿烂。虽然，下一刻，总会有萧洛璧故意的打断，不知从哪里而来却恰好走入两个人中间，执起她一双素白，笑得勾魂摄魄。

“小赫连，我来教你，何谓劳逸结合。”

那时候，萧洛璧一双清邪且深不见底的眸中，便会呈现只有她能看懂的醉死人的柔情；那时候，寒子凉便会一个横身挡在门前，似忘却了刚才所有的调戏与隐忍，只是不能看着心上人被另一个人带走。

如此柔软的心境……

莫行哥哥却在哪里呢?

“皙皙，你不想知道，冰雪之堡发生了什么事情么?”落西凌的声线，几许柔和，却恰到好处打断了赫连皙的回忆与步伐。

“我对莫行哥哥之外的事情都没有兴趣。”不再费力去纠正落西凌口中的称呼，反正他怎么说她都没必要在意，又何须给他更多的介怀。

“你对柳莫行还真是……”

“你知道他姓柳?”敏锐的第一时间即捕捉到不合理之处，赫连皙骤然回首的艳丽眸色，虽有着诉之不尽的华彩，却亦似乎在步步逼问：你还知道什么?

“皙皙，原来你竟真的，将我忘得如此彻底。”一声叹息，却重逾刻骨。那分寂寞萧索，仿佛有苦不能提的百感交集，虚弱着不能相信的惑。

是谁?

曾有的目光可近可远的迷离，守望着那分咫尺天涯的心意，三分墨染的风姿，七分发自心底的温柔。

那么最美。

……怎么如此熟悉?

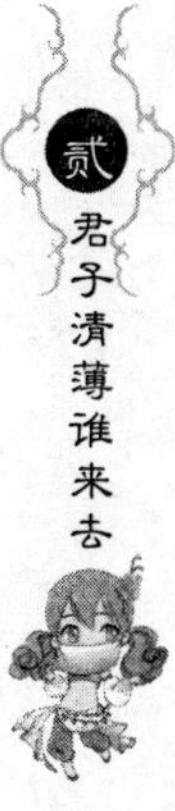

瞬间而已，赫连皙却觉得自己连心尖，都染上了瑟缩。

有什么，呼之欲出，但她的心，难辨情感。

于是，她压下了那一瞬间的困惑，依然，不染惊鸿的平静。

“你劫持我出来，就是为了你所谓的冰雪之堡发生的事么?”赫连皙扬起了形状优美的眉梢，眉宇间，是似有似无的抗拒。

她不太喜欢和落西凌单独在一起的感觉。并不是讨厌、或者惧怕他这个人，而是一种无法言说的片段回忆，让她迟疑而困惑。她不喜欢这种感觉，莫行哥哥曾经说过，只有心里有结的人，才会退离清白，总是摸不透自己的心。

如果是为了柳莫行，她可能尚能接受；为了一个陌生的落西凌，她，并不愿意……即使他给她的感觉，那么熟悉。

“冰雪之堡原本是很和平的……”

“与我何干?”

“若我说，你们来这里是天意，你信不信?”落西凌这个人还有一点和柳莫行很像，他并不在乎自己的话被打断，他这样是否无礼先且不论，好像他早就料到赫连皙会不耐听他的话。他只是微微一笑，用着堪比柳莫行的温润，却比公子多了丝丝缕缕的诱惑，“皙皙，我想带你去个地方。”

赫连皙沉默了一下。之所以没有拂袖而去，或说没有拒绝落西凌的邀约，一方面是因为这里她人生地不熟，她不确定柳莫行等人的位置；另一方面，就是落西凌这种对她倾心倾情的感觉，太过明显。

若说他们初次见面，他便对她动心以极，她是绝对不会相信的；萧洛璧能做的事，别人做不得，她也不会信——因为他们都不是萧洛璧。

那么，落西凌真的是她忘记的人么?

近二十载年华中，她一大半时间都和柳莫行形影不离，柳莫行会不会让她经历失忆，她的答案是不会。那么落西凌就是在演戏。尽管他的戏，逼真到出乎她的意料，这种连心弦都被挑逗轻颤不止的感觉……

“我信与不信，你不是都抢我而落单了么?”赫连皙并未无视落西凌的诱惑。若他是有意，她并不在乎深入虎穴。只是，在那一晃而过的瞬间，她仿佛在那张酷似柳莫行的脸上看到了笃定。那般熟悉，竟像是昨日。

“带路吧。”

因此她轻描淡写地应允，尽量带过那兀自轮回的思绪。有种平静，在看似不平静中，深酝。

2.2 冰雪城池

偏隅之地。风肃地苦，岩锋树枯，唯有漫天的冰雪，为这灰白画面增添了几分柔和。

与萧洛璧等人分开已经有一段时日了，寒子凉在小冰凌断续的指向与沿途的勘探中，走了许多的山路，终于抵达了冰雪之堡。

无驿无坊，无城无池，此地甚是偏僻，唯一半裂的石碑，上书“冰雪之堡”四个大字，半掩于厚厚的积雪中，几乎让人忽略。

寒子凉听冰凌说这里是冰雪之堡的边缘。两人没有走大道回城，皆是为了避开陆续遇到的杀手。一日下来，那种力不从心的武功触感，于寒子凉已经是越发明显。好在他们遇到的袭击虽然不断，好在每次都只是寥寥几人，尚能应付。

但寒子凉不肯怠慢，不愿自己身体的异状给个孩子带来不必要的危险。故而一路匆赶，只一日的工夫，便到达了冰雪之堡。

因为冰凌也说不清楚怎么才能找到护他的落西凌哥哥，所以寒子凉并未贸然入城，只是在远望了集市熙攘程度和戒备等级后，寻了离城镇较近一处山洞，暂时安置下来。

在寒子凉架篝生火的空当，小冰凌从小憩中转醒，慢慢自毛毯中蠕动起身，只着单衣便扑向身旁的寒子凉。这一路上，小孩子分外黏他，几乎到了寸步不舍的境地。仿佛只要寒子凉陪着他，这个天下才会是安全的。

“子凉哥哥……”

小孩子一如既往地撒娇，但是欢欣的语气也掩盖不了低沉的气息。冰凌的眼没精神地半敛着，脸上泛着不正常的潮红。

寒子凉敏锐地感觉到什么，皱起了眉，掌心搭上他的额头。

果然，颠簸赶路加上苦寒之地恶劣的天气，冰凌终究只是个孩子，一番折腾下来，竟是起了病气。

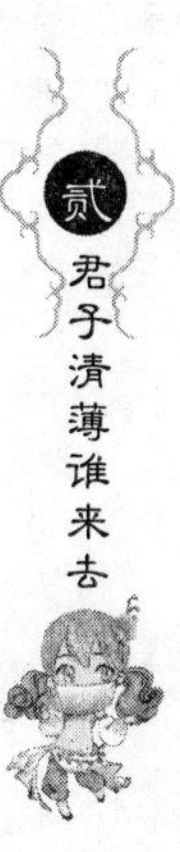

眉宇间闪过一丝为难，寒子凉耐着性子先将冰凌哄入毯内乖乖躺下，架火融了些许雪水，浸了方巾，搭在孩子额头试图降下热度。

他知道孩童不比少壮，现下生病高热，就算请不成大夫，也势必要用药调理。但冰凌却是万万不能带进城的。他若进城购药，又没有万全把握那些杀手不会偶寻至此。

该怎么办?

寒子凉就是这样端正的性子。虽说冰凌与他非亲非故，虽说他就算对冰凌不管不顾也无人能够说三道四，虽说他有着更关心的人恨不能马上抛开一切去找她——他还是没有忘了情感之外，有一种刻在骨子里的责任。

猛地，寒子凉握紧身侧的剑，一双瞳眸如刀锋冷漠犀利地看向洞外。

有人靠近!

气息单一，但是脚步轻盈灵活，几不可闻，可见武功不弱。

来人踏入洞中的一瞬间，寒子凉的剑也于电光石火间出鞘，向那人的要害袭去。虽然身体有异，剑术和速度却没明显受阻，故寒子凉这一剑，武林中本就少有人能避开。

见来势不对，那人机敏地身形一沉，侧身一滚，竟险险躲了过去。

几乎是同一时间，那熟悉的声音伴随着点点气急响彻山洞，“寒公子，你到底有多怨恨我带着若思姑娘私奔啊!”

寒子凉一顿，生生收住攻势，与那人抬起的脸对了个正着。

“南肆？你怎么会在此地?!”

*

火堆吞噬了新添的枝柴后烧得越发旺盛，几点火星，啪裂在燃断的枝杈处，打破了洞穴内的宁静。

“……所以寒公子，你就这么来到这儿的?”南肆摸着下巴，打量着毛毯下面已经睡着的小冰凌，“但这孩子果然是个麻烦。”

他放松身子，向后倚靠在洞壁上，似是长叹，“我本来觉得我和若思姑娘出来游玩一趟，因为神女无心，把美人给弄丢了已经足够丢脸了，谁知道现在和寒公子你一比，那赫连妹子明明是在你怀里的都能抓错，实在是神女有心你也吃不下啊……”

看到寒子凉瞬间冷了脸，南肆忙将话锋一转，“要不这样吧寒公子，你放心地进城抓药，这里就留给我来管照。等你回来时，保证还你一个完完整整的小王子。你看如何？”

寒子凉不语。不语是因为他太了解南肆这个人了，虽非敌人，却不会平白无故地帮忙。如今他施恩于他，必有后话。

果然，看寒子凉没有反应，南肆便继续说了下去：“我虽然素行可能不那么良……好吧，是不太良。但我这年纪也越来越合适娶妻生子了，良辰美景总不好拖过……寒兄，觉得若称呼若思姑娘为南夫人如何？”

听着南肆越发没边的话，寒子凉本想说一句你还配不起她，却猛然发觉逾越而敛口。怎地和萧洛璧一起久了，嘴巴也随他毒了起来？这样实在有够失格。

须知道武林中人虽然大多无所顾忌，大多自我惯了——萧洛璧又是最中之最——寒子凉却一直恪守着武人的格调，不轻言议论他人，不在口舌上逞英雄。他一直觉得，真正的武人，靠武功和品性为世，即可。

所以他才会在赫连皙的事情上，也学不会唇甜齿滑。有时候他也会想该跟她说一些什么，该对她表达自己的心意，却终是因为骨子里的傲气与坚持，欷歔自伤。

是不是他不适合她？没有人知道这个问题他究竟反复想了多少次，可是感情一事，谁又能做到轻易放手，大方祝福？

赫连皙的心意一天不明了，寒子凉知道自己就只剩等待。等待她一个甜蜜笑容下，那终会明确的答案。若是他，他必定倾尽一生，相爱相护；若不是他……

若不是他，他会怎么做呢？

这个问题寒子凉一直没有想过。

忽然就看到面前的人陷入了沉默，南肆不着痕迹地啧了一声。虽然寒子凉本就是个寡言之人，但如今他思维也云游，整个人都能跟雕像靠齐了可就不是他受得了的了……

想着自己还有任务在身，南肆索性自顾自地引导他接话。

“寒兄，这有什么可为难的，我又不是让你把若思姑娘捆了给我。我只是想让你答应将来我求婚时，不恶言相向。”

“那是自然。”果然，闻言寒子凉回了神。南肆这都是怎么想的他！

“那不就得了。时间不等人啊，你看这小孩子的脸红得……”一边指着冰凌的方向，南肆一边推波助澜。

可寒子凉仍旧不语，似是在想要不要反过来拜托由南肆进城抓药……

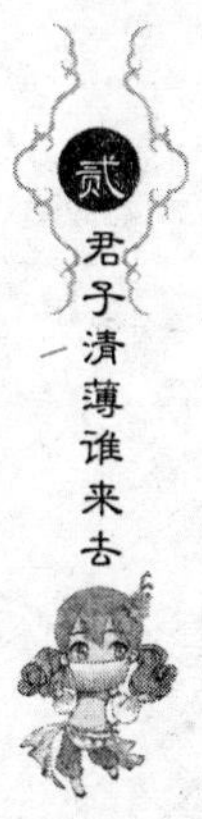

南肆心想这还了得，要的就是你离开这里！南肆马上以退为进，作势抓抓头，“其实由我进城也不是不行。只是我可是四肢不勤五谷不分的，更别提认药材了。要是我抓错了药……”

话音未落，寒子凉已经果断起身，“那么这里，就麻烦南肆兄了。务必当心。”

望着寒子凉已不见踪影的方向，南肆对着空气自叹不如，“寒公子果然好功夫。”他起身，走到小王子身侧，蹲了下来，“也果然是个好人，但是……”

南肆的指，点上小冰凌泛红的眉心，进而下滑到温度灼人的脖颈处，“但是，我果然不是好人。”

俯身要抱起孩子的企图，却在一把匕首抵上自己的心口处时，讶然而止。

南肆惊讶地看到，那个本该病了睡了的孩子，睁开了眼。

“不巧，本少也是。”那哪里还是唯唯诺诺小心翼翼跟寒子凉撒娇的孩子。冰凌睁开的眼斜斜地上挑，满脸的灿然笑意。

南肆失笑，往下握住冰凌几乎不堪一握的手腕，“虽然出乎意料，但小家伙，你认为你拦得住我么？”

冰凌的笑意却越发灿烂，“人质在我们手上，你还敢造次？更何况，鹿死谁手还说不定呢。”语毕，手一抖一沉一转，竟已从南肆的桎梏中挣脱，完全不似一个病人。

南肆怔住。

却不完全是因为这孩子装病，也不是他身怀武功，而是他口中的人质，无疑是被囚禁在宫中的若思。南肆本是和冰雪之堡城主约定了带回这小孩子以换回若思，如今，这孩子却说人质在他们手中……难道，他与冰雪之堡的城主本是一伙，只是演了一出追杀与被追杀的戏码么？

那么他们这么做是为什么？难道与城主口中问的武林盟主之子有关……那这孩子会跟着寒子凉，就必定另有阴谋！

看到南肆晃神间几种表情变化，冰凌也不急着戳破，而是扔掉毯子站了起来，舒展筋骨，同时，抖散了一身热气。

果然是装病！

南肆这个人，跟寒子凉和柳莫行都不同，他虽喜欢拐弯抹角，必要的时候却不在乎直白到不给人留情面。

在武林中生活久了，人人都要懂得自保。更何况他既不像寒子凉有武林盟主的威仪掩护，也不像柳莫行有天下第一庄的栽培，还不像萧洛璧武功师承天下第一的师尊……南肆习惯万事全靠自己，自也就更加圆滑而善于察言观色了。

“寒子凉可不是武林盟主之子，你找错人了。”他这也不是本心帮寒子凉，谁让若思姑娘当那面瘫是朋友呢？哎，神女怎么总是对这种呆子有心？

“无所谓。”小孩子一句话出，南肆眉梢只片刻耸动，冰凌口中言语已在继续，“子凉哥哥是不是盟主之子都不重要，本少对武林盟主一点兴趣也没有。倒是那个小赫连，那个赫连妹子，是谁？”

与南肆讲话是傲慢又娇气，可一旦称呼涉及寒子凉，冰凌的声音却温柔得好像乖孩子。南肆不禁怀疑是不是自己得罪了这个孩子，不然他为何不以相同的态度对所有人。

“寒子凉不在这里。”南肆的言下之意是，你大可不必装乖。

岂料冰凌仿佛听到了笑话，笑得咯咯作响，“我很喜欢子凉哥哥。所以那个赫连，我会送给子凉哥哥。”这孩子在说一个人的时候，就像在说一件物品，不珍贵、不珍惜，唯独寒子凉三字，就像那个人，让他分外重视。

南肆不禁陷入沉思。冰凌这截然不同的反应，是装，还是真实？如是伪装，把寒子凉视为特殊人物，是不是别有深意？当年武林盟主柳卿陌，为了保证自己儿子的安全改寒子凉为徒，按理说这件事知道的不过寥寥数人，这其中最有可能泄密的就是根本没泄密的自己啊。南肆不禁吐槽。

……还是冰凌等人的确不知情，只因为寒子凉比较好骗呢？南肆再度默默吐槽。若思姑娘，你看你哪里都好就是眼光不好啊……

“本少问你呢，赫连是谁？”到底还是孩子，没有大人那般足够的定力与耐心，冰凌催促的问话，听得出其中的好奇。

“我南肆一生不做无本买卖。”

“哼，你刚才想捉我一事我若告诉子凉哥哥，你觉得他会信谁？”

啧！南肆一双凤眼不经意地挑起些微弧度，这孩子果然不简单。

算了，走一步看一步，反正有趣……如此想着，南肆便装模作样地将赫连皙与寒子凉、柳莫行、萧洛璧的羁绊纠葛添油加醋诉说了一番……

反正，连若思姑娘也都不知道，他来这里的真正目的。

*

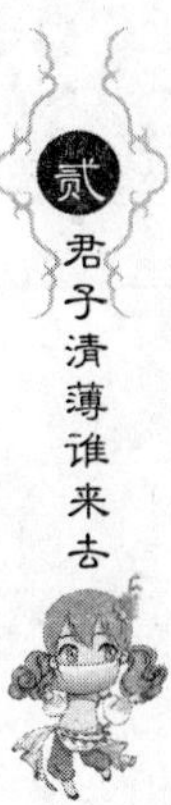

落西凌这个人，一点也不像是被困在城中的囚徒，更不似东躲西藏的犯人，嘴里一边说着我们要小心城主的眼线，一边带着赫连晢大咧咧地在冰雪之城中走马观花，一天多下来，全无重点。

什么冰雪之城发生的事，什么天意唤你们前来，更是绝无解释的意思。

他这种任性按理说和萧洛璧的肆意妄为有一点像，那个师尊亲自养大的男子，面上全无所谓的散漫与不经心，骨子里却比谁都自傲和犀利。赫连晢很了解萧洛璧，虽然真正相处的日子只有一年多，但看穿这样的亲近，往往有心足矣——她有心注视他，他亦有心，让她看尽。

“小赫连，我这个人，唯独对你……”是爱，还是不离不弃？那年从东瀛坐船回中原途中，他玩味般捏了几滴女儿红走近站在船沿的她身侧，一只手臂越过她纤细的身子搭在船栏，另一只手勾挑她因为海风吹拂而起的缕缕发丝。稍一倾身，宽阔而温暖的胸膛尽揽美人香肩柳腰。那时候一抹醉气胜过了咸气，醇醇的酒香，妙不可言。萧洛璧并未挑明语落一半意何在，只因他深信，赫连晢早就懂了。

但落西凌不是萧洛璧，落西凌的心思赫连晢不懂——也可以说是她本就无心去猜，甚至更刻意地避开关注他——那种潜意识的抗拒，连她都细述不出缘由。

或许，只是毫无关系才不屑？或许，是比不屑更深一点的感觉……

“冰雪之城位处山巅，常年积雪，晢晢看着可觉得新鲜？”

一袭米色长衫，从城堡出来，落西凌仿佛故意，将皮裘都换成了与赫连晢同色。两个人走在一起，女子娇艳甜美，男子俊美温雅，相辅相成，宛若一幅美景，人更胜景。

不知道的人便会以为他们熟识已久，甚至可能青梅竹马抑或已是夫妻，此番结伴游历，是为了看尽世间美景。

雪中的人显得越发洁净而华美，又是这般诗画不足以形容之伴侣，一路早已引得不少人驻足，纷纷侧目。

本来，不大的地方，外来生人就会格外引人注目。赫连晢感觉有落西凌在旁，这种探索中更多的是一种关注。

对她？还是落西凌？

因此，当时至晌午，落西凌拉她进入一家少有的二楼建筑饭庄，不给她菜单便擅自选菜结束对她开口时，赫连晢艳丽的唇角抿过不着痕迹的冷漠。

眼眸轻抬，似笑非笑，看着他瞳眸中自己晢白的绝美。“萧公子能有的行为，你再学也模仿不出第二个。”她不是犀利，也非讽刺，而是简单明确地告诉他一个道理，她能容忍的人其实不多。

外人看赫连晳或许绝代风华，娇艳明媚，只有真正了解她的人才知道，赫连少庄主的性子是青梅竹马的柳莫行一手惯出来的，比任性，她绝不输给萧洛璧。她没有多余的情感给无关之人，更不屑于关注没兴趣的人。

也许落西凌很神秘，但凡事太过，一则追根究底，一则兴致全无。如今当机立断地挑明，是因为赫连晳已经能清晰地判断出——落西凌在做戏。一出或许是做给她看，也或许是做给他们看的戏。

落西凌并未佯装听不懂，也不假装未曾听过萧洛璧此名。沉默了半晌，等到店家已开始端菜上桌，热气腾腾，面对着一桌子翡翠白玉，他一边拿起筷子夹起水嫩的豆腐，一边悠然开口，“你喜欢的是萧洛璧么?”

“与你何干?”

她的回答其实在他意料之内，当他那双筷子已经举到了她娇艳的唇边，他已然转了话题，“尝尝，豆腐很好吃。”

“你的，我懒得吃。”轻描淡写的态度，却为那不惊波澜的完美面孔，烙下深刻的惊艳。一目一唇，一语一心。赫连晳眼中绽放了瞬间因为某个总是对她靠近而变得僵硬的面孔，心意柔软。

她知道落西凌看到了，不过无碍，他既已清楚他们一行人，必定也早已清楚他们之间的关系。她不喜欢不公平的交易，若他有求于他们，最好坦诚以对。

对谁瞬间目不转睛地绽开唇角一丝若有若无的勾勒，落西凌的清俊，三分魅惑七分温柔。这是他和柳莫行最大的不同，褪离了绝对的温润，反增添了迷离的诱惑。

“真可惜呢。我，偏就最喜欢吃豆腐。”

将那白嫩夹进自己口中，细细品味，神色清淡如昔。时间都仿佛慢了下来，但一切又都发生得很快。落西凌只一个闪身，就站在了赫连晳来不及回首的身后。记忆里，只有萧洛璧有这样雷霆万钧之速。

那时没有威胁的人，此刻也是否真的安全呢?

“赫连晳，跟我走一趟吧。”

*

柳莫行一点都不怀疑萧洛璧曾来过冰雪之城。

看萧洛璧游刃有余地走在城外雪山，沿途只在几处针叶松略略驻足，均是为

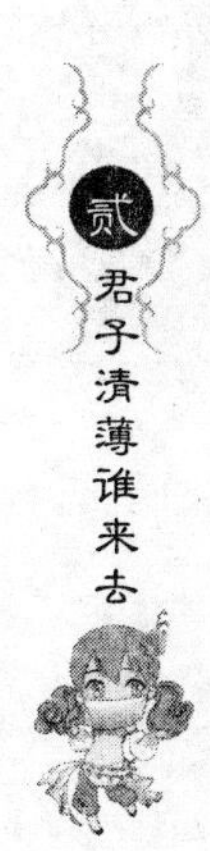

了查看下一步路的方位。柳公子也不打断，只是随意地跟随。

这并非单纯因为在他手下丢了赫连晳，也并非畏惧萧洛璧再度出言讽刺，而是当他只大致表达了赫连晳与落西凌所去方位，萧洛璧就能马上猜到只有一地可去——当萧洛璧唇角扯开那抹冷峭恣意的薄情，聪明如柳莫行便早已猜到，那个地方，或许正是萧洛璧本想带赫连晳所去之地。

男人与女人调情，不一定要言语或肢体接触，有时候，一处美景，一方寓意，反而更能深刻地触及心灵，从而，不忘不弃。

一路上，刻意避开大道而行山路，柳莫行相信这是萧洛璧誓要比落西凌更早到达。他捻语问了几句那地方如何，萧洛璧只大略说了塞北雪山的最美当属冰冠胜地——"你若是一味地顺从和宠爱，小赫连的归属便不会再有悬念。"

然而，忽来如此玩味的似是忠告，似是挑衅。

柳莫行也不生气，只是微微侧了秀丽的眉目，启唇无痕，"怎么，兄长曾有过一瞬没有信心么?"

"小赫连是我的。"轻描淡写到仿佛自己说的是再自然不过的一件事，那瞬间，萧洛璧翩然的恣意，唇动言出，别有一番清朗的风姿。"只是我不想简单地，胜过一个从不懂得全力以赴的人。"

"兄长又怎知，我没有全力以赴?"谁言下之意，他懂；可他人又怎能懂得，早在他们初识的时分，他已然倾尽全力。他表现得再无动于衷，他再习惯温雅大方，都不过是，无怨无悔支撑着他的全力以赴。

对赫连晳的话，少一分心力，都不足够。——这是萧洛璧不说却想说的，又何尝不是他柳莫行一直在做的?

晳晳，唯有你，这是你应得的。满心满眼，唯一不迁。

此时。东升的晨光为萧洛璧清俊面孔迎来一缕清辉，仿佛铺满碎金的涟漪，染了一心的清白耀眼。斜靠在针叶杉上的高挑，指尖修长，仿佛褪离了慵懒的纯粹。

柳莫行细长明亮的瞳孔，几许似有似无的安静。

就那么，一直安静着。

*

前方，约有十数米，不显眼的地方，赫连晳看到了一座半掩的门扉，在枯枝干叶处若隐若现。

用完那顿"豆腐盛宴"，落西凌带路的速度明显提了上来，之前若说是游山玩水，之后就像是有人追赶，不下半个时辰，两人已来到了他口中的目的地。

他在后面问她说："进去看吧。"

她一个侧身，也不问句安全什么的，就那么率先走了进去。反正担心阴谋或陷阱都已无用，人既来此，想东想西不如相信会有人来。

这一路虽然没有柳莫行或萧洛璧相伴跟随，但她的莫行哥哥，总会在她最近的地方，她深信不疑。至于萧洛璧么？他总有办法在所有人都办不到的时候在她面前出现，在不在一起她都不怀疑。

这算默契么？即使不是，也是相信了。

若说门扉外，是一望无垠的白雪；门扉内，赫然凝成橘色的珠光。墙壁的颜色都是最本色的土泥，仿佛手指戳上都能按出一道痕迹。

赫连皙目所能及，皆无外物。这本是个看似空洞的地方，她每往前走一步，都觉得这门内像是持续无线延展。看不到头，也感受不到冷暖。

门扉内，与其说像房间，更像地窖。

身后，有人悄悄靠近，落西凌悄然伸出的手，咫尺间就要擦过她的手侧——风声一晃的瞬间，手与手的碰触落空，走在前面的人也尽落了一双臂弯的温暖。

"小赫连，你偷跑的时间也太久了！"

是有丝丝清邪、有丝丝暧昧、又有丝丝温凉之意的萧洛璧的声音，从咫尺之间清晰传来。让怀里的姑娘一仰头，都足以看清楚，他唇角的清薄冷暖。

萧洛璧没有说小赫连你让我好等，也没有说小赫连我可找到你了。他说的话仿佛总也不切主题，却又总能让他想说给听的人，听进心里面。

赫连皙微微张大美目。即使是早已习惯萧洛璧的神出鬼没，他这一次的出现，也快得不可思议，甚至不给她躲闪的机会。

他明明是从她上前方一跃而下，她进到门扉内这段时间，却没有发现有人在。

她身后的落西凌不知道是否也一样，以为这是个只有双人前来的地方？

萧洛璧还是那样恣意。美人在怀，本就是乐事一件。她温暖的熏香，多少年都是不曾改变过的白茶相依。

几许随意地抚着赫连皙夜黑色的发丝，萧洛璧修长的指尖忽而转道去勾抬那白嫩如雪的肌肤——轻抚之际，他听到来自后方一声轻轻的咳嗽。

唇角几欲失笑，同一时间，米色皮裘的柔软留在了怀间，那纤细窈窕的人儿

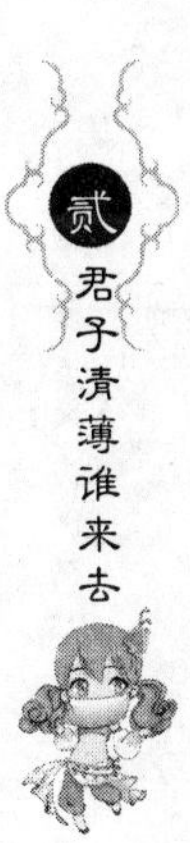

却插空从他手臂间滑开，朝着那同样一身单色裘衣的男子而去。

柳莫行只一个轻轻的抬手，就将赫连皙白皙柔软的素手，握在了最为温暖的手心。如果他更用力拉扯，她便会翩翩落于他心口处，或许缠绵。

“皙皙。”

一声轻唤，胜过一句“你可好”。它或许包含了“久等了”，或许包含了“我来了”，都在柳莫行清柔温凉的呼唤中，意味更浓。

他们之间，十数载岁月，早已灵犀一点，心自领悟。

有的感情，深到地老天荒。

有的感情，美到相知相惜。

也有的感情，是你我眼中，看的本就是彼此。从无他人，唯有喜欢。不言不语，不倾天不动地，都期待的一种心情。

看到柳莫行的瞬间，赫连皙晶莹玉润的眼中分明闪现了一抹原来已久的轻松。她相信着他，所以，她始终未曾焦急紧张。

所以说，习惯真的是很顺其自然的一件事。

还在小孩子的时候，她就习惯了他在身边，只要她睁开双目，总能望见他温润似水的容颜，每一分每一寸，都是难描难画的，柔情缱绻。

感觉是很奇怪的一件事情。

很多熟悉的人，很多陌生的人，很多熟悉又陌生的人，都不能分享人心中的同一种感觉。或轻或重，孰近孰远，往往只一瞬间就能决定。

喜欢一个人，还是讨厌一个人，甚至更在时间与亲疏之外。

十多年青梅竹马，赫连皙曾说为了柳莫行甘愿覆遍天下；莫行公子却只得一笑，零落了几许她以为自己能看懂却唯有他知道——她不懂的寂寞。

生死之间，爱和喜欢的距离。

他们之间，纵然寒子凉与萧洛璧不在，皙皙的眉眼间，也艳丽地少了种颜色——就像百年前，武林第一贵公子白敖禹与第一美女路夕颜的爱情，轰轰烈烈、刻骨铭心，他们执子之手，却不能与子偕老。因为错的不是别人，而是爱本身。

“你们怎么会找到这里?”有些话，他们不说，她还是要问。或许是问给落西凌听，也或许是身后萧洛璧倾身而近。当柳莫行习惯性脱下外裘就要披在赫连皙身上时，萧公子手指间挑起的米色皮裘已暖暖地贴回少女肩身。

“小赫连，你都不怕冷的么?”

“有萧公子在，轮得到我喊冷么?”笑着紧了紧自己肩上的皮裘，软软的皮毛擦过脸颊肌肤的绵延感让赫连皙不由多享受了一番。而她习惯与萧洛璧笑谈。或许是带着几分明显的距离，却又往往因为太过刻意的明显，反而让两人都明白这是种特殊的亲近。

她明明不喜欢别人的强迫，萧洛璧三番五次的强硬手腕她却视若无睹；她明明讨厌任何人的干涉，萧洛璧数次的一意孤行她偏欣然接受。

这是不是也是一种特殊的情感?

波澜不骤，抑或是口是心非?

女人都是善于伪装的。至少在此刻，她不说，他猜测的就未必百分百准确。可是又有多少人能看透，萧洛璧享受的也正是这种雾里看花。

他的小赫连，怎能流俗于世人?

他的小赫连，只是他的。

他知道，他说不说，他都知道。

不在乎所有的世俗，因为世俗与他无关。不在乎所有人都能感知，理解或者误解。

萧洛璧在乎的，从最开始，就没有变过。

赫连皙。只有一个，赫连皙。

“小赫连，你太调皮了。”若细看萧洛璧那深夜色的瞳眸，就可以看出一抹醉死人的柔情，此刻，浓过所有的冷峭讥诮。

任何的刻薄，都不是给她。任何的冷淡，都可以虚无缥缈。

“这不是萧公子教得好么?”赫连皙轻轻勾起了唇角一抹艳色，倾国倾城，仿佛蝶飞花舞香耀了满墙素土无双。她或许嘲讽、或许调侃，却不曾在萧洛璧近在咫尺时退后半步。

同样的距离，是他，便没有威胁。即便这天下，可能远没有几个人能及得上他这般危险邪魅。

眼前，谁的脚步似有动作，赫连皙眉眼间的清薄越发灿烂，她站在萧洛璧和柳莫行中间，言自语出：“落公子，你带我来这里要看的，可就是他们?”

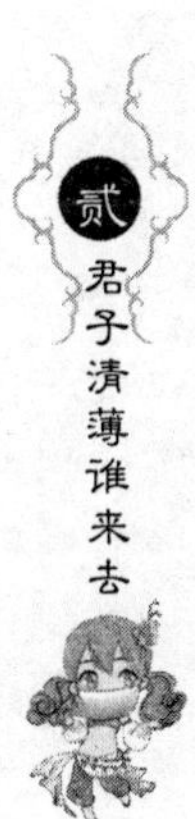

2.3 三件圣器

空旷的空间中，仿佛不请自来的客人，站成一圈，圈出了黑白色差。

落西凌自萧洛璧和柳莫行一前一后出现，就没有说过话。

这本该是没有人能找到的地方，这本该是没有人能藏身而不被发现的地方，若非眼前这两人真实的存在，想当这是幻觉也未尝不可。

但最不可思议的还是，远自中原来的客人，竟比他这个在这里生活了十数年的人还先找到这里，还能让他说什么呢?

不过他们，倒也因此通过了他的测试便是了……

早在赫连皙语中提到落西凌的时候，翩翩公子的俊秀容颜又不经意地生疏了几分。若此刻在一旁的是正直清高的寒子凉，他可能不会发现，但萧洛璧那一双眼，何止魅惑苍生，看什么都分明的一针见血。

所以从初次见面，萧洛璧对落西凌的态度，就选择了讥诮而冷淡。他不关心落西凌是谁，有什么身份，有什么秘密，就像他不关心寒子凉一样。只是对待寒子凉无须冷淡，说来，寒子凉的确是有种让人拒之千里却又不忍回眸的特质。

你明明不关心他，却又不会去讨厌他。也许，太端正的人，都有着让人羡慕的纯粹。

但这不代表萧洛璧不会想确定，落西凌这个人，和小赫连曾如何的有过交集。莫行的表情近似没有表情，但他这样的表情，却往往能流露更多的信息。

在这三个人目视下还能淡定自若的人并不多见，落西凌却仍旧保持着不紧不慢的态度。这样的他与柳莫行同处一个空间，看下来，就更像是孪生子。无论从长相、身高，甚至是外显的气质。

唯一的不同，或许就在于风神——柳莫行的超凡脱俗，无论谁来模仿，都不似他的临风惊世。

有种人，宛如谪仙。有种人，本就出尘。

“这里原本是冰雪之堡的禁地……两位能无人引路而找到这里，落某实在是佩服。”

“何必顾左右而言其他?”

“萧公子严重了。落某带赫连少庄主来这里，只是为了讲一个故事与她听。”

这称呼当真与豆腐宴时落西凌的口口皙皙相去甚远，难道是他在顾忌萧洛璧？赫连皙觉得不像。落西凌这个人她接触时间虽短，但也能感觉出这人心底的自负与傲气，他不像是会因为人数差距就低头的人——更何况，他该分得清，他们三个无意以多欺少。

“我不记得曾见过你。”

“落某却在幕帘后见过萧公子两面。”眼见萧洛璧那双墨色瞳眸更深沉深邃了几许，落西凌不慌不忙地解说，“武侯的师父是武林奇人，每个习武之人都会憧憬。落某那时虽是孩童，却也不愿放弃亲见至尊。”

一句话，不止点出了萧洛璧曾来过冰雪之堡的事情，也间接点出了落西凌的身份。

眼见萧洛璧微微眯起了忽见犀利的眸，赫连皙侧眼间，也似乎捕捉到了柳莫行似水柔和的眼中，那一分若有所悟。

心下，随之温软柔和。

“那城中之人，能见到我的，不过圣女和他的儿子。”但你的年纪却不像她的孩子。后半句话被萧洛璧留在了口中，他半眯起血色如霜的瞳眸，仿佛打量着落西凌，以及他口中话语的真伪。

如果和寒子凉在一起的那小男孩是城主之子，年龄倒还吻合。落西凌怎么看都和自己差不多大，虽说武林中人驻颜、叔颜都不稀奇，落西凌的长相与气质却出奇的相符。是因为他像柳莫行才不给人防备？不，正是这样的人，才最该防备。

“还有一个人能见到。”

“哦?”

随着萧洛璧唇音些微上挑的不屑感倾斜，落西凌却自然地转了话题，“萧公子既然知道这里是冰冠之所，自也知道冰冠最美的传说。”

“不然，你又何须特意带赫连小姐来这里呢?”因为萧洛璧明显没有接话的意思，落西凌并不在乎继续自己的话语。说话间，他还不忘去看那个此刻站在他对面，却仍比所有人都感觉亲近的女子。

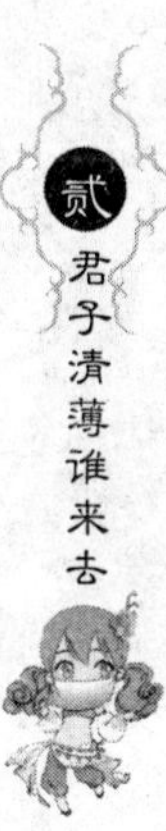

“这里是你说的风光秀丽之地?”果不其然，赫连皙接口问了萧洛璧。而后者，轻轻扬起了眉梢，双臂环肩惬意非常地居高临下。漂亮的侧脸，在满是泥土的空旷室内仍能透过丝丝缕缕的折射光芒发散清魅。

“全天下唯一的冰冠，给全天下唯一的心爱。”

萧洛璧说话的声音，只在一个人心里蔓延。近在咫尺的笑意，他似乎不曾开口，只有她听见了他心里的承诺。

“落公子所谓的冰冠，可是在内里密室中的？但那里，什么也没有了。”柳莫行仿佛没看到眼前两人的目光亲近，此刻以清宁嗓音朗朗开口。他没有干扰气氛，也没有虚张声势，然他轻描淡写的态度所说出的话，却让落西凌，甚至是萧洛璧都出现了一闪而逝的怔愣。

只一瞬间，所有人的注意力就都聚焦在了柳公子身上。

有的人就是没有人能无视，因为他只一个微笑温润，就能顶天立地。

“没有了?”落西凌为了确认再度开口，“柳公子的意思是……”

“里面什么都没有，一尘不染。”

柳莫行话音方落，落西凌已经一个箭步轻身闪了过去，几步的距离他抬手敲击泥土墙一处，轰一微响，一道本不该开启的门扉出现，落西凌的身影很快消失。

赫连皙扫了难得侧目的萧洛璧一眼，再看了看柳莫行，见他点头，便扯了下萧洛璧搭在她手腕边的衣角。

“一起进去看看好了。”

“你是什么时候发现那里有暗门的?”萧洛璧反手抓住赫连皙的素白柔软，在她强行溜开前，暖在手心间熨帖，却望向柳莫行问话，勾起了唇角几许恣意清邪的魅惑。

闻言，柳公子微微笑了。他的笑意，最温软的嘴角，勾勒，就是极致：“奇门遁甲一术，并非只有子凉兄和兄长比较擅长啊。”

*

密室内，别有洞天。

原来外在的空旷与一览无遗，就是为了保护隐藏在暗处的密室。通体的白色世界。并非粉刷的雪白墙壁，而是完全的冰壁。

足下也是千年寒冰冻成，踩在上面，连一丝裂缝也没有。

赫连皙暗暗试过走步用上内力，耳边却传来萧洛璧似笑非笑的调戏，“小赫连，东西既已不在，这里就毫无意义了……不如，我们私奔啊？”

“萧公子，你连一刻都不能不去想风流艳事么？”

“嗬，和小赫连在一起却不思男女之事，这才是最大的不敬吧？”语有所指，瞥眼柳莫行早已走到两个人前面，和落西凌并排站在一尊由冰精雕玉琢的架子前——那架子上早已空无一物。萧洛璧对确认了的事实就不再多留关心。

他玩着她还握在他手心中的素白，每一抚摸都是柔滑的战栗。丝丝缕缕，在他人看不到也感受不到的内心深处。

“那个冰冠是什么东西？”赫连皙抽不开自己的手，只能站在原地发问。落西凌对那个物品的重视，对他不关心如她，都能轻易看出来，可见那绝非是一朵花、一个王冠那么简单。其中虽未必有如萧洛璧所指隐含的深意，却必定另有蹊跷。

“传说其有净化之力。”

“净化？”

“能令活人佩戴者，百毒不侵。”

“活人？”聪明如赫连皙自然是一下子抓到了萧洛璧口中近乎冷峭的淡漠字句，她微微仰首看他，却正好看到他俯下头对她的凝视，一双墨色瞳眸，缠绵着羁绊。

微微一愣。

一愣之后，萧洛璧的唇已经落了下来。

蜻蜓点水，却霸道猛烈。只一偷吻，起落同时。她这次没有像在楼兰水国密道中那般来得及躲开，得逞的他满足于她脸颊的艳色如斯，却用意犹未尽的口吻尽显勾引，“小赫连，你甜至如此，我怎么舍得让你感受它另一种力量。”

就算她立即给了他胸膛一手肘的磕伤，毫不留情；她给他的感觉，仍无非像个撒娇的少女，娇艳无双。所以萧洛璧的笑意，自是没有分毫收敛。

也不管前面的两人是否已经回头，其中一人，是否看到了这一幕艳色场景。

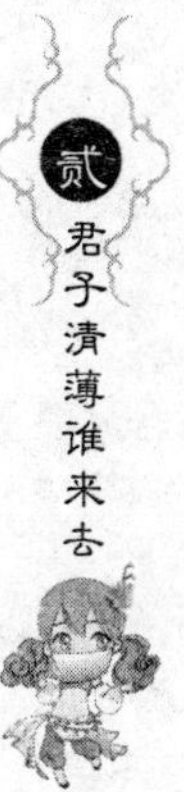

“冰雪之冠乃我冰雪之城的宝物。活人佩戴可调养声息、百毒不侵；死人佩戴，可生生世世不腐不化，永远如睡着了一般安宁。”

没有了宝物对落西凌的心情多少产生了一定影响。他叹气着走回来，一边为赫连皙讲解疑惑，一边也目扫而过萧洛璧、柳莫行二人。

“相信二位并未取走我城中至宝。”

“你城中？”

赫连皙话音未落，身后骤然有人脚步的声音，接着，便是一声明显饱含惊喜与欢乐的少年高呼声。

“西凌哥哥!!”

众人回首一望，只见寒子凉、南肆、若思，以及一个从未见过的小孩子出现在了方才进入密室的门扉之处……

*

走散的人会在此地汇合，绝非巧合。虽然初时寒子凉带冰凌来此地时，仍是半信半疑他口中的若是西凌哥哥带走的人只有一个地方可去。

那日，他从城中买药归来，冰凌还在睡着。幸而一剂药下去，再加上他仅存的内力相助，小孩子的烧退了不少。

在他们研究之后该怎么办时，若思也循着南肆留下的记号找到了他们。在异地相逢，寒子凉惊喜之余，也更加担忧下落不明的赫连皙与柳莫行。

接着通过若思之口，听说了赫连皙安好，方要松口气，又听说她让一个陌生男子劫走，心尖立即宛若被什么碾过，平静不能。

后来南肆将若思叫出去说什么悄悄话，小冰凌看他愁眉不展，爬到了他的腿边，一句又一句子凉哥哥的唤他。寒子凉回神，对小孩子安抚地露出一个我没事的苦笑。孰料，小冰凌却说出了让他面部表情定格的消息。

“带走子凉哥哥要找的姐姐的人应该是西凌哥哥。”

“落西凌?”因为听冰凌反复提过几次，寒子凉对这个名字并不陌生。

“嗯，因为只有西凌哥哥知道城堡的秘密，也是他救我出来的!”

“……但他为何要劫走赫连姑娘?”提到赫连皙的时候，寒子凉声音虽然轻了几分，那语气中的戒备却更加厚重。男人劫走一个女人，大多都只为了一个目的，他不愿将素未谋面的落西凌想得那么恶劣，但是，除此之外还能有什么别的解释?

“这个我也不知道……不过子凉哥哥，我可以带你们去找。我知道西凌哥哥一定会去的地方。”

也因为此，当若思和南肆私谈归来，寒子凉就提出想要先去寻人的想法，若思和南肆都没有异议，四个人就一路同行了。

此刻，冰凌正在落西凌身旁表现小孩子的撒娇，落西凌轻摸冰凌小脑袋的样子也尽显一个哥哥的照顾和温和。与初时劫走赫连皙的那个人，完全不同。这个时候的落西凌，就好像柳莫行的孪生兄弟，一样那么温柔，那么友善。

萧洛璧不时错眼而去，都会任唇角的冷峭更加恣意。

但他身边的柳莫行却没有。从寒子凉等人来到，他就像忘了落西凌的存在。什么劫持，什么冰冠消失，也都像完全没有发生。

面对寒子凉不在一起时的担心自责全在见面时犹自变成了隐忍沉默，赫连晢骨子里那种玩味的暧昧再度活跃而点点燎原。她最喜欢的就是他一双眼中的情深早已泄露了内心的关心却仍板着面孔强装疏远的伪镇定。

多么让人忍俊不禁……

所以，和南肆聊了几句，甚至都能和若思问个你好，赫连晢就是绕着寒子凉不先与他说话。等寒公子明显是只恨不能全天下现在就剩下两人看她理不理他的纠结再纠结，她才嫣然笑着凑近他。

"寒公子，你都不关心人家。"

寒子凉被这第一句堵得连"你明知道我没有"都说不出口。他可不说不出口么，赫连晢这句话问得既哀怨又妖娆，密室内本就不大，那么几个人都听到了看过来，就算寒子凉想偶尔柔情缱绻一下他也得好意思啊！所以说，硬汉什么的，最难做。——南肆感言。这年头，越不要脸的越吃香。

"我就知道，自古只闻新人笑，有谁还会关心一个下堂的未婚妻呢?"

"咳……你不要闹了。"结果，两个人见面的第一句话，寒子凉是这么憋屈地从嘴里挤出来的。

"大家都平安无事就好。呐，晢晢。"若不是自小的好兄弟总会适时地帮自己一把，寒子凉不晓得还要如何内伤。看柳莫行对赫连晢轻轻一个摇首，虽仍宠爱有加，却毕竟有为了他开口的相助，内心温暖而感激。

师兄弟多年，就算一年多前的事情颠覆了一切，却也揭开了一场身世之谜。他们之间，师兄弟也好，异母兄弟也好，这一生，已都注定是兄弟。

"好嘛，莫行哥哥如此偏向寒公子，真让人嫉妒。"

"寒公子仗义相助，我倒是也要向公子道谢。"落西凌的声音与赫连晢娇艳的调侃只有一音之隔，却巧妙地融入此刻分成两方站立的人。

而冰凌不知道是不是配合，更是立即拉着落西凌的手再拉起寒子凉的手，拉得两个人站得很近，也站成了一队人的距离。

反观萧洛璧倒是和众人隔得最远，修长笔挺的身子斜斜地靠在冰墙上，长腿没有规则地随意搭着，小孩子左右手各一个大男人的场面只让他冷淡地勾起了唇角。

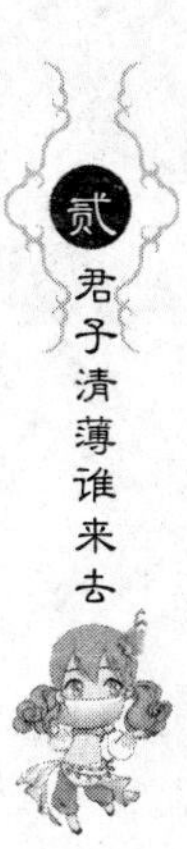

“落公子客气了。但不知，你为何要……带走赫连姑娘?”原本的劫持二字让寒子凉咽在了口中，他注视着落西凌的眉眼，并不因他的客气而有所放松。

“这件事情……落某要向所有人道歉。把你们卷进了我城的事情，但我真的需要各位的帮助。还请体谅我有心护住这从小住到大的城池的心情。”

落西凌终于开始诉说那个他原本或许只想讲给赫连晳一个人知道的秘密……

冰雪之城是一座叫天魔岛的岛屿之附属城池。说到天魔岛，中原的武人并不陌生。传闻那里是被中原武林驱逐的极恶之人聚集之地。各种邪派、杀手、盗贼、真小人、伪君子，只要是武功高强之人，都能入住那里。这个岛的存在由来已久。但是这个岛是不是真如传闻，在座的人却没有人能验证。

落西凌提到这个岛的存在，他说他也不清楚冰雪之城具体和天魔岛有什么关联，但是天魔岛的人对冰雪之城有执掌生死之权。

原本的城主就是天魔岛派来的。但是近日，他性情大变，将圣女也囚禁了起来。而据落西凌所知，天魔岛每年都会派人来附属城池巡视，算算时间今年也差不多要来了……若是让他们发现这个情景，恐怕冰雪之城会有一番整治。

“这跟你劫持赫连妹子有什么关系?”南肆说话没有寒子凉那般顾忌，柳莫行和萧洛璧都不开口，他见若思看自己，就替他们问了。不过就算若思不看他，他也会想办法问便是，毕竟，演戏总是需要两个人搭着嘛……

“落某惭愧。我冰雪之城的圣女乃是城中第一美女，旁人是无法假扮的……”

“难道你是想把那什么冰冠给赫连妹子，请她暂代几日圣女直到突击检查结束么?”由南肆口中说出冰冠虽然突兀，却并非不可能。他们来到这里的时候，正听到冰冠遗失的事情。像他这样热衷于八卦和传闻的，自然不会错过。

南肆的话让寒子凉和若思一并看着落西凌。若思已经打定主意，如果落西凌就此点头，她便告诉寒公子这人说的一定是假话。被囚的人岂是一个陌生人所能假扮?先不说容貌不同，赫连晳的年纪明显要小于一个孩子的娘很多。即使是易容，若她不懂得这冰雪之城的事情，还不是会轻易露出破绽?

“落某劫走赫连小姐，其实是想诱各位一并到来，帮我一个忙。”落西凌似是长叹，俊美容颜上的认真，距离做戏甚远。

“圣女此刻被囚禁的地方，是冰雪之城最坚固的冰窖。自古以来，冰窖都是入而不能出的地方。从城主将她关在那里，我就想尽了办法。无奈那里没有钥匙，只能用三件圣器打开。”

“你想我们帮你找圣器?”若思冷淡而清艳地插话，眼神中有着深深的不信，

“你本是城中之人，我们则来自远方。你若都找不到的东西，我们缘何能够帮你?”

“这位姑娘误会了。我的确是深知那三样圣器所在之处，但仅凭我一人之力，是无法用它们打开冰窖的门的。”

“三件圣器……莫非是需要三个人?”

“柳公子好聪明。”毫不吝啬亦诚挚的赞扬，落西凌继续娓娓道来的话中，更多了一分无可奈何的真实。

冰雪之城自古传下来三件圣器，分别是同心戒、冰封镯、雪之链。集合这三件圣器，可以打开冰雪之城的冰窖。传闻冰窖是遇到外敌不敌时，城主可以安身护命的地方。但是，进入冰窖之人却没有那么简单能够再出来。因为三件圣器，需要合三人之力才能使用。第一位是拥有圣女血统之后人，第二位是武功高强内力深厚之人，最后一位，则是拥有与这二人中一人惺惺相惜之羁绊的人。

由于自古都没有人进入冰窖，这传闻是否可信尚无人能验证。但是冰窖一旦关上就无法开启，已在近日得到了证实……

“姨娘已经被关进去三天了，再不救她出来……”说着说着，冰凌的眼圈似乎都红了。

落西凌则是将手按在冰凌弱小的肩膀上，似是给他力量，也似是为了继续自己的话，“就是因此，仅凭我和冰凌是无法打开冰窖的。”

“惺惺相惜之羁绊的人么……”重复着落西凌的话，寒子凉、若思，包括南肆都似乎陷入了沉思。

若真相的确如落西凌所讲，那么他就没有说谎。纵然圣女血统可以有冰凌，武功高强之人可以有落西凌，若没有与他们相爱的人……

“养子也算是拥有血统之人么?”不远处，萧洛璧独有的那种清淡亦邪魅的声音、不紧不慢的说话方式，吸引了大家的注意力。而他口中的养子，倒是提醒了众人冰凌口称圣女为姨娘并非亲生一事。

寒子凉不禁暗暗自责自己明明也是听了冰凌讲述过身世的人，怎么能为刚才瞬间的气氛所蛊惑而放松了警惕?事关赫连皙，看来，萧洛璧的确是当仁不让……

还不待谁再追问一两句，落西凌已经先揭晓了答案：“冰凌的确不是圣女之子。但是，来自中原的各位里面，却有圣女的亲生骨血。”

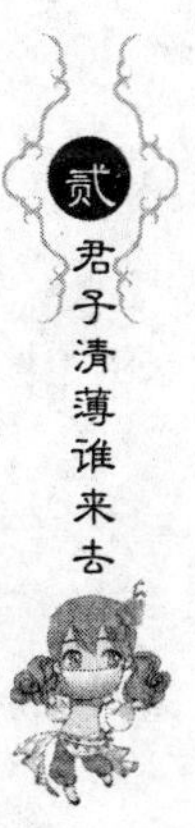

这个天下玄幻了。

南肆当下脑子里面只剩下这句话可以表达此刻的心情。

如果说，他二十多年综合武林各项信息寻父寻母，好不容易在去年盟主之乱中了解了父亲可能是武侯师弟之后，又凭着这条线索探寻到生母可能是冰雪之城的圣女才会假借领赏陪若思上塞北——这件事情的隐秘程度，就跟无人可知他其实二十八岁却隐瞒成自己二十七岁一样。有人问年轻一岁有什么意思？切，不知道他是从二十岁开始谎称十九岁的么……

总之，本该无人知晓的事实，却忽然让一个外人说出来，感觉可不好受。

所以南肆在落西凌继续说话前就想溜掉——只不过这个地方光秃秃的哟，想神不知鬼不觉地溜掉实在是……更玄幻了。

于是南肆就没有成功溜掉。

于是，所有人就都听到了落西凌继续的话。

“我们之中？”若思那双细长的眼睛第一时间捕捉的方向就是南肆。走惯武林的她，对这种事何等敏锐。更何况当年盟主之乱，她是听到身世真相的当事人之一。虽然有些奇怪没有告诉南肆那天的事他缘何也能猜到，但这个人本就神龙见首不见尾的神秘，倒也不难想象他的消息途径。

南肆一副大小姐别这么看我嘛你再这么看我我当你爱上我了哦的表情，强装镇定。反正落西凌就算说出他，他大不了不认么。

结果落西凌的确是继续了，却没有将话题引向他。“据我所知，圣女之子乃是武林盟主之子。”

“哎呀柳贤弟，你娘到底是谁？”

“那么落公子这情报就是有误了。”相比起南肆火速的转移注意力，柳莫行的口吻要清淡而温和许多。一来他清楚自己的身世，二来他也能从南肆稍不同寻常的话语感中看出南肆极力在隐藏什么。

寒子凉不喜欢窥探他人，与萧洛璧不屑于多留分心，他们二人或许没有注意到南肆的异样，不代表，就没有人能看出端倪。

赫连晢玩味地勾抬起唇角，她发现那个扯着寒子凉不放的孩童一直在偷偷看她。虽然他看似是不经意地撇头，但是实在是瞥她太多次了啊……

“无论情报对错，落某都有心一试。事关人命，还请各位行此一善。”

有的话说出来，就好像武林中光明正大的决斗贴，你本可以无视它，却又不得不为了面子而应承，除非想被武林人士嘲笑怯懦——眼下的情况，就有点类似。即使在场的人都明知道与圣女无血缘关系，却又不得不为了一个救人的名头，牵扯进这个或许别有目的的圈套。

落西凌表现的的确是一个关心圣女的城民的心情，但是演技、说谎，这些在武林本就不缺的特质，谁又能保证他不是恰好擅长呢？

一时间，偶有无语。

直到外面忽然传来嘈杂的人声与脚步声，室内的人才逐一回身，赫连晳的纤腰也在同一时间落在萧洛璧臂弯之间。

“小赫连，别担心，区区一个地牢是关不住你我的。”

少女还未来得及补问一句此话何解，落西凌已先松开了冰凌的手，对所有人一个作揖的恭敬。“落某就当各位都愿意帮忙了。那么，眼下还有件事需要拜托各位。”

话音方落，这次连南肆都没来得及问出“这次又是什么忙”，就见到一群持着武器的人闯了进来。

“这些人企图绑架少主，将他们拿下关进地牢！”

落西凌英气地抬手挥臂，仿佛换了一个人似的，指挥着城堡护卫将寒子凉、南肆等人再度请回了冰雪之城地牢……

他与走在最后的柳莫行交换了一个眼神，“你们等我”的意思表露无遗……

*

黎明时分，落西凌果然如约出现在了地牢里。他的来处谁也无从知晓，不单避开了外面巡逻的守卫，连地牢里的人也不曾惊动，就在众人毫无察觉的情况下出现眼前。

然而他这分游刃有余在发现毫无动静的地牢里无缘无故少了萧洛璧和赫连晳两个大活人的时候还是没有坚持得住。

“……少了美人相伴，趣味骤减啊……”落西凌苦恼无奈时的表情竟还有几分爽朗不介怀的笑意，不知是心中早有猜测，还是背后对事态把握十足。无论哪种，都在毫不掩饰地昭示他在这冰雪之城中特殊的背景。

“取物而已，莫行跟子凉兄作陪也是一样。况且分工协作还更快些。”柳莫行一开口，礼貌却不容拒绝地为落西凌这唯一的外人分好了搭档。

寒子凉仔细回想，只觉很久不曾有机会看柳莫行如此强势地对待外人。

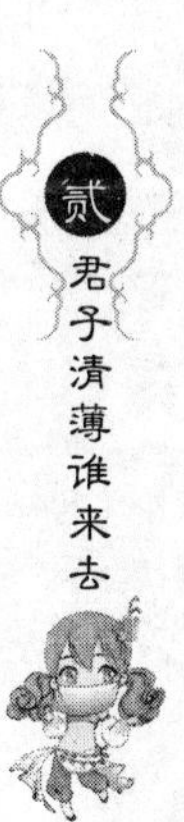

柳莫行身上似乎一直很少见强加于人的气势，他总是那种谦雅适度、温文平和的风格，很难想象原来也能够将强硬的气场运用自如。

对方人多势众不说，唯一有意搭档的姑娘还跑得不见踪迹。落西凌挑挑眉再环顾四周半晌，意料之中地看到若思艳若桃李却冷若冰霜的脸，顺势点头，“无妨，随你们就是。”

柳莫行则在此时转向南肆和若思，“南公子似乎对这里很熟悉，如此，雪之链就有劳两位了。”话音落下，也不管南肆一副“我熟你妹啊”的纠结表情，引着寒子凉随落西凌一道而去。

跟落西凌同行的好处不言而喻，他对冰雪之城相当熟悉，无论是地牢里的密道、城池的建筑、城中的城民和卫士还是他们要借用的圣器。同时他也不吝口舌，边带路边绘声绘色地讲解。

三件祭祀圣器之一的冰封镯，是取整片雪山脚下生长的枫树树叶，以特质药酒浸烂，精细地剔除皮肉，再在所剩的细如蛛丝的叶脉上镀以特质的融化水晶汞而成。镂空的叶脉每一丝都包裹着晶莹剔透的水晶，繁复华美，闪烁着冰凌一般的光辉，所以取名冰封镯。

平日里它被放在灌满特殊药浆的西域琉璃盏里，里层柔软鲜嫩的叶脉才得以长久保存。放在药浆里的时候柔软如丝，离开浆液之后会很快干燥，自行卷曲成形，因此佩戴冰封镯的方法是在琉璃盏下燃火，烘干药浆，同时立刻佩戴在手腕上。

但它只能定型一个时辰的时间，一般来说，整个祭典结束，正好是将手镯放回药浆里的时机。而且重新浸泡回药浆里的手镯要到下一年的祭典再次取出才能成形。

手镯在药浆里柔软得像一丝青烟，经不起任何颠簸，轻微搅动就会支离破碎。在圣女祭典上，到圣塔上佩戴手镯是典礼的一部分，所以每次圣女都是戴好手镯才出塔，而琉璃盏从来也没有离开过圣塔。

现在落西凌、寒子凉和柳莫行却需要在不惊动城中任何人的情况下，毫无损伤地带着琉璃盏去城后的冰窖。

落西凌的讲解说明到这里，不忘意犹未尽地补充，“圣女祭典里，这只树叶制成、从火中取出的晶莹剔透的手镯象征着顽强生长、浴火弥坚又纯洁无邪的真情。”说完不动声色地提议，“不如打个赌，我们之中谁能把它带回这里，就让他帮赫连姑娘戴上此镯。”

如果落西凌口中暗指的武林盟主之子真是圣女之子，那么与来自中原的他们惺惺相惜之人，的确非赫连晢莫属。落西凌本人是否对赫连晢别有用心，寒子凉不愿怀疑，却也懂得爱美之心人皆有之。落西凌唯独劫走赫连晢独处是否真的只为诱他们前来，尚不可草率结论。

“是么，真是感人呢。”柳莫行的感想立刻出口，却没有赞成、拒绝或退让的意思，所谓的感人言下之意到底的是手镯的故事还是佩戴手镯的赌注，完全琢磨不透。

如果让落西凌来判断，他会觉得柳莫行对佩镯这唯美告白的机会完全不为所动。

跟他一比，寒子凉虽然并未接话，但转瞬间的停步以及眼里一晃而过的惊异和悸动，反而明确易懂得多了。

作为祭典使用的圣塔独立于整座冰雪城堡，坐落于主城正对的悬崖之上，想必塔顶能一览山下全貌。塔的结构异常简单，只有唯一的大门，里面旋转而上的石阶一直延展到塔顶，而琉璃盏就放在塔顶唯一一间房间正中。

祭典之外的时间除了每月例行的清尘，并没有人会进入圣塔去巡视。然而正因为如此，整个城里虔诚的城民除了守卫之外压根不会有人靠近它。

“在下已知无不言，剩下就是别忘了我们的赌约，不客气了。”落西凌拿下巴示意不远处的圣塔，轻快一笑，却朝另一个方向一纵而去。

寒子凉在他闪身的时候略微有一个跟上去的动作，却立刻又将柳莫行的无动于衷扫在眼里。虽然赫连晢不一定清楚里面的典故，寒子凉还是衷心希望能亲手将冰封镯戴上她的皓腕。反观柳莫行，倒有种打定主意坐等落西凌一个人做事的意思。

“莫行……”

柳莫行像未曾注意落西凌离去一般，也不向着圣塔，而是从有房屋遮蔽的方向横向朝着悬崖边走去，专注地四下观望。直到寒子凉唤他，才转回头来。

这时的他脸上又是寒子凉所熟知的神情了，和暖微笑，淡定从容，不疾不徐。

作为寒子凉这种不喜言谈之人尽职尽责的好友至交，柳莫行只看寒子凉的表情仿佛就读懂了他心中所想，那微笑又深了几分，“一直跟着他，我们又怎么能赢呢？”

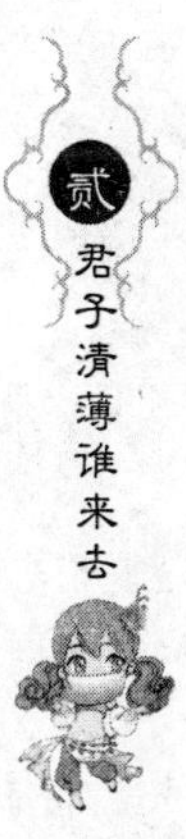

——原来，谦谦公子对那赌约也竟是有谋划的。

柳莫行走到离圣塔不太远的一处悬崖旁边，向下张望。山势陡峭，并且厚厚地覆盖着积雪，雪下岩壁的深度难以目测。

但圣塔靠近悬崖的一侧是城内完全看不到的死角，这无疑是一条虽险却取巧的通路。

寒子凉跟在他身后，看见他视线所及就大致明白了他的设想。此刻又见柳莫行取出竹笛朝雪地中插下试探，竹笛几乎完全没入雪中，饶是寒子凉阅历再广，也对这兵行险招背脊发凉。

柳莫行却不甚在意，朝寒子凉一示意，就拉着他一并翻下悬崖。

竹笛入峭，柳莫行便借着巧劲把寒子凉甩向圣塔的方位。寒子凉的长剑出手，倒比柳莫行的竹笛稍长几许，方便几分，再复让柳莫行借力前行，如此反复着有惊无险地从悬崖壁上攀到圣塔之下。

他两人内力深厚，轻功又极佳，这几步路原本费不了多少气力。可等在圣塔朝悬崖那一侧的死角里暂缓脚步的时候，两人竟都感觉内力吐息不畅。

“雪崩那时候还真不是错觉……”寒子凉深深吸了口气，低声对柳莫行说，“进到这城里之后，总是感觉不能长久提气，不像是水土不服的缘故。”

柳莫行却在寒子凉说话的这一时半刻突然靠过去，在寒子凉诧异的瞬间弓身拔出了他靴子侧边佩戴的寒铁匕首。“跟上来。”

雪白的裘衣落在塔下的雪地上，竹笛和匕首在岩石砌成的塔身上留下间距合宜的深孔，等寒子凉抬头望去，柳莫行早已越过他攀上丈许。

直至看到他的动作，寒子凉才确定，柳莫行对刚刚的赌约是认真的。

落西凌却是从地道里直接潜入圣塔的中心，轻巧地走楼梯上塔顶。到楼顶的房间之前，他就注意到塔外的异响，明明已经加快了的脚步，窗闩被挑开的声响还是快了他一步。

房间中的柳莫行显然也发觉了落西凌上楼梯的动静，因而看见房门打开并不惊讶，只是擎着琉璃盏退到了窗边。此时他额上已经能明显看见一层薄汗，匕首还插在窗外的墙上，手中只拿着一支看似没有什么杀伤力的竹笛。

赌约的内容是“带回去”而不是“拿到”，落西凌并无意提醒。柳莫行从塔外攀岩而上的方法他并不是没有想到，只不过这几个人的体力内功的现状他远比当事人清楚得多，这般纯靠内力凿穿岩壁攀爬上塔之后，还哪有体力与他一搏？

柳莫行此刻只怕连毫无损伤地端着琉璃盏下塔都办不到呢。

只不过还未等落西凌出手抢夺，柳莫行忽而就微微一笑，接着想也不想就将琉璃盏顺着窗户抛掷出去。“子凉兄!”

窗户之外，寒子凉刚一路借着柳莫行凿出的深孔攀上来，正拔出留在塔壁上的匕首，忽然听见柳莫行的声音，紧接着一团小小的黑影就从他身边飞过，坠落下去。

寒子凉这时候才看清了那团黑影是个巴掌大小做工精致的琉璃盏，霎时惊出一身冷汗，根本来不及细想，一手紧握匕首在塔身上不深不浅地划下减轻自己下坠的力道，一手半托半就地去接。等确定完全卸去了琉璃盏上下落的力道，收住身形，他也已经差不多落到了塔底。只怕再多滑落几分，圣塔门口的守卫就要听见动静了。

楼上房间里，落西凌在柳莫行丢出琉璃盏的时候就冲向了窗口。然而柳莫行此举太过出乎意料，塔外是万丈深渊，情况不明，他又不能涉险一跃而出去接琉璃盏，只得慢一步眼睁睁看着寒子凉接了它落下塔底。

“柳公子还真是乐于助人啊。”

以这三人跟赫连皙的关系，落西凌怎么也没想到柳莫行会这么助寒子凉一臂之力。这会儿无论从塔内塔外下去都不及拦住寒子凉赢得赌约了，他也只得索性一笑了之——柳莫行真是个读不懂的人呢。

“哪里，反要劳烦落公子一路辛苦引路才是。”柳莫行对落西凌评判审视的目光坦然处之，欠欠身，跟在原路返回的落西凌身后顺着石阶慢慢下塔，安然得仿佛从不知道什么赌约一般。

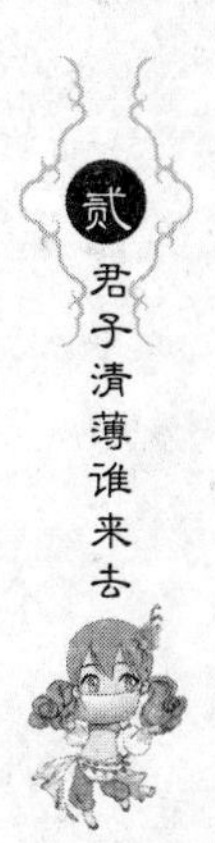

梦起江湖再重逢

3.1 达暗其人

犀利的宝剑闪着璀璨的银光携着肃杀的气息袭来，带动着周遭一切的窒息，天与地之间仿佛都沉浸在这急来的张狂中。

下一刻，是乒的一声。

相碰的兵刃激起了千层的剑花，夺目的亮光刺眼地反射在此刻。是一柄精致的黑箫抵住了那犀利豪华的宝剑。

一时间，洞内的人都为这突然出现还阻止了城主招式的男子而惊讶，纷纷看着恣意无比，正放开另一只还搂着赫连皙肩膀的手的萧洛璧。

萧洛璧此人，纵然对人除了不屑还是不屑，却又像一抹强光，无论如何都能第一时间吸引他人的注意。不似寒子凉的清冷，不比柳莫行的温文，萧洛璧身上有的，是难描难述的极致。他那么陌生，却近在咫尺。

好像星辉，刹那永恒。

“小赫连，还是与我一起更有趣吧?”

对这一切都没有分毫在意，仿佛早已习惯了这样的受瞩目，萧洛璧清寒的眼神中隐约加入了一丝嘲讽，若有若无，唇畔的一抹讥诮微笑温柔得让人不禁寒栗。

当所有人都在牢房等待落西凌的到来时，他游走在牢内墙围，轻而易举地看穿了哪一条路可以全身而退；当所有人讨论着是否该助落西凌一臂之力时，他知道柳莫行看到他轻轻抽取了墙围上一块砖，拿在手中把玩；当那几不可闻的脚步声携着人气到来，落西凌进入众人视线的一刻，他已然勾起了手腕先一步掳走了赫连皙。

一如他所料，小赫连不曾反抗，柳莫行也不曾声张。

先前，或许是刻意试探过自己这个血亲弟弟——他从不怀疑柳莫行对赫连皙的真心，但是，他又有几分迷惑，柳莫行态度的模棱两可。

并非自小不曾生活在一起所以不了解，并非男女之情只有当事人最清楚，柳莫行的人格到心性，萧洛璧自信摸清八九分并不困难，唯一的矛盾，就是他不信这个弟弟真的能放过赫连皙成长的十数年岁月无动于衷。

柳莫行早就该告白的，而为什么，却没有?

萧洛璧从不愿恩受于人，但他也清楚，若非如此，今日一切早已成定局。任凭他五年白茶花叶、十五年东瀛植樱，也许，都是枉费。

而他对她的执著，也将会变成她怨恨的起始。因为他根本不会在意她是否早已嫁为人妻，横刀夺爱或是干脆杀了那个为她所爱的人，他是不会手下留情的。能在寒子凉娶她为妻时抢婚，就不会在乎她是否是柳莫行的发妻。

没有让这一幕发生，不知道是否该感谢柳莫行这么多年让人猜不透的漫不经心?

萧洛璧只知道，若赫连皙的选择发生在当下，他的箫，未见得能折断柳莫行的笛。一年多前，他可以因为小赫连一声“不要”而撤回了箫，如今，他又怎可能那般伤她的心?

……小赫连，你到底，会心念着谁呢?

萧洛璧曾轻描淡写地跟赫连皙说过：“我这个人，没有所谓的善恶是非观。小赫连，你怕不怕?”

那时候，他记得她正在院中舞剑，随意甩一袖香云妩媚，看他也似不曾看他，“怕什么呢？我又不是没有剑。”

那个时候，她摆明了一语双关，他没有去揣测她口中的含义究竟是自行了断或斩杀于他。他只是笑着，笑开了一心的弯痕。

“说的是呢。小赫连你……那么厉害。”

他习惯翻手为云、覆手为雨，他习惯高高在上、睥睨他人，他习惯清薄无情、讥诮地勾起唇角一抹嘲讽……但是他没有柳莫行与赫连皙的那一分相像。

所以他强揽她在怀间，又像私奔样带她偷跑，修长指尖撩拨起的，是属于两个人的分分秒秒。年少时，他们错过了太多。当下，他不会弥补，只会，步步为营。

小赫连，总有一天你会知道，在这冰雪之国，我送给你的那一枚冰冠是何等天下无双。

“每次与萧公子偷跑，这种血腥的场面就少不了见。”轻轻抖落这一路洞壁行走的尘嚣，赫连皙也像萧洛璧一样，完全无视了那一道道还凝聚在他们身上的视线。两个人从牢房暗门闪出，一路就着洞壁行走，那一刻快得像落西凌劫她却比

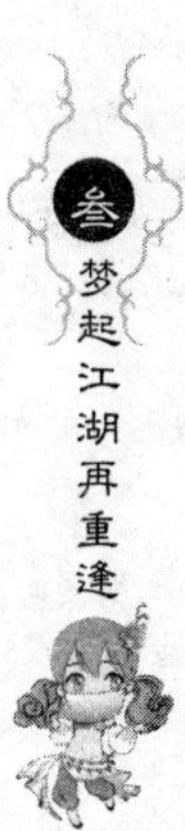

落西凌的抢多了种随意而亲近的拉扯，萧洛璧这个人的肆无忌惮，真是与生俱来。他仿佛笃定了她绝不会生气，也像是摆明了告诉她：小赫连，我就是这般任性，由不得你不习惯。

“人生阅历增加一些也没坏处不是？”

“我真怀疑，你是不是比一般人更酷爱歪理。”

他耸肩，对她的调侃不以为意。不代表围观的群众还有继续等下去的耐心，尤其是那个在他们到来前似乎已经杀红了眼的中年男人。

此刻，那柄豪华的宝剑已经和萧洛璧的黑箫分开有一段距离。执剑之人，一身奢华的紫衣，面色却比常人要苍白些许。不仔细看会以为那是生病。然萧洛璧这种具有非凡武林历练的人还是能一眼轻易看出，此人练了阴功。

所谓阴功，是一种不用自宫就可以把男人变得越来越像女人的心法。虽然体貌形态尚能维持原状，心境却会与纯阳体截然相反。

他的剑被萧洛璧的黑箫挡开，初时是有些恍惚，此刻看到这男女亲密无间的场面，顿时恢复了戾气。

“你们是什么人？”

所谓霸气，不是声音大便足够；紫衣男人的拢眉聚目，紫衣男人的抬手间众人围拢，样样都彰显了他的身份与地位。

赫连皙不认识他，萧洛璧自是识得此人正是他前日闯进冰雪之城所见的城主。

落西凌口中性情大变之人是他的话，莫非是因为练了阴功？

虽然无人明示或言语，赫连皙仍从萧洛璧若有所思勾起的唇角猜到了紫衣男人的身份。她对萧洛璧的了解远不及柳莫行，可是有时候萧洛璧就好像刻意让她看透他，引领着她一步步越发地了解他。

越是看得真切，越是心有所触。

萧洛璧的魅力非常奇怪。他是那种典型的看他第一眼，便会明白他的耀眼；他却也是那种只有看得深了，才能体会缠绵的深邃。

……不知道为什么，但赫连皙忽然在这个时候想起了慕容莫生。这个名字和这个人一样，是武林中的一则传奇。

昔年，慕容家三公子慕容莫生是唯一一个以邪教之身一统天下的奇才。他凭一己之力，铲除了武林中所有敌对的势力，却在短短君临天下十三年后，便销声匿迹，从此再无人能探得他的下落。武林中很多人都议论过慕容莫生，就像议论那比昔年更早二十多年的武林第一贵公子白敖禹那样。这两个人俱都在不同的二十年间，为从来不缺话题的武林谱写了传说。谁更胜一筹，莫敢妄断。

只是白敖禹为他一生的挚爱饮下了毒茶；慕容莫生却亲手杀了心爱的女子。

同样是男人，他们不同的选择，折煞了多少芳心？

赫连暂从未怀疑若是萧洛璧想要权势，他也能如慕容莫生一样轻取天下，可是萧洛璧毕竟不是慕容三公子，她从他的眼中，从未看到自己之外的何物。

是该欣喜或是感动？

是该惶恐或是迟疑？

她不认为有一天，萧洛璧会像慕容莫生那样杀了心爱的女子杀了她，但她也同样不认为，若自己是白敖禹的妻子，会舍得给他端出那一杯忘情茶。

真正的残忍，不是绝情断恨或自以为是的善意，而是相爱的两个人，咫尺之隔。

一阵强风，萧洛璧忽然就以轻身飞起的身姿抱起了赫连暂，打断她的回想。赫连暂稍一回首，就见那紫衣男人已带领众人围捕他们。

“……杀了他们!”

她只断续听到他们说的什么天魔岛，什么这里是训练地，什么入侵中原第一站，什么绝不能泄露……当真是人多嘴杂，该说的不该说的都自己嘀咕了。所以如此看来，他们是想要杀人灭口了？

喽啰通常会选如此手法解决问题她并不觉奇怪，稀奇的反而是以萧洛璧那般骄傲薄情居然会不还手带着她逃跑？这实在不像他的性格……不，与其说是不像，不如说这是萧洛璧的为人绝不会有的宽容行为。

明明他只要黑箫起落，就能轻易地上演一出实力悬殊。却如此反常……赫连暂暗暗敛下了眉梢的甜美，她实在难以判定这是他的欲擒故纵。萧洛璧这个人很难懂，却也很纯粹，对她之外的人，他根本连戏耍的心情都没有，又怎么会逗着他们玩？

似乎是看出了赫连暂的揣测，萧洛璧忽然就紧了紧手臂的力道，恰好让她侧目来看他，对她笑得丝丝缕缕的邪魅从容，“小赫连，你想看我的话，完全可以光明正大。”

“萧公子，你又在玩什么把戏？”

“啧，打不过还不许逃跑，小赫连难道真舍得我为你牺牲？”如此这般说着话

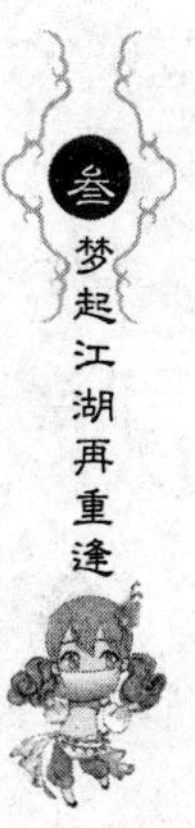

的人完全没有一丝一毫的紧张，对于那些紧追不放的人，他自是有绝对的信心可以随时甩掉他们，却故意不一下子逃开，宁愿抱着她多享受几分几秒这宛若逃命鸳鸯的恣意。

所以说萧洛璧这个人很任性。他任性到只要是他想，便不会去在乎这种任性可以有多么的危险，可以有多么的……诱惑。

“萧公子这么自负的人，也会有担心打不过的人么?”

“小赫连，我的问题可不是每次都能让你这么轻易地拨开的。”揽她腰间的手劲似乎重了一分，同一时间，赫连皙也看到萧洛璧原本似乎随意抚摸着洞壁的手敲打了哪里，一道凹口悄无声息地立显，他抱着她一旋身便藏身于此。

萧洛璧的手心在此刻熨帖于赫连皙雪白的脸颊，她美目睁大。他颇具邪气地以鼻尖轻擦的诱惑招摇安抚，“嘘，小赫连，我们乖乖看戏。”

原本是追着萧洛璧和赫连皙的一干人等，在山洞中弯弯绕绕就跟丢了人。虽说这里本属冰雪之国地盘，毕竟狭小之地，人多起来反而不利于行动。

紫衣男人也就是让萧洛璧认出本为冰雪之城的城主，此刻的脾气比之方才训练杀手吞噬人命时更为残虐。所以才会在遇到两个陌生人时，完全不猜测对方来意、不理会对方身份，便命令属下砍杀。

同样是一男一女。那女子一身华丽的桃粉裙袍，针线俱是精雕细琢，眉眼娇甜精致，看年龄却不过十五六岁，稚嫩得紧；那年轻男子则是一身黑色华服，明明不见奢侈，却因为穿在他身上而备显尊贵，眉眼温文，偏都是清冷气质。

这样的人若在中原武林行走，不是世家公子便是名门高徒，也只有在冰雪之城中，才会被认成可欺——也许城主和其手下是有过一瞬警惕的，都因为确信人多势众这个通常道理而罔顾内心提醒。

也由此，当他们发现的时候，其实正是纷纷倒地之时。

没有人看到那个黑衣华服的年轻男子有过什么动作，当他只是似乎无意轻轻挥了挥手后，所有的攻击都在一瞬间泯灭硝烟。

山洞内这个瞬间，再度安静了起来。

“好厉害的人。”就连自小见惯了武林高手的赫连皙都不禁口出赞赏，尽管她说话的声音小到萧洛璧之外的人本该听不到，可那个黑衣男子还是在轻轻抬眼间，与他们对视。

见是藏不住了，萧洛璧倒也没有叹气，反而大大方方拉着赫连皙走了出去。

一反方才逃跑的躲藏，这一次倒与炫耀有几分相近。不过赫连晢很了解他，像炫耀、吹嘘这种虚张声势的行为，萧洛璧根本懒得尝试。也就是说，他之所以心情不错，应该是那黑衣男子如他所料收拾了追兵。

赫连晢从不是个扭捏之人，萧洛璧牵着她的素手不放，她也就不会吵嚷着清白而躲闪反抗，所以两个人步下石阶俱都悠闲从容、落落大方。

男子清华端丽，女子娇艳无双。一看便是出自大户人家，显然也给那对年轻的男女留下了不俗的第一印象。

“你们是什么人?”

同样的一句话，一个字不差，从这顾盼生姿的少女口中说出，就是与城主的怒气截然成反向。她一袭桃粉艳丽，更为明媚的是那如玉般脸颊上的白皙水润，一双滴溜闪烁的幽黑双眸，说有多水灵便有多水灵。

很有眼缘的一个小姑娘。不过……赫连晢只一个零落的扫眼，便看透了那少女骨子中的骄傲。只有养尊处优惯了的人，才会有如她那样有恃无恐的纯真。

这个时候虽然告诉她自己的名姓或者反问她一句“你们又是什么人呢”都不麻烦，赫连晢却没有这么做。原因不是她觉得少女不礼貌，也不是不想与陌生人对话，而是她清楚地看到——就在少女问话的时候，萧洛璧的目光曾停顿于她身上。

如果此刻在自己身边的是南肆，他随便看谁赫连晢都不会觉得违和，因为南肆就是那种仿佛花花公子没半点认真的心性；哪怕在她身边的是寒子凉，寒公子都可能为了礼貌或防范而光明正大地注视对方；但萧洛璧却不会。他在她身边，还能去看另一个女子的原因只有一个——那个女子身上有他们要找的东西。——萧洛璧看的，必定不是人，而是那一样东西!

所以赫连晢顺着萧洛璧一瞬间驻足的视线看过去，果然在那个少女桃粉色的裙袍近腰处，看到了一枚几乎满是切面棱角、仿佛冰雕的戒指。

同心戒。她记得落西凌提到过这个名字。

同样该是不曾见过冰雪之城三圣器的人，萧洛璧为何知道那戒指的模样，赫连晢不去妄猜。因为她心里就是有他会知道这一概念。就如同，如果她遇到危险，任何人都可能不来，柳莫行却一定会来一般。

那白衣公子可能会波澜不惊地伸一伸手给她，执起她的柔软对她温柔地笑着：“晢晢，我来了。”也可能会任凭雨水打湿了他素白长衫，仍不慌不忙地优先为她掸开一身尘埃，“晢晢，我们回去吧。”

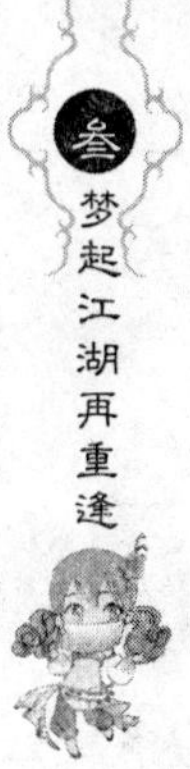

十数年了。虽然很多人都说青梅竹马如果不能早日终成眷属就一定会劳燕分飞，他和她却从未受到任何影响。

爱，还是未开始爱，都不能否认那分情之所钟至死不渝。

代替赫连皙做出回答的是萧洛璧。

从他发现赫连皙顺着他的目光而望，内心就泛起了轻柔的涟漪。小赫连，你总是懂得，我是个什么样的人……

“她是冰雪之城的圣女。”论起欺诈之术，可能所有人都会先想到若思、南肆，可真要比脸不变色心不跳地说谎，萧洛璧也未见得就不如那经验丰富的二位。他不喜欢察言观色，不代表他不会洞悉人心。只是毕竟是不屑于欺诈的，圣女二字，他咬得格外温柔。温柔得好像不属于萧洛璧这个人。

而这听在赫连皙耳中，无疑是给了她一个提示：跟着我演。

所以赫连姑娘没有说话，只听得萧洛璧在对面那少女眉梢一挑“哦”之时，继续编纂的诸如“我们一见钟情，却不得不分隔多年”“如今城主另有新欢，我不忍她红颜老去”“私奔虽不是体面的事，却至情至性”云云……

听着听着，赫连皙唇角蜿蜒的弧度，就更深了几许。三分的清淡，七分的或许她都不以为意的甜蜜无瑕。

其实按萧洛璧以往的表现再结合他的性格，这种欺诈远不如直接抢了戒指更为方便。他并非那种对方是女人就会顾忌或怜香惜玉的主儿。此刻这不按常理出牌的举动，就跟他方才携她逃走一般不可思议。

只是为了好玩么？她不觉得他会满足在这种肤浅的游戏上找到乐趣。

那么，是为了什么？

她没有问话，仅只是因为他语毕，那少女水润娇甜的明眸大眼已经感兴趣地上下看她。

那绝非一个让人心生不悦的少女。可这样肆无忌惮地打量，换了谁都会觉得不自在吧？赫连皙的确是习惯了众人的瞩目，或许爱慕或许惊艳，她都不以为意；可那少女看她太过认真而无杂，反倒让她多了生疏。

身子，下意识地想要后挪，萧洛璧那只揽着她腰间的手臂恰在此时将她拉进了空荡许久的胸膛。

“我们无意探寻二位来冰雪之城的目的，因此也请二位视我们于无物。”

“有意思。”桃红裙袍映得那少女白皙的脸庞也似染上绯红，她绽着笑脸，忽地回身去看那年轻的黑衣男子，“暗，送他们出去吧。”

这不是命令，也不是商量，倒像是小女孩对信任的兄长或是朋友的撒娇。少女旋身凑近男子的身侧，他明明没有刻意低头，却仍让她微抬的唇凑近他轮廓优美的耳畔。咬耳朵的话语，声音不大，断续可捕捉的是“难得有情人”“反正也无聊”之类的呢喃。

这一幅画面美得相当和谐。这一对男女，男子清淡而冷峻，少女虽仍稍显年幼，却因那一眉一眼的精致无匹，让人不难猜想日后会成为何等甜美的姿色。

本该天生一对。

是否真的能佳偶天成，还要看，是两两相忘，或是咫尺天涯。

耳语很快出了结果。或许从一开始那少女开口，一切就已经确定。那个名唤“暗”的男子，清冷淡漠地迈开步子，足音竟比几不可闻还要无声无息。

萧洛璧和赫连皙顺势跟在了他的身后。留下那少女百无聊赖玩着躺在地上的那群杀手，看样子似乎是黑衣华服男子要求她留下来等他。

莫行哥哥就从不会让她等。不知道为什么，但赫连皙那时候的脑海里，想到了这一鲜明的对比。

那个名唤“暗”的男子，明明也用着一双清傲无言的瞳眸在传递千言万语，只是，那少女，似乎不懂。有时候，太过懵懂，反而会因为不必要的困难，模糊了感悟，让两个人产生莫须有的距离……

*

洞壁蜿蜒几许，三个人不远不近地前后走着，无人言语。不时能听到滴答的声响，那是不知道哪里冻出的冰又融化了一滴水气。

在这冰雪之城城下的洞壁，隐藏着训练入侵兵士的基地，隐藏着陌生的来客，似乎也，隐藏着什么更重要大的秘密……

直到前面的男子先行停了脚步，赫连皙才发现三个人已经走出了不近的一段距离。领路人运着气息飘行，他们二人自也没有刻意拉远距离。不知不觉，也就来到了一个全新的地方，四下望去，正前方是一抹冰墙。和落西凌本欲带她去看冰冠的地方布置很像，不同的只是，这面冰墙的另一侧，因为光的折射，似乎有山有水有河流。

赫连皙和萧洛璧一个对视。从他的眼中，她能看到那种些微的调侃和讥诮，这说明他也不曾来过这里。那冰墙后面，是一抹幻觉，抑或是一个全新的地方？

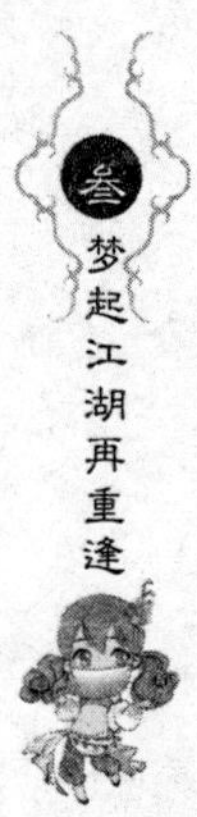

然那叫暗的男子不再移动，也没有回身的意思。赫连皙不禁悄然观察起他。脊背笔挺硬净如玉，华服虽为黑色却从骨子里透出清华之气。毫无世俗的庸碌，更无庸人的平凡。这男子绝非池中之物。即使身边有萧洛璧、柳莫行、寒子凉这样的武学天才，赫连皙也不禁暗暗吃惊。

她猜测他的年龄应该和萧洛璧差不多，但回想他身边那个少女不过十五六岁的样子……说起来，留那少女一人，不知道这男子为何如此安心，他真的那么相信自己点穴的功夫么？起初在远处看不到他做了什么，走近看便知是他用气点了那些人的穴道，八成是指尖发的力吧。以寡敌众，这男子的内力修为可见高深。纵然如此，他难道一点也不担心会有漏网之鱼么？如果有新的杀手赶来又如何，又或者，两人只是诱开他的饵，那少女现在岂非危险？

可她没有在这人身上看到丝毫的紧张或犹豫。那少女不像是武功绝顶之人，难道他就那么笃定如果有情况可以及时回去保护么？

还是……

“留下同心戒，两位可以走了。”这是黑衣华服的年轻男子第一次开口。他的声音比起他的气场要温文几许，却是清冷华丽不输气质。依然是卓然站立，背对着他们，他不解释自己说话的意图，因为他早已习惯直来直去，和聪明人说话打幌子没有必要，他也嫌累。

这一点萧洛璧和他颇有几分相像。对方既已提了出来，他便也没有掩饰自己方才将小赫连揽入怀间时顺了那少女腰畔的戒指。反正于少女不过是玩物一件，拿来救人他虽无特殊执著，还是给小赫连做个人情好了。

“你要以一敌二?”讥诮中带着分慵懒，这一次，却没有不屑。萧洛璧从不是见人说人话见鬼说鬼话那种俗人，他不讥讽眼前这男子，正如他觉得点对点攻击落西凌没有任何意义。那个人刻意隐瞒了真相，如果他没有料错，这冰雪之城的城主根本就是傀儡。而眼前这人，也不像是误入，如果硬要为他安个身份，恐怕，这对年轻的男女是……

“刚才我们取拿戒指时你便看到了吧，当时为何不揭穿呢?”赫连皙也加入了对话，明知道自己问的话多此一举，显然这男子是不想那少女知道太多。她笑着的眉眼，恣意妩媚。那是一种她静静地站在那里，已然自然的勾勒惊艳。一眉一眼，风华嫣然。但这风华，对黑衣华服男子毫无意义。

“你我既已均知动手结果，又何须多此一举？那毒日久将无法根除，有空上演私奔戏码，不如早寻途径救人救己。”像他这样的男子，仿佛连说话都是施舍。

他那被风吹起来擦过脸颊的细碎深发，飘逸得好像行云流水。

能让他开口对话之人，只有萧洛璧。

但他这句话说明的问题，已让赫连皙一并懂了。为什么萧洛璧不肯硬拼城主，为什么他在落西凌劫她之所来无声息，甚至莫行哥哥为何只能和她一并等在冰洞之下——他不是伤了脚，而是内力折损。若这个叫暗的男子没有说谎，必是有人在他们入城时对所有人下了药……不，或许是只对包括寒子凉在内的他们三个人。

只是，那用意呢？如果是为了救一个圣女，此举根本本末倒置。

这冰雪之城太多谜团，却反而让人难以逐一理清；而他们到得太过匆促，没有深入了解和分析，纵然再聪明，想立即摸出一条思路也非那么容易。

只有一点，赫连皙可以确定，那就是冰雪之城中有个人，一定要留下他们。

“公子可是来自天魔岛？”胸中有什么闪烁，她这本是擦边球的猜测，料想他不一定给她回答。

他果然以无声承接，在如何的娇艳美色下皆无动于衷。

“假设如此，那公子明知道我们在做戏，又何须关了城主陪我们玩这一出？”她并未就此打住，反而追问得咄咄逼人。

依然无声。清晰的表态，不予理会。

“城主是假的？”赫连皙一言足以震惊整座城池的温言后，是比那言语，更温和了三分的柔软笑容。她说的三句话，他都没有回应的意思，可仔细看他的眉眼，会发现那种平静与其说是无视不如说是默认。既是如此……

“公子贵姓？”眼看着那一袭华丽的冷色错身抬步，有什么领悟已在赫连皙心口成形。

“……达暗。”眉目无双，不曾一皱，达暗事不关己地离开，衣袖都未曾一挥。回一个名字，仅只是客气。再无其他。

像来时那样，他一人来去，足矣。

赫连皙却因为这个名字笑了。笑得丝丝缕缕的暧昧温和，就连她袖口间那一枚同心戒又回到达暗那里也似乎没有在意。她本也要还给他的，无论这戒指对救赎圣女多么重要，也不能拿萧洛璧的命去赌。

萧洛璧是什么样的性子，他的傲气，怎容他人玷污？而他一直以来展现给她的，都是神秘、都是最强、都是奇迹，区区毒药是否真的有用？或许他会赢，但

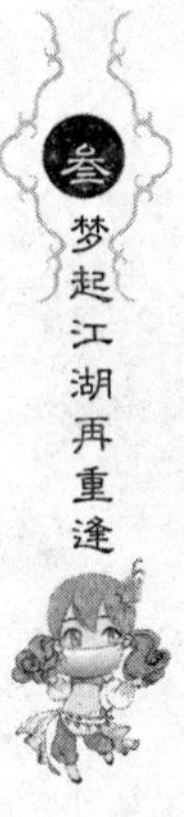

她不想赌。

身后，忽然有手心温热地轻抚在她纤细的腰畔。他的力道永远拿捏到独一无二的恰到好处，仿佛十数年来陪在她身边的人是他，只有他。

他勾抬起的薄唇，满是魅惑，“小赫连，你这可是在保护我?”

她微微一笑，红颜无惑，“萧公子说是的话，这一次，算是好了。”

那一刻，赫连皙一眉一眼，无瑕到纯粹。清宁了气息，漾起了空气中涟漪的芬芳。

“走吧，我们也该回莫行哥哥他们那里了。”

3.2　西域来客

三个圣器共同开启冰棺，缺一不可。

其中冰封镯和雪之链已经由柳莫行这组与南肆那组拿到，若思和南肆拿回来的时候，没有讲使用的什么手法，但看若思一副不屑的样子，也可知这两人取物少不了南肆话多或者动作多。但既然东西拿到，也就没有人再做追问。

没有拿到东西的反倒是萧洛璧这一组。不过萧公子一副淡然分明在说我本来也没有应允会替你们取物，倒真是让人责怪也无从说起。

南宫浅影跟达暗取走戒指就离开了城堡去城内游玩，此刻都不知道会身在何处。更何况光看南宫浅影的性子，也没有任何可能会借出戒指一用。

只是没有了同心戒，三物缺一，如何开启?

没有“钥匙”，要如何打开冰棺救出圣女?

相较于寒子凉一类外人的一筹莫展，落西凌似乎对于没有凑齐三件圣器要淡然许多。

一团纯白色好似个雪球一样的东西无声无息地从窗外扎进来，落在落西凌肩膀上的时候才能看出是有一对带棕黑色斑点翅膀的鸟。

落西凌像是早有准备，从雪鸮脚上绑着的竹筒里拿出一个纸卷打开看了看，

“其实还有一个法子，”在众人目光的焦点中，他不慌不忙地展开纸张，“刚好大鱼自己送上门了。”

纸上是山下关卡的信报，西域王使团自塞北回程，特来拜会冰雪之城的城主大人。

“本城与很多外势都有邦交，这座城兴建的时候借用了不少西域的能工巧匠，包括山内的冰棺。”落西凌用下巴比一比桌上摊开的信纸，“西域王身上带着一把钥匙，据称西域再精密奇巧的机关锁具都能打开。”

南肆不知为何对此事格外用心，阴阴笑道：“如此，我们只能请‘城主大人’帮个忙了。”

深夜，一个巨大的布袋被从城堡里悄悄地运送到了城外一处隐蔽的房屋。袋口打开里面便跌出一个被五花大绑的人来——正是冰雪之城的城主。甫一落地，回来的黑衣人中便有一个过去在城主口中喂入解去他肢体禁锢的药丸，几乎立刻就听到他冷静低沉的质问：“你们是什么人？”。

“这你就不必知道了。你只要记得你的命在我们手上，让你做什么就去做便是了。”

“哼，这城里没人有胆子劫持我，不必说一定是外面进来的人，别以为从中原过来我就不知道你们的身份。能从地牢里离开再潜回城里，还能在本座调息之际偷袭，必定是还有本城的内应在帮你们。”城主的眼睛被黑布蒙得严严实实，但一能开口说话立刻拆穿他们的身份，有条不紊，态度安然，“已经听说你们在调查圣女的事，我就警告你们一次——别找死！”

“看来，你还认不清自己的处境啊……”南肆拔出匕首从城主颈边划过，一道不轻不重的血痕立刻出现，微微渗血。

“这话应该我对你们说才对。”虽然目不能视，城主仍一派凛然地在椅子上坐正身子，似乎不畏生死，“这里不是让你们胡作非为的地方。”

“哼，”南肆一声冷淡的轻哼，轻蔑至极，“我们已胡作非为过了，你又能怎么样？”

“不要以为劫了我，这城里就能由得你们做主。自缚回地牢里去，或许你们还有活着离开的机会。否则……”

城主的话没有继续说下去，刚刚黑衣劫持犯之一的寒子凉环顾了四周，一行人里也没有人想得出法子让他配合。打家劫舍本就不是寒子凉看得惯的做派，更何况对方这样一副义正词严的架势，让寒子凉更加无从开口。于是他一掌劈在城

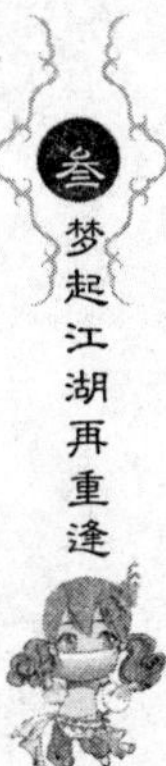

主后颈上，将他打晕过去。“既然说不通，就先关起来看看。”

自然是要院落的主人落西凌去找地方关押，南肆贴过来状似帮忙架着城主出门，却有意无意跟落西凌低语，“‘不要以为劫了我，这城里就能由得你们做主。’城主真是话里有话啊。”

落西凌不以为意地笑笑，轻描淡写，“城中子民信仰虔诚，就算城主本人也不得违背圣女，这倒算不上什么寓意。”

“是么？”这一声却不是出自南肆口中。柳莫行不知为何与他们走了个交界，低喃一声，用意不明地扫了落西凌一眼，又独自走开。

落西凌没有答话，却在南肆被城主的身体遮挡而看不见的角度，蹙眉望了望柳莫行的背影。

许是有了私下的默契，与落西凌住处最近的寒子凉第二天一早看来略显疲态，却在落西凌走出房门之前就等着了主院门口。一并到了关押城主的监室，又有柳莫行在门口接迎。

然而这个早晨刚聚起来的众人仍旧像陷入了逃不开的迷雾一般，听得监室内的城主已然气绝身亡的消息。致死的消息却正发生在大家来到他房间的片刻之内。关押城主的地方自然没有人进出，所以不得不相信城主是不堪沦为阶下囚，彻夜长思而后自尽身亡。

虽然，这个身亡的时间让所有人摆脱杀害他的嫌疑。但也未免巧合得太过不自然。

大家的目光都不自觉地定在落西凌身上，他似乎总是要走一步看一步，从不肯揭露底牌。这次，他也不负众望地缓缓开口，还是那一句“还有一个法子。”

“当初建城时的冰雪之城城主已经过世，西域王以及他的使团都并没亲自见到过本届城主。此刻城主意外身亡的事情不宜在本城大肆宣扬，倒不如我安排几位假扮城主迎接西域王，尽早借到钥匙打开冰棺把事情解决。”

赫连皙此刻正站在远端，明眸流转，目光自庭院里的人身上一一划过。

“假扮？”别人还不曾表态，南肆就插了进来，“如果一早就准备偷梁换柱，我们昨晚还跟你那城主费什么口水?!”

“当然是因为冰雪之城里有很多的秘密，唯有城主才知道咯。”落西凌耸耸肩，见两道审视的目光投来，于是继续解释，“我们自然不能在西域王面前坦言是要借用钥匙来打开冰棺。然而当初西域王与我城交换的众多礼品，清单列在只有历任城主才能阅读的典籍里。没有城主，我们连扯谎要用那钥匙来打开什么器具都编造不出来。”

“那些典籍，难道你当真拿不到？”

落西凌露出不置可否的浅笑，前行带路走进不远处的书房，毫不介意地打开暗盒拿出一卷纸张铺开道：“这是从丝绢礼单上抄录下来的清单，你们自己来看吧。”

凑上前去扫上一眼，大家就了然于心。

“西域文。而且就算能够看得懂上面写的是五色琉璃盏、玛瑙百宝匣、火浣披挂毯什么的，也不可能弄清楚哪一个做了需要钥匙才能打开的锁吧。”落西凌在展着纸卷的书桌边坐下来，看看屋里的人，“况且时间有限，就算我可以带人私自点查那么久之前入库的藏品，也来不及在礼单里翻查宝物对应的名头了。”

柳莫行、寒子凉和南肆都为了近身去看礼单而围在书桌的旁边，赫连晢却是进书房门之后就没再深入。因此萧洛璧携着一阵冰凉的雪沫姗姗来迟的时候，她是头一个碰到。头上跟披风连接的兜帽还没有摘下来，感觉有重量压在上面的时候还感觉不到温度。直到伸手取下来，才发现萧洛璧进门顺手别在她头上的，是一朵冰凌冻结而成的冰花。很短的一小节松枝上，松针绽开成一个半圆，每一根都包裹着滴水凝成的冰柱，形成晶莹剔透的针形花球。

因为手上的温度，以及室内的炭火，这朵冰花很快就化回原形，快得在众人或转身或抬眼关注起他俩的时候，只能看见赫连晢放下手里一段发黄的松枝，淡淡一笑。

——小赫连，你知道，我所关心在意的全部，仅是展露在你眼里的那段风景。

赫连晢读懂了萧洛璧的心思，或者没有，毫无表示。她只是放下遮在头上的风帽，走入人群，“那么这个城主……到底谁来扮呢？”

“除了城主之外，典籍上刚好有前城主属下的描述，方便你们一起进冰城内殿。既然如此……抽签决定吧。”

落西凌言罢翻看着异国文字写就的典籍，拿纸片分别抄录了几段，折叠几次随手投入一旁空置的盒子里，而后让屋里的其他人自己拿取。取了各自的签之后，柳莫行刚刚展开，还没开口，落西凌就凑过来，“哎呀，绝无仅有本色出演的签呢。”

他于是把签合上，想想性格描述里温文尔雅、谦谦君子那些词的最后所写的两个字——“毒舌”，微微一笑。还真的，很是本色呢。

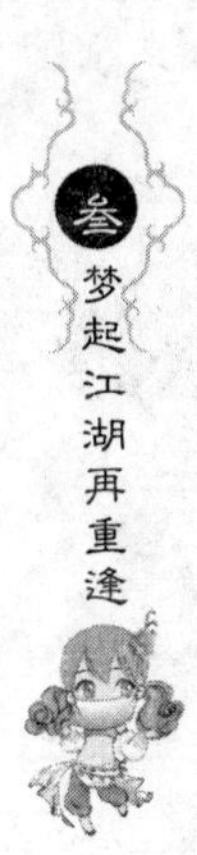

其他如寒子凉、南肆，以及明显不如其他人上心的萧洛璧的角色，他都一一看过，稍事提点。而剩下的两位女客，落西凌勾勾手指，“我自有安排。”

*

宴客当日。

寒子凉一身金丝镶边的绛紫色织锦暗纹长袍，衣料、绣工、接缝、对花无不完美繁复而华贵，身上配饰点缀所用的更都是精雕细琢的贵重珠宝。

他的神情则是跟这样一身衣服切切相符的傲慢和高高在上，完全诠释出在这冰雪之堡里就算是面对一国国王，他仍具备足以与之匹敌的尊贵。所以他只是随意地抬手示意来客，就自然而然地落座，没有任何礼节上的谦卑礼让之意。

落座时手掌恍若不经意地叩在几案上，血玉指环磕出的脆响都不同寻常俗物所发

他眼神散漫却暗含威慑地扫过全场，落在莫名的远处，并不开口说话，使得他的尊贵中更添几分莫测。

那是一种油然而生的卓尔不群，没人会怀疑他就是这里的主人，他只要一动念头一个眼神就能置人于死地。

波斯王在寒子凉这有如实质的威严气场压力之下怎还会对他的身份生出一星半点的质疑？他下意识微微挺了下胸，在身后所带随从的服侍下坐下来，却对这欢迎方式略为尴尬，一时语塞。

“请容我代我城城主欢迎远道而来的贵客。”还好恰在此时温和动听抑扬有度的声音自城主座下的黑白侍卫处传来，黑侍面带春风般和煦柔暖的微笑，让人立刻忽略了他言语中为自家主人抬高身价的措辞。区区一个城堡的城主，面对一国国王的巡视原本无论如何都应该是清水泼街恭迎大驾吧？

轻轻击掌，宴客厅的一处侧门应声而开。迷离婉转的丝竹之声忽而传了进来，一群手执金盘身披暗色裘皮的舞女鱼贯而入，在众人面前一一放下色泽鲜艳诱人垂涎的水果、蜜饯和点心，而后继续踏着未曾凌乱的步调聚集到大厅中央献舞。

虽然是在雪山巅峰的冰雪之城，这个宴客大厅里却温暖如春。房间内看不到任何明火，没有碳盆、火把，甚至没有暖手炉，但波斯使团的众人明明已经脱下了毛皮外衣却还是觉得仿佛有团火自下而上升起来，热到坐立不安。

直到舞蹈结束，大家才发觉这种热度并不是因为舞女们舞动中露出的手臂、大腿所带来的错觉。因为乐曲最后她们围成一圈俯下身的时候，大厅中央本不引人注意的白色地板忽然亮了起来，一条火龙在地板下蜿蜒燃烧而过。大家这才看

清房间的地下埋好了取暖用的地龙，而那光洁剔透的地面其实是整块透明的水晶石。

“啪啪啪”的击掌声传来，爱好奇巧玩物的波斯王赞叹道：“城主对享乐一事果真是独具匠心！本王自愧不如啊。”

“王上谬赞，这不过是城中待客的俗例罢了，我家城主的宝物又怎会开宴就拿出来呢？”即便叫王上的时候，黑侍也没有用到比城主一词更多的恭敬，言辞之间竟还露出几分嘲弄。

作为能工巧匠聚集著称的国度的一国之君，被挤兑没见过世面，实属是可忍孰不可忍。然而波斯王看向黑侍的时候，他脸上的善意微笑竟然那么自然，半分找不到恶意。他旁边的白侍更是神色如常，表情没有哪怕一丝一毫的动摇。或许再仔细观望的话还能发现些别的神情，但还没等他细细查看琢磨，大厅里就忽然黑了下来。

门、窗以及墙壁上照明的夜明珠都被严丝合缝地遮盖起来，整个房间霎时暗无天日。但正是因为没有了其他光源的干扰，才能发觉面前桌上一早摆下的酒杯竟然散发着幽幽的光芒。

没有人在这突如其来的黑暗中说话，因为大家都捕捉到了几乎在黑暗降临的同时传来的铃声。

清脆的银铃，有节奏一般的轻响，然后就能听见水流的声音。顺着声音的起源看过去，黑暗中模模糊糊能借着酒杯发出的微光照见一个婀娜的轮廓一晃而过。一双在夜光杯的映衬下白皙异常的纤手拿着酒壶，从波斯王的背后伸过去斟满他眼前的杯子。

妖冶的花香袭来，后背和手臂能感觉到手指滑过，像个充满诱惑的邀约。

波斯王以及他身边的侍卫压根没有察觉到她的欺近。猛然惊觉的时候，却只看见她明亮异常的眼眸，水波一转，就消失在黑暗里，不见踪迹。等大家幡然醒悟，才发觉自己的酒杯里都斟满了美酒。

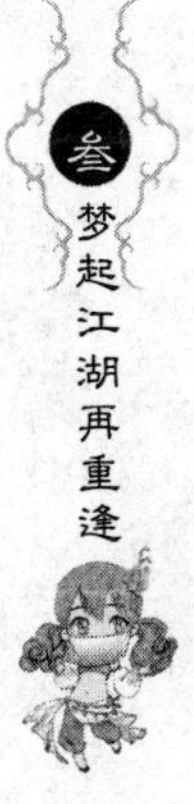

波斯王觉得他更加燥热了几分，抓起酒杯一饮而尽。

铃铛的声音又到对面转了一个圈，听起来正缓步走上城主座位的时候，宴客厅突然之间又重见光明。

斟酒的姑娘因而曝露在这道光线里。暗红流金的贴身衣裙间露出纤细的腰身，腰带上缀着一圈金光闪闪的小巧铃铛。她的眼睛则比这圈金铃更加闪亮，艳色的唇边挑起诱人的笑容，露出一排洁白贝齿。

刚刚城主一直遥遥望着的角落打开一扇门，阳光争先恐后地涌进房间，相比

之下进屋的人反而不慌不忙。进屋的姑娘穿着跟城主一色的搭襟及地长袍，不同的是滚边用的不是金丝而是纯白的狐裘。她赤着脚，一路踩在刚刚舞女们留在地下的皮毛上，带着某种奇特的仿佛跳舞一般的韵律朝城主走过去。也有叮叮当当的脆响，是她带着流苏的长耳饰偶尔碰撞的声音。也有花香，残留在她走过的路上，香远益清。一路上她背着光，却汇集所有的目光于一身，甚至不需要看见她的脸。

“是你……”城主今天头一次开口，是深沉中难掩动摇的低音。但是当光亮中瞥见城主眼前展现出的风景时，谁也不会再惊异于这分动摇。

白侍仍旧面无表情但是反应迅速地在城主身侧招呼侍卫撤去门窗的遮蔽，于是女子脸上甜美妩媚的笑容正好被曝露在室外投来明媚的阳光之下。那一刻每个人都感觉到惊艳，绝不仅仅是因为她精雕细琢的美貌，更是由于她融合着性感诱惑和天真甜美的表情。

而她眼里压根没有城主以外的任何人，就那么自然而然地顺手接过斟酒美人手中的酒壶，踱上城主的宝座。

城主旁边没有多余的座椅，黑白侍卫都是站在他身侧。而这女子走过去为城主斟酒的时候，就那样直接坐到了城主的怀里。她甚至缩起脚，收到了长袍之下。然而她的膝盖又从长袍下摆的搭襟处露出来，明显能看出她的动作……宽大衣摆的掩盖下，她的脚正搭在城主的大腿上。

寒子凉差不多立刻就要破功，环过手臂搭在她肩膀上妄图将她扯开一些，更挣扎要她把脚放下，“你……”

“不要嘛，会冷。”扮作城主宠姬的赫连皙反而往寒子凉身上再靠过去，结果寒子凉的拉扯只作用在了她的长袍上，让领口搭到了肩膀下面，险些就要酥胸半露，“主人，我来了你不高兴么？”

幸好寒子凉还没有开始饮酒，否则定要呛出来。但这句主人无疑提醒了他扮演的身份，于是他只能尽力调整心情和表情，努力装作无动于衷的样子，只是忍不住将她压向自己胸口，挡住一旁的视线，还有他自己的视线。

赫连皙蜷在寒子凉怀里，背对着众人，所以波斯王看不到她的表情和衣领半开的旖旎风景，只是恍然觉得有香肩一露，又被城主的手掌挡了去。随后城主虽是在她身上动手动脚，却再也看不到她身上露出半分的肌肤。

可怜寒子凉忙着在面无表情的同时拉好她的衣领理好她的裙摆遮住裸露的腿部时，赫连皙不但不帮忙，反而还拿起夜光杯，用杯子边划过寒子凉的脸侧，最后抵在他唇边，“主人，要我喂你喝么？”她的声音压得比平日略低，仿佛电流触动般酥麻，音量又恰到好处让每个人都能听见。

赫连晳悄悄侧眼看柳莫行，轻轻勾起唇角，几乎不见痕迹地划开了玩味而优雅的弧度；在谁眼中，美艳得不可方物。那种心思她不说他也知道。而柳莫行根本早习惯，任赫连晳玩闹的冰雪聪慧在他溺爱的推波助澜下，绕成恣意的涟漪，永远的绝代风华。

“你不喂我喝么?”相较之下南肆的声音就低得多了。唯一能听见他调笑的斟酒美人若思正给他的杯子倒酒，闻言朝他露出明丽的笑，单膝跪到他腿上，拿起酒杯贴到他嘴边，真的把酒喂到了他嘴里。

南肆的角色是个不为歌舞艳色所动的司律侍，大家都没有想到他竟然可以把这个角色拿捏得如此恰当——银铃声离开的时候他捂着嘴，咳嗽到脸都泛红，跟不近女色、按行自抑的司律被陪酒女强行灌酒的模样真的十分神似。

没人知道若思手里的酒壶里有一烈一淡两种酒，只要转动壶盖就可以改换，而她刚刚不但把专给波斯王准备的烈酒斟进了南肆的杯里，更以抚摸南肆颈项的动作为掩饰捏住他的喉头直接将烈酒灌进了他的胃里。

而这时的主座上，赫连晳正抓着寒子凉喂他吃提子。每次喂进他嘴里之后，她的手指都故意留在原处，煽情地抚摸过寒子凉的嘴唇，弄得寒子凉每每连咀嚼的动作都没有就把提子整颗吞下去。在这暧昧诱惑的动作背后，赫连晳脸上得逞的玩味大概只有两侧的黑白侍从才能有缘一见了。

若思的酒斟过一轮，再次回到波斯王身边的时候，他才惊觉自己刚刚一直在盯着城主宠妃的背影发愣。

座上的寒子凉倒是没有发愣，他差不多是发疯了。赫连晳相当尽职尽责的表演他已经不能单单用无福消受来形容。终于，当赫连晳支起小腿开始在他的腿上磨蹭，寒子凉一把抱起她，在众人的目瞪口呆之下没打半声招呼就穿过侧门离开了宴客厅。

“哎呀，城主自从收了这位宠妃不思国事已有多日了，真是色令智昏啊。”黑侍耸耸肩，“原本为王上准备了不少节目，姑娘却自顾自加到前头来，真真对不起后头的伶人。不知王上对我城的压轴珍宝可还满意?”

“满意！自然满意！”波斯王点头如捣蒜，全不再顾及形象，也不顾旁边人的劝阻，起身贴到黑侍的耳边，“就是不知道城主肯不肯割爱呢……”

黑侍脸上的笑容多了几分暧昧，音调微微上扬，“您这话问得……那依您之见，城主肯是不肯呢?”

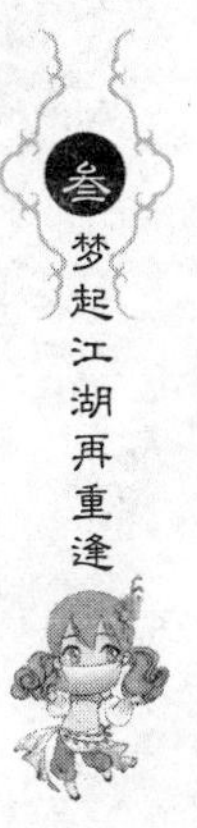

得宠姬如此，估计谁也不会犯傻割爱予他人。西域王也察觉到自己的问题有多愚昧，一时间接不下话去。

宴客厅的侧门连着用来招待宾客游憩赏雪的庭院。寒子凉出门的时候一副无心招待的模样，仿佛不经意间手肘撞到门板，那扇侧门便自行慢慢地一丝丝合拢。

黑侍正背对着那扇门跟西域王耳语，待他说完话再顺着西域王恋恋不舍的目光转身看去的时候，那扇门刚刚好，在他力所不及的时间，严丝合缝地关闭。

“这也未免太过急色了罢。”敏锐地捕捉着西域王脸上细微的表情，黑侍柳莫行疾走几步，尝试推动紧合的门面，每一个动作，都恰如其分满足到西域王的希臆。

司律南肆也很适时按时抢身上前去制止，“切莫妄动，此刻……领客人进去只怕不妥。”

“城主的喜好，自然不便私议，”黑侍挂着略显戏谑的微笑，做出微微不满的神色，“只是我们摆在后院的游园小点，难道城主就不能稍稍体谅下属的苦心，不要私占了去？再说这会儿青天白日的，你又猜度城主有什么不能待客的情形了？”

见西域王听闻有如此光明正大的理由继续跟过去观赏城主的宠姬，显露出一副跃跃欲试的样子，柳莫行更加不动声色地继续煽风点火，“何况，大司律，你急什么。这扇门难道不是应城主的‘趣味’，故意做了不能从我们这一侧打开的机关么？”

他又适时转过去对着西域王道：“说起来，让王上被西域工匠制作的锁具拦在宴席门外，还真是罪过。”

一切的煽动、提点，都恰到好处。

果然在西域王明显的示意之下，他身侧的随从站了出来，“我国的工匠所作之物，就算再奇巧，又岂有王上解不开的道理？”

柳莫行立刻从善如流，“哦？这么说王上能帮忙打开这门咯？”他退了两步，做了个“请”的手势，不遗余力地继续给西域王灌迷汤，“主人请宴还要贵客帮忙开门，望王上不要怪罪才是。”

原本就迫不及待想跟去继续看春宫的西域王一道一道挂上这冠冕堂皇的理由，忙不迭摆手示意，“无妨，无妨，区区小事而已。”而后从怀中扯出一块穿线的寒玉，放入锁孔。只随意扭转，咔哒一声，那道紧锁的门就应声而开。

“西域工匠果然鬼斧神工，难道是我眼花，王上这不是一块玉石么……”

黑侍显出的惊叹和欣羡着实满足了西域王的自信，他于是展开手露出那把钥匙，“这不过是我皇宫的寻常之物，当然开些机关锁头之类还是绰绰有余的。只要拿着这里……”

“哗啦！”一声重物落水的声响，配合着女子千娇百媚的一声“主人……”几乎是立刻吸引了西域王的注意。他立刻心急，却又不便催促，只得忙不迭地将那块寒玉交到柳莫行手里道：“总之，你试一试自然就知道了，就赏给你吧。”

黑侍果然配合地谢赏，而后更配合地说：“点心放久了只怕会冷，让在下即刻带王上前往阳炎间碧亭品尝。”

反观饰演城主的寒子凉，刚一迈进后庭就意欲将怀里笑得一脸玩味的赫连晢放下来。而赫连姑娘在察觉他的意图时只是微微皱眉，示意了一下自己光裸的脚，就止住了他的动作。

“你……够了吧。”寒子凉也在皱眉，但是明显意指不同。赫连晢会落在他眼里的表情，多半是专为做给他看。而他自己的……多半也只能做给自己看。他只是，不满意自己明知道戏码，却还是难以自控地入戏。

赫连晢这些举止动作，虽然定有蓄意偏激的成分，目的却跟大家商议的剧本毫无相悖——挑起西域王的兴趣，怂恿他拿出那把能开启冰棺的钥匙，交到他们手中。

而他自己，虽然心中明镜一般清晰，却控制不住手臂将怀中女子裹紧的冲动，更难抑若这片段能一直继续下去的臆想。

赫连晢却是一贯不配合他的自抑。

其实不远处开锁的声音寒子凉也不是没有察觉，只不过赫连晢配合着这声音的动作未免太快太急，让他反应不及。

哗啦一声响，他再动作，早已身处浸透衣物的泉水当中。

阳炎间碧，本来是极南的湿热之地所生长的竹子，杆茎通体金黄若晨光，有宽窄不等的青丝夹杂其中而得名。

冰雪之国地处极寒，原本绝不是会出现这种竹子的地方。然而这露天的庭院中却温暖如春，甚至有一池雾气腾腾的碧水，却是天然形成的温泉。

受这池水温湿的影响，这一小方天地间引种的金杆竹生长得遮天蔽日。竹林中依这泉水而建的水榭凉亭，也应景用的碧色竹竿，倒造出一副江南的景致。

“主人……”这声轻唤着实是蓄意撩人，赫连晢推他入水之后竟也跟着下了温泉。寒子凉一向少有在肢体上抵抗赫连晢的恣意妄为，既是为怕失手伤到对

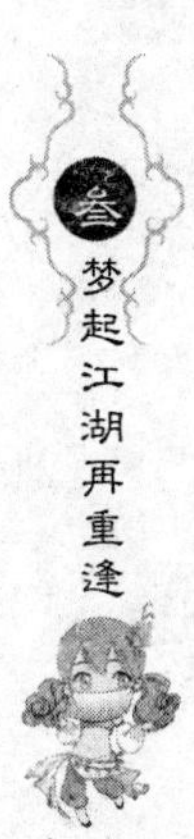

方，更是因为他私心里，其实并不排斥她的亲近。只不过，她也应该选对场合，不要太过挑战一个男人的极限。

这会儿她身上的袍子由于选料盈薄全虚浮在水里，领口更是松散得露着脖颈和香肩，她却还整个人贴在他身上，借着自身的重力故意压着他浸到水面下头去。

——西域王走近的时候，在一片缥缈迷离的水雾之中，看见的正是这一幅场景。

寒子凉好不容易在赫连皙的桎梏下挣脱出来，在池壁上借力从泉水中抬起头来，顺手托起仍在自己怀里的赫连皙。

她的一头盘发已经在水中打散，当她从水中浮上来便恣意地垂落下来，却挡不住逐渐从水中探出的后背若隐若现的裸露，让人对她和寒子凉隐在水下的部分忍不住地想入非非。像是并未察觉背后有人进入一般，她侧过头委进寒子凉的颈间，伸出手臂，似是正要对他献吻。只是这时候水面的雾气不知怎的浓了几分，将她后头的动作掩盖在了一片云絮般的白色屏障之后。而她被温泉浸得湿漉漉的娇媚嗓音却又穿过气雾传到进门的几个人耳中，“主人，来嘛来嘛……”

“咳咳!”黑侍立刻闪身挡在众人的前头，但明眼看来他却是给足了西域王观赏的时间。“看来城主当真不便打搅了呢……真是淫虫上脑！又让王上见笑了。”边说着，边把众人往门外引领，“不如，请人给王上带路参观我城的其他名胜吧?”

虽然对于被挡住观赏美景耿耿于怀，但毕竟已经于理不合，西域王终究还是保持了一国之君的风度，呵呵挤兑一下“城主真是好雅兴”之类的话，就转身出门。

寒子凉却觉得那几句调笑的工夫，简直比他一辈子的时间都要更长。赫连皙停在他脸侧半分远的地方不再动作，而他则用尽了全身的力量去保持静止——头偏过分寸，就会吻上她的嘴唇……一想到这里，就几乎克制不住自己。

早在一年前，不知是天意或是戏弄，他曾三次闯进了她正在沐浴的房间。虽然她衣衫安好，他仍是止步于君子之途，回身自控。

同样是一年前，她本是他三聘五礼许过婚的未婚妻，他本可以光明正大地揽她入怀，只任自己一人享受占有她近乎完美的甜蜜……还是因为一个身世之谜，主动退婚。

在他与赫连皙的关系上，似乎总是她暧昧地愈近愈远，而他，径自分明。

因为他比谁都在意她的感觉，才会将自己的感觉牢牢地压抑在只有自己能刻骨感受的胸怀。

于是他终究没有、或是没能够有所动作。

或许是由于白侍萧洛璧那符合他此刻角色却与他本性极为不符的冷漠扫视，或许是因为黑侍柳莫行那显示任务成功的温润笑容里从未显露过的讥诮，也或许是，为着怀中的赫连皙，不曾退却却也从不曾想过再进一寸的若即若离。

她的暧昧和亲近，他相信那都是真的。然而这些亲热的尽头，她划出的底线，也同样真真切切。

人尽散去，寒子凉却还是在原处僵持了片刻，才放开手从温暖的泉水中起身。不远处的亭中除了摆好的精致点心，还挂着室外用来挡风的披风。他取来拿在手里才到池边去拉起星眸闪动仰望着他的姑娘，立刻就把她裹了个严严实实。只不过他自己周身尽湿，没有再去碰触赫连皙一丝一毫，只淡淡地说："外面凉，快去换衣服吧。"

落西凌即刻安排好了行程，让心腹一路引领西域王在冰雪之城周边游山玩水，顺带下山去知名的教坊娱乐。准备停当，恭送西域王一脸回味悠长地出了内城，才算松一口气。

他还不及开口评点，就见若思扯过一边的长衫套在身上，边系带子边用另一只手轮番轻抚两侧脸颊。刚刚的巧笑倩兮美目顾盼早已撤得一干二净，表情再找不出半点波澜。

萧洛璧也在做着类似的动作，双手轻扯两颊，重新勾回招牌般的邪笑，发出跟若思明显南辕北辙的感言，"绷得再久一点，估计脸就要僵了。"言罢还意有所指地扫了一下若思。但他这道视线的落点，却毫无意外地停到了换好冬服归来的赫连皙身上。

对方的反应是挑眉眨眨眼，"萧公子冷傲清高的样子，还真是见所未见呢。"

"你若喜欢，私下为你作秀倒也无妨。"这一句，已经是靠在身侧的耳语了。调笑得不遗余力，萧洛璧从来不是个不懂情趣的乏味之人，但他也从不刻意去张扬这些小小乐趣。天知地知，你知我知。我的玩笑，仅仅是开给你听不涉旁人，也单单只开给你听再无他人。

"各位都是唱作俱佳的才子呀，落某倒是开了眼界。"人到齐，落西凌开了腔，"正好跟我一起移步冰棺吧？"

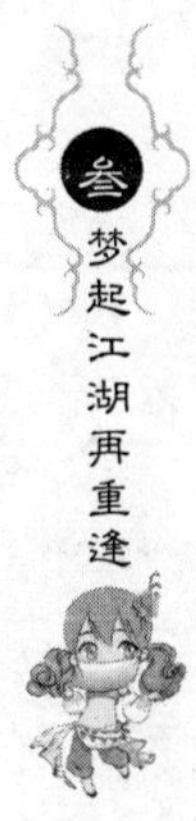

3.3 全城游戏

冰雪之城位于塞北雪山内部，靠近顶峰之所。常年冰天雪地，寒冷刺骨。所以城内多植有针叶林，为茫茫白雾中，营造点点绿意。

虽不一定真能遮风避雪，每当有人途径树下，还是会为那分青翠的绿而感染生机。再加上寒梅盛放时节，与冰山雪莲映衬最美的红白一抹，白梅花香、红梅花香、雪莲花香巧妙地融合在一起，别有一番滋味。

南宫浅影常年生活在鸟语花香天魔岛，那里一年四季暖如春，海风扑面都是滋润的清莹，莫说漫天白雪，就连雪景都不曾一见。出于好奇，再加上小女孩闲不住的心性，才会在岛主父亲说着该派个人去看看属地的时候，硬是抢来了这分差事当个游戏玩耍。岛主疼爱女儿，便命最得意的徒弟一同前往。

暗大人会是天魔岛未来的继承人。暗大人和少岛主终将连理好合。暗大人比所有人都适合统帅部属夺取中原。——尽管达暗本人对此类传闻似乎无动于衷，各种版本还是流遍岛民人尽皆知。就连远在冰雪之城的落西凌，也有此耳闻。

所以先前得不到同心戒，他阻止了若思提议的干脆抢来，重想了西域王来访借钥匙一说，并在冰雪之城中选了风景最优美的一处楼台院落，招待达暗和南宫浅影的旅行。

十五岁的小姑娘，接触到少见的冰天雪地自是兴趣盎然，但终究是长于温暖之地，很快便因为气候不适而只能留在室内嬉戏。少了乐子，多少觉得无聊。

南宫浅影来冰雪之城意本不在督查，自也不会认真的去看什么真假城主、落西凌的掩饰，闲来无事和达暗在屋中下下黑白棋，常常是五六盘过去，自己都没有得意过一次。不由就撅了嘴，任一抹流艳，肆意飞舞。

每当这个时候，达暗冷峻的脸庞上那抹思索的光芒就会变成难以解读的若水笑意。他从来不说什么，只是在她最近也是最远的地方与她形影不离。

那一次山洞中萧洛璧顺走她拿的同心戒的事情他并没有跟她说，因为他觉得没有必要；但这不代表落西凌不会在向她求戒指一用时，逐一把他们介绍给她。

小影生平最恨被别人欺骗，所以她知道萧洛璧和赫连晢并非私奔的圣女与情人后，拒绝了这个也许在平日她一定会答应的请求。

她扬起了眉梢，转开漂亮的眼睛，“我为什么要相信你们说的救人一途？再说，那又与我有何关系？”

她虽未听闻西域奇巧钥匙也无法打开冰棺之门，但那本就与她无关，所以，即使是时隔了西域王来访的两天后，南宫浅影的态度依然没有改变。

这一次，落西凌一行人甚至没有被请进院落。落西凌、柳莫行、赫连晢、萧洛璧、寒子凉、南肆、若思，即使七个人一同出现，也没有让室内少女心意改变。

楼台院落大门外，众人与飘扬的雪花同在，已经有一炷香的时间了。南肆看落西凌通报了两次均得不到回应，而他又是一副等待传唤才能进的样子，早就对借同心戒一事不抱希望。如果非要戒指不可，不能用点别的手段么……心里默默吐槽着这些武林中因正道界定而无法偷抢的君子。但话虽如此，南肆也没有意向由自己去当那个偷抢的聪明人。

先不说他不是君子这不是他的义务，虽然他也有秘密要见圣女问一问……但那个黑衣华服的美少年一看就知道不是好惹的，论冷漠的气质可能与寒子凉不相上下，但那一双眼瞳深不可测……用他们偏邪派的行话说：这个达暗必是狠角色。自己何必冲上去当试金石？他南肆能常年生活在这吃人的武林如鱼得水，靠的就是心明眼亮趋吉避凶，直白点说：就是脚底抹油比所有人都快。

这一次，他还是交给其他人吧……如此想着，大概又过了一炷香的时间，南肆晃晃悠悠地说了句“实在是撑不住了哟”就要先回城池中休息。走之前本想拉着若思陪伴，结果若思姑娘那时正站在寒子凉身侧与他低声说着什么。

南肆便啧啧地摇了摇头，一个人先走了。

这时候，楼台院落大门外，还剩下六个人。

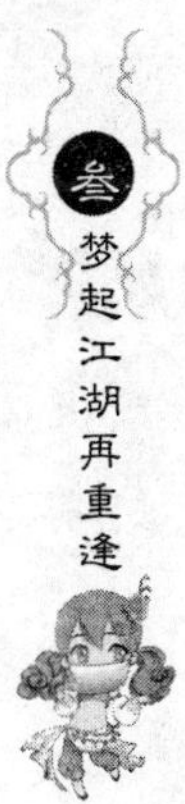

塞北的天气下雪并不稀奇，随着原本细小的雪花飘扬变为小雪频降，天气也更冷了几分。加上不时有风吹过，没有皮裘遮脸，竟像是抽打巴掌般痛楚。

可能是觉得今次也没办法借到戒指，落西凌说了句“不如还是改日我自己先来看看”便走向赫连晢的方向。几个人站得不远，但即使是同属一片区域，赫连晢和柳莫行那种习惯成自然的最近，从未改变过。

寒子凉本就恪守君子之道保持相宜距离，萧洛璧也只是站在美人身后就有些

蹊跷了。莫非他是愧疚自己编了那私奔的玩笑导致南宫浅影的怒火才借不到戒指?

……怎么可能呢！萧洛璧怎会是那种忧他人忧的人。哼……

“赫连小姐，天气冷了。”落西凌一边温和地说出人所共知的事情，一边靠近赫连皙。近到他都能看清落在她肩头的雪花，凝成晶莹的冰滴。

“落公子先回去好了，难得雪景，我倒有心看看。”明明那张近在咫尺的绝艳笑靥已经有些冻僵，赫连皙还是若无其事的样子，看在落西凌眼中，轻漾着令人迷惑的可望而不可及。

是因为柳莫行在身边的缘故吗？总觉得她，特别的温柔。

唇边三十度的温文尔雅，柳莫行温柔得恰到好处，一丝瑕疵都无法挑出。和赫连皙这一刻缥缈到近乎仙姿的风骨，融合到深刻。如果没人说话，很可能有人会在一瞬间模糊了感觉，不知道眼前的人，是赫连皙还是柳莫行。

或者，都是。

落西凌忽然觉得有那么一点嘲讽的情绪在胸腔流窜。原本不会独自离开的他，竟在一个仿佛不属于自己的点首后，也离开了。

这时候，楼台院落大门外，还剩下五个人。

*

室内炭火温热，还因为那阵阵梅子酒的味道洋溢着酸甜芳香。与南宫浅影一身无法遮掩的桂花甜香一相遇，便将小女儿家的风情愈演愈浓。

这已经是第五盘棋了。黑棋以多于白棋一倍半的势头在棋盘上站立，咬着白色棋子的少女终于凝眉坐直，“不玩了，你都不好好玩的。”让达暗让了自己一盘又一盘，自己还替他藏子不让下，怎么绕来绕去还是黑子多呢……

对于南宫浅影夹带着丝丝缕缕甜美的孩子气，达暗并未不悦，是习以为常也好，是偏爱也好，他只是看着她轻声开口，“该吃饭了，小影。”

“我不饿。”

“外面的人却是饥寒交迫。”他不动声色地提起了那三炷香后，还留在院内的人。外面的雪，似乎又大了。

“暗，你什么时候开始关心其他人了?”侧目而回望，那双滴溜闪烁的幽黑双眸，几许水气，几许灵气，南宫浅影的问话却在没有得到回应前自己转了别处。“好无聊，他们不嫌冷站着是他们的事，我们找点游戏玩啊?”

那时候的达暗，即便已经让人称做暗大人，却仍有着微微一笑，眉角轻柔，眼中，一泓新月温润无垠的样子。

“你先吃过饭，我便带你玩。”

*

不知道从什么时候开始，雪已经越下越大了。

若思觉得冷而一个瑟缩，她发现原本与她交谈的寒子凉的眼神看去了赫连皙所在的方向。似乎是想脱下披风给她，但他却有些犹豫。

若思知道那是因为西域王来使时他扮作城主，而赫连皙娇艳妩媚在他怀中一声声的“主人”还在他心中挥之不去，纵使当夜两个人是拥抱着滚入温泉才作罢了演戏，真的再暧昧下去，寒子凉不知道自己会不会轻薄于赫连皙。

寒公子是个好人。只是不知道你的好，是否进得了赫连姑娘的眼。

“皙皙，会冷么？”柳莫行侧目去看赫连皙白皙而唯美的轮廓，在她看回他时对她温柔地展颜。他的问话，她还来不及回答，已跟另一个女子的声音重叠。

“寒公子，你去哪里？”若思目送着那背影忽然移动，本想跟去，还是作罢。

“进去看看。”简单的四个字，就像寒子凉一贯的风格。简单得无以复加，堂正得不染风霜。接着，只让所有没离开的人包括他为避免她着凉而有此行动的赫连皙看着，就那么走了进去。

院楼没有刻意安排护卫，即便有，寒子凉想进也没人拦得住。

“寒公子……”原本已经抬起的双足，因为一只手顺其自然地滑下牵拖而暂止。赫连皙偏目去看柳莫行，那只握住她的手，手心温暖而舒服。他笑着，抖落一身温柔与飘逸。

一瞬间浪漫的气氛，一瞬间的若有所思。

好像卡好了时间，那一身厚重的披风已安稳地落在了她纤细的肩膀。她一个不经意的瑟缩，正好将手抽出了柳莫行掌心。萧洛璧从她身侧走过，冷峭的背影，甚至不及侧目的漠然，那种精致俊逸早已根深蒂固。

他说：“小赫连，天冷，你可别冻到。”

没有人知道萧洛璧要去哪里。离开，亦是进入院落？

只是当若思皱了皱眉，走近赫连皙和柳莫行对两个人一点首也离开走远后，此刻等在院外的人，只剩公子和姑娘两人。

*

走在积雪的院落，每一步都能刻画出一个或轻或重的脚印。唯有那黑衣华服的少年走过之处，还剩一片瑕白无痕。

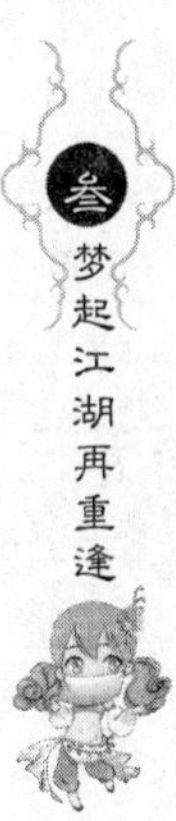

达暗忽然停下了脚步。长身玉立，在那侧目的瞬间，精致的面孔比起无双的清逸更多了一分难以解读的冷峭。从眼中流泻，丝丝入扣的冷峻。无声，亦无情。

在他的身后，站着寒子凉。还有那个本该已经走了，不知道又从哪里冒出来的南肆。

其实走进院落和南肆遇上，寒子凉历来不动如山的表情就有了一丝微妙的变化。当然了，介于他冰山多年冷感多年，每每遇上现在这帮人都几乎破功，此刻微妙的一点表情也就不算什么了。

他和南肆没有交谈，就一起并肩向里面走。本以为要到房屋外再通报一次，却正好看到从里面走出来的黑色锦衣男子。

达暗，沉静若水。

“暗公子，能否借一步说话？”因为先前听落西凌称呼达暗为暗大人，寒子凉在开口时也选了此字为称呼。他比达暗虚长两三岁，加之称兄道弟不是他的习惯，便没有刻意地套近乎。耳边南肆悄声说了句“你叫他小暗暗试试看”，完全被寒子凉无视了。

达暗没有回答，但也没有走开。

寒子凉姑且认为这是可以谈话的意思，便长话短说以简明易懂的言辞给他讲解了冰雪之城的事情，包括圣女被关进去已经多日，小冰凌等人关切的心情，以及为萧洛璧之前的玩笑表达了郑重的歉意。

在寒子凉的字典里，万事都应遵循个道理，人命关天的事情岂能凭任性而玩闹？但他并不傻，他能够看出来南宫浅影是那种娇生惯养长大的女子——她与赫连皙不同，赫连皙虽然妖孽却懂适当的迁就，而那个南宫浅影，可能因为还是个孩子的缘故，要随心任性得多。她说不了的事情，往往很难沟通。所以寒子凉才会主动找上达暗，希望能由他出面，毕竟，能有如此修为的武人大多都是识大体的。

……只要他不是萧洛璧那种人。

当然，这点寒子凉不是没有默默腹诽过。遇见萧洛璧之前，他或许觉得人格对武为有必然帮助，遇到了萧洛璧，寒子凉不得不承认有的人就是能一边高武为一边看戏看得天理不容。

……虽然，这要是换了南肆，也许还会煽风点火呢。

寒子凉的话达暗究竟听进多少，是全部听了进去，还是全部随风而去，南肆并不能猜到。但他从寒子凉不时委婉地变换了纠结表情——即使只有一瞬，也能野兽般的直觉寒公子这是心有杂念啊?

这杂念该不会跟自己有关吧……想着就咂了下嘴，南肆在寒子凉结束了对达暗的说话后顺势加了如此一句，“寒公子，你最近的话是越来越多了。直接精髓点不好么?”

寒子凉皱起了眉，示意南肆不要多话。

但南肆是什么样的人，他是那种你越不想让他做什么他越要做什么的人啊，所以只见南肆一扭身，反而站到了寒子凉和与他们两人背对的达暗中间。

“我说暗兄弟，你哄你姑娘开心我哄我姑娘开心而已，有必要这样大动干戈吗?”

达暗倒是没有问出是什么干戈，但这不妨碍南肆继续自说自话，反正和面瘫和冰山在一起他早就习惯滔滔不绝。只是没想到寒子凉这个面瘫话少，如今这天魔岛的达暗比寒子凉还惜字如金——虽然那美男子看起来是一副机灵相啊！难道自己看走眼了？切，本来还以为他跟那个萧洛璧是一路货色呢……

“你说我们从中原来是客人，你们从天魔岛来也不算主人，何必非抢一个当地的戒指不可呢？我们没用，你们也没用，但冰棺里可有个美女等着靠它出来呢，救了圣女再还你们不好么?”

南肆擅长的说话到了达暗这里可说完全得不到反弹。起初他故意气寒子凉的时候，那寒公子多少还有皱眉瞪眼或挥剑的回应呢，这达暗，却丝毫没有理会。莫说情绪上的反应，就连他四周围的空气，都似漠不关心，把它全当成了无物。不言不语，抖落着，那分毫无瑕疵的盛气凌人。

难道这类的男人都必须用损的？这么想着，南肆也就顺口说了句：“小暗啊，其实女人不能太宠呢，不然她哪天被一个坏男人骗走了，你后悔就来不及了。”

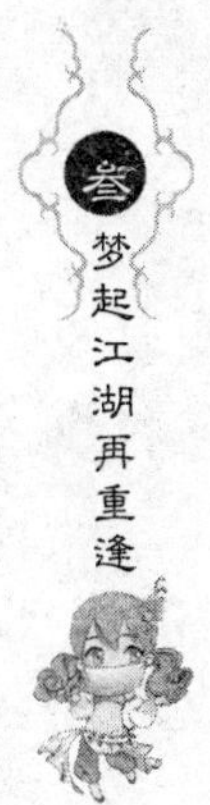

接下来，如他所愿，那黑色锦衣慢慢回转了身子，不带一丝风气。可当南肆看清了达暗气息中的清高，不由咽了口唾液。

达暗的眉目，肆虐了凉薄，刻骨一般的冷，几乎冻上了院内的每一分每一寸。很少有人能在这种逼迫下无动于衷。南肆连其实我就开个小玩笑哇都没有机会解释出来，脚步，一动也不能动。

“对我而言，你是死是活，并没有区别。”冷淡的言语，却充满尖锐的刻薄。达暗淡漠地敛下眉梢，多了种锋芒毕露的傲气，临风清逸。

让南肆下意识就改了称呼，“暗大人啊，您这就是开玩笑了……我这人，除了嘴贱，别说贼胆连贼心也不会对南宫小姐有啊。呵呵呵……”看了看达暗所站的方向，那个美男子还是一副不惊波澜的面孔，只是任凭讥诮的弧度轻轻地掀起在精致的唇边。一抹冷峭，一抹从容……讥讽还是别有深意？

我去！又一个萧洛璧好难搞啊好难搞！

“寒公子，你跟在下也不是一两天的交情了，你看我们二对一抢吧。”可以说是为了自保，也可以说是实在不知道该怎么继续应付达暗，南肆硬着头皮又把话题扯回了寒子凉。

果然见一向正直的寒公子听到二对一立即冷了神情，不悦起来，“先不说多对一是可耻的行为。我们是借物，强抢成何体统？”

“那也要你借得来啊？”心里想着转移话题成功，南肆正寻思接下来该如何脚底抹油时，却忽然再度听到了达暗的声音。

这一次，是面对寒子凉。这一次，声音中多了分轻描淡写的悠然。

“之后的游戏，此刻没有等在门外的一律不许参加……梁上的，自然也一样。”

哈？还不待南肆问出这都什么跟什么，在说同心戒怎么又冒出了游戏？不对，刚还是生气的人怎么变得这么快？所以说美男子什么的最难捉摸了……

寒子凉已经发现在不知道何时雪停了的房檐上，那一袭黑白交错的身影。萧洛璧若无其事地对他耸肩，只字不提自己刚才的离开是不是打算直接从留在室内无聊玩棋子的南宫浅影身上顺走同心戒。

寒子凉不由就将眉皱得更深了。若不是还有个圣女在冰棺内等着营救，他此刻倒真想站在达暗那一边。南宫浅影会生气不是没有道理，萧洛璧和南肆的做法实在有违武林常规！

但他此刻只能压下冷漠，接下达暗的话，“暗公子的意思可是有意借出同心戒？”

“一场捉迷藏，一边躲藏，一边找寻，十二个时辰为限，胜者王侯。”

“要以一场游戏决定一个人的生死，我不认为这个办法妥帖。”

“对你们而言，没有选择的余地，不是么？”回过头露出笑容。几分随意的冷漠几分若无其事的清淡，达暗说话从不威胁从不张扬，但就是这样的他，说的每一句话都没有人能够忽视。

他自在的态度，也似在说一场游戏，毫无违和。

寒子凉变得不再说话。当你知道对方说的是事实的时候，最好的办法就是沉默。争吵没有任何意义，反而，会让一切变得游离。

达暗的话他能理解，但是游戏的对象却是他不想答应也无能为力替之答应的人。赫连皙。他与她名义上有过婚约，当初执意退婚的人是他，她的心至今所向为谁他捉摸不透，让他如何还能替她做出决定？赫连皙是否愿意参加，他一点把握也没有。就算有，让她和莫行一起参加……

寒子凉忽然转身，微凉的风雪从身侧带着缱绻的白茶香气袭来，他无须侧目，也熟悉那甜美的味道，究竟主人为谁。只有赫连皙，能够在他不加防备的时候，悄然无声地靠近。

“寒公子，人家对你刮目相看了呢。这聪明的。”

满地银白的院落，她一袭米色拖地裘袍，只一个瞬间，令天下风柔雪暖。

“既是如此，我和皙皙便承达暗公子美意，来玩这一场捉迷藏。”

那个文雅声音，从身后六十度的方向轻轻传来。彬彬有礼，温柔似水，仿佛微风轻拂面旁，花瓣纷纷扬扬地落下，香气四溢，如画如诗。

柳莫行面带温逸的笑容，在此刻，信步而入。目光，只落在达暗唇边那抹别有所意的清浅弧度……

*

“我们还不去找人么？”南宫浅影下棋下得郁闷，听见达暗提出的游戏原本还在跃跃欲试之中，却发现达暗开始顺理成章地吩咐侍人摆桌上菜，全然没有出门的打算。难道他是有心故意输掉不成？虽然直觉不会，南宫浅影还是有心申明这不是她喜欢的手段。

完全洞悉她的想法，达暗安抚一般地解释：“就算去玩儿也要先吃过饭。他们那边既然还未筹划好，就给时间让他们随意去准备。我们的游戏，还没有开始呢。”完完全全，都是漫不经心、高高在上的姿态。

没有人问萧洛璧打算跟到什么时候，况且他也并不真的仅仅是跟着柳莫行和赫连皙身后。经常出现的场景，是他偶尔消失一段，又被发觉从背后跟上来，或者正在前面某个落脚点等候。他走的，也不全是跟柳莫行一样的路。比如他会忽然冒出来，拿一串类似中原的糖葫芦一般，糖衣里却其实是温热的糯米圆子的特产来喂给赫连皙，然而在柳公子和赫连皙适才的行程之中却绝没有接近过贩卖点心的商铺、小贩。

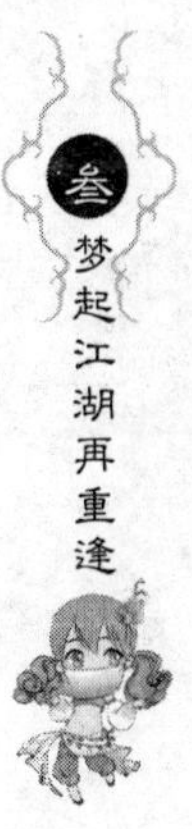

冰雪之城如果只计算内城确实不大，但要算起整座山上住有居民的范畴，那估计游憩上几天都是不够。所以谁都心知肚明，他的出现绝不是凑巧。

而且，由于他这个没有等在院外的人出现，柳莫行和赫连晢始终都不算是正经开始了那个仿佛玩笑一般的捉迷藏游戏。

萧洛璧当然没有任何时间上的紧迫感，毕竟他一直对救人一事不怎么上心。柳莫行这次却也相当异常地任由萧洛璧神出鬼没，放纵着不做表示，只是携着赫连晢不紧不慢地走过一些喧嚣热闹的店面街道，以及一些人迹罕至甚至未开出道路的松林、岩壁。从头至尾，没有解释过缘由。

从过午开始，一连个把时辰他们就这么形似毫无规律地四处乱晃，似是漫无目的，也并不曾顺应着哪条路或哪个方向一直前行，但以完全不曾辨别方位、仅是随行的赫连晢的观感，都觉得至少绕着外城转了一圈之长，却还是能看到萧洛璧在身旁。

之所以说是一圈，皆是因为这次在前头等待他们的，不单是萧洛璧，甚至还有等在侧院的寒子凉。原来这一路勘踏之后，他们又重新回到了起点。

“晢晢，你饿不饿?”刚刚一路上柳莫行也不是没有嘘寒问暖，只不过跟此刻温润浅笑着问出的这一句相比，都显得要心不在焉许多。

“莫行哥哥，别告诉我你是回来吃饭的呦?”十二个时辰的捉迷藏，要一直到明日正午。这会儿刚刚过了一个来时辰，就跑回抓人的人眼皮底下摆宴，也未免太过张扬胡为。但是赫连晢问话的语气神色，却又全然不是真心疑惑不解的感觉，反倒像觉得刺激有趣的模样。

雪山上有很多特色食材，虽然中原也不是品尝不到，但在这里尝到口中的那分新鲜却是经过千里奔波运送的远比不上。雪山峰顶河流的源头，遇到鱼群逆流而上预备孕育产卵的时节，鱼肉最是肥厚鲜美。桌中间放着隔热的锅子，锅外层是门外随处可见的积雪，因而靠近锅子也不会灼人烫手，里层则盛放着烧制良久、正滚烫得把表面上浇的油烤得吱吱作响的大块圆石。把横刀切得薄薄的鱼片放上去，几乎立刻就变色烫熟。

柳莫行对着寒子凉关于他们为何又回到原地的询问，先不作答，烤好几片鱼肉和其他搭配的山珍野味，放进赫连晢碗里，才半开玩笑道：“萧公子亦步亦趋地一路跟着我们，怎么藏得起来呢?”

萧洛璧原本就比他们到得早，早已不置可否地落座，执筷随性朵颐，却连个“刚巧顺路”之类的推托之词都懒得编派，“要玩儿什么游戏，当然是你自己的事情。至于我去哪里，就不劳费心了。”

这石鱼料理于是果真吃得如同火中灼石一般，表面毫无动静，内里躁动难平。

那边厢达暗看着南宫浅影乖乖吃好了正餐，又强制让她去休息片刻，直到太阳都偏过正中，拖拉得小影几乎对捉迷藏游戏不抱希望的时候，才命人取来她的披风，幽幽开口，“这会儿外头正好暖一些了，出去玩儿吧。”

有些出乎意料、小小欣喜，南宫浅影歪头对着他，“那我们从哪里找起呢?”

“自然是由你来定。”

“好!”

于是，全按照南宫浅影的意思来到的第一站，正好赶上南肆、若思、寒子凉，以及萧洛璧所在的侧院，刚要把桌上吃饱喝足后的碟盏撤下去的时候。

萧洛璧跟寒子凉之间在他们进院的时候有几分对势的意味，这会儿看见来人，湛湛收了手。萧洛璧似是对寒子凉为纠缠强留他而出手很不顺心，看他的眼神比平日更危险了几分，却因为旁人而没有开口，又原位坐了回去。

座椅碗筷的数量明显多了两套，而柳莫行和赫连皙，自然不知去向。只不过这一次不见的，只有他们的游戏角色而已。南宫浅影愉快地哼笑，回身仰头对达暗说：“我们继续去找吧。”

柳莫行和赫连皙，并没有离开内城很远。南宫浅影随性找去的地方，下面人多有回报见过他俩经过。内城周边有名的店铺、茶点摊、楼宇亭台、巨石瀑布，等南宫浅影跑去找的时候，他们仿佛都是刚刚离开的样子。

如果一次两次，或者索性是找去了他们没有经过的地方，南宫浅影都觉得稀松平常。毕竟好不容易才玩儿起的游戏，太快结束了也没有意思。何况他们经过的都是名店、美景，跟达暗一路玩儿过去也很是有趣。但是每一次每一次，都发现自己慢他们一步，无论怎么加快脚步，就算连尝试下街边看来煞是可爱的小点心的机会都放过，却还是不能追上人，这感觉就变得郁闷起来。

每每当地手下回报那两人刚刚经过的时候，达暗的表情都没什么特别，让南宫浅影一下子察觉出来这是在他意料之中。或许若是达暗在主导寻人的话，就能赶在他们前面。越是这么想，就与觉着这局面跟在园中下黑白棋的时候如出一辙——她的棋，差他又岂止几步而已?

忍着性子找到日落，肚子都空了，却寻到他们甚至在城边最大的酒楼里打包了野味带走——因为是由山中几户深居的猎户能手日日供应来最新鲜的猎物烹制，那家酒楼的野味在此地最为出名。

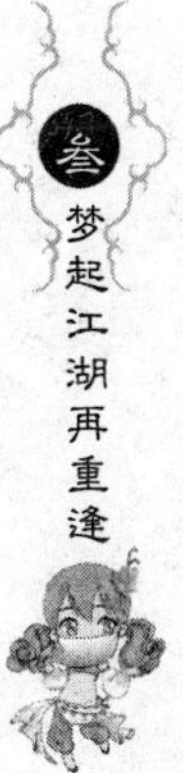

听到这个消息，南宫浅影没有立刻拍桌子，都算是自制异常了。她很是不爽利地原地踱了几步，忽然回过头来，表情也较之前舒缓了许多，“这座冰雪之城，是不是我们天魔岛的属地?”

达暗也不是看不出她这是找得累了，于是点了点头，由酒保直接带路进了酒楼的单间。

“那这座城里的人，都是我们的属民咯?”

“你喜欢的话，给谁下令都可以。”一边示意属下去准备菜色，达暗一边答得云淡风轻。

于是，下一刻，落西凌被恭敬却也有些强硬地请来共进晚膳。

“你，”南宫浅影一心的不满意，一边随手全按自己的喜好拣着菜色，一边指着落西凌，“调全城的驻军、守卫，来给我找人。”

截然不同异世界

4.1 镜花水月

天黑下来的时候，城里的局势已经变得很明显。整队整队的人马举着火把在城中的主要街市上走动，随处检索。在这个特殊的时间，就算真告诉她这些城中的守卫军不是来找他们两个人的，也难以相信。赫连晢正被柳莫行牵着坐在南宫浅影居所的房顶，有点不拘小节地野餐。眼底下那一列列齐整的火光四处游动，她倒并不为此担心，只是有点好奇地朝柳莫行偏过头去。

翩翩公子此刻正撕下手中最后一块狍子腿肉放进嘴里，月光的照耀下，他忽而有几分像被附体一般露出平日不曾见到过的，慧黠而略带不怀好意似的笑，“他们估计很快也会吃好回来。如今内城也算逛遍，晢晢，看来我们差不多该出城去玩儿了。”

柳莫行下到房间里，很仔细地用在特质小炉上整日温着的水洗过手，才拉起赫连晢，从达暗和南宫浅影所住的院落背后，开始翻山。

说是翻山，是因为他们确实离开了冰雪之城的内城，开始步入周边的野地。但是柳莫行选的路，虽然也都是覆满积雪的崎岖小道，甚至没有铺设砖石、仅仅是行人踩踏而出，却意外地并不难行。赫连晢偶尔觉得经过的地方景色略感熟悉，求证地去看柳莫行的时候，他就微笑起来，“晚上再来看，这风景是不是就不同了?”

整片的雪地山壁都在反射着月光，雪山上的夜晚似乎要比平原亮堂许多。只是跟白天相比，终还是静默冷凝上几分。这里果然是午后他们走过的地方，那就意味着，那一段看似漫无目的的闲逛，其实是在探路?那么当时萧洛璧隔三差五的分道，一定也有什么她所不知道的目的了。

“不仅风景，人也有所不同呢。”她还是想不通，于是就直接开口。

公子于是停下脚步，回过身来一手抚胸，故作认真地玩笑，“晢晢，你可是见不得萧公子偶尔成全我一次?”

这副有些讨巧求怜的姿态又是平日不曾见过的模样，赫连晢一时都找不到词来回，“他……”还没说下去，空旷静谧的雪地中就很不会挑选时机地传来不和谐的声响。

柳莫行多少有些意外。是驯养的狼犬发出的吠叫，而且还不在少数。若不是这些动物的嗅觉，原本他们该很久都不会找到这条南宫浅影屋后的道上来。

他收敛了笑意，拉起赫连皙快速往山后走去。

夜即深，绕过宅院背靠的山峰，风一下就大了起来。然而这点风雪似乎只让躲藏的人们越发步履难行，却对那班嗅觉敏锐的动物毫无影响。被跟得很紧了，忽而柳莫行拨开一处枯藤掩盖着的狭道，低声说了一句：“来。”

初入，像是一段山涧中的狭路。然而越走越深，越来越看不到夜空，赫连皙也发觉到这条路其实是通向了山中洞窟。

柳莫行像是识路，在前面牵动她，一路毫无障碍地前行，全无闪失——如果不算上最后他们到达的地方的话。

停步的时候环境几乎要全黑了，勉勉强强，隐约能看到有一条折射着光线的洞内暗河横亘在他们的前路之上。

柳莫行保持着沉默，衬得犬吠的声音却越发接近，如果静下心来差不多能听清楚它们抽动鼻子努力嗅探的声音在洞窟里一阵阵的回响。

背后能听见急速的水流，但是太过黑暗，那条河与他们所在的岩台距离多高，那河水本身又有多深，这点微光之下完全辨别不出。

赫连皙忽然间能感觉得到柳莫行的手在她身上游移，仔细地系紧裘皮外套、围巾、下摆，甚至略微施力示意她抬脚，在她的鞋子外头套上什么长过膝盖的套子。

洞窟中明显回声很大，开口说话必然会暴露他们的所在。所以尽管赫连皙对柳莫行在这危急时候毫不相关的动作有所疑惑，也没有机会问出口。

而后，跟之前与寒子凉假扮城主那一出戏比起来简直有些一报还一报的意味，这一次是柳莫行在瞬息间出人意料地发力，将赫连皙推进了水里。直到整个人都坠进冰冷刺骨的河水里面，赫连皙才认真地反应过来，柳莫行是真的有意将她推进湍流的暗河里的。

而后他也如她当时一般跟着下水，只不过是反过来将她拉进自己怀里而已，泅水而行。

暗河的水流很急，急流中还夹卷着未融化的冰渣。赫连皙虽然还只是在露出的脸颊和手掌中感觉到水温冰冷，但身上被柳莫行裹得严严实实的狐裘越来越重、挣动手臂越来越困难，也让她明白这冰一般彻骨的河水正在浸透她的衣服。

水里比岸上还要漆黑，她已经完全看不见柳莫行的所在。但是他就在身边的

感觉却是半分不曾遗落。尽管她自己动作起来都开始变得吃力，却依然能感觉到他仍箍着她的腰，不紧不慢地划水，甚至在她迟一拍反应到寒冷的时候将她的头压到自己的颈边。脸颊的触感从冷彻的冰水换成旁人的肌肤，还真的感觉……格外温暖。

虽然水下的片段因为它的感觉突如其来而显得漫长而鲜明，其实这段泅水的路程却一点不长。赫连晳意外坠进水里之前压根来不及多存一口气，而这段出乎意料的水下之旅只在她还没感觉到憋闷的时间内，就结束了。

身上一轻，周身滴水的外套被柳莫行一一除去，听声音是重新扔进了河里。脚沾上地面，她这才发觉，裘衣鞋套脱掉之后，除了头脸衣袖，她的身上全是干的。手抵在柳莫行胸口，而她的脸，因为完全没有反应过来情况的变换，还枕在他的颈侧。

柳莫行此刻却跟寒子凉当时大有不同。他故意在她发觉之后还压着她整个靠上自己，毫不迟疑地落吻过去——虽然这吻是落在额角。

“惊吓到你了?”见她没有动作，柳莫行直接把她横抱起来，笃定地往一片漆黑中走了一段，拨开些障碍，就又重见光明。

满园的阳炎间碧竹，在月光下不再那么耀眼。但一池温泉却映着月色，变得更加迷幻。这地方的景色也是熟悉，只不过这次换了不同的视角。他们与那园子隔着一层奇形罗列的湖石以及其间潺潺流下的泉水。

他们进入的似乎是温泉源头山壁后侧的空洞。

园子里比外面暖上很多，但柳莫行在席地而坐时仍不依不饶地把她置在怀里。

一旁触手可及的地方，是早已安置好的包裹。可以想见里面的内容，干净的布帕，新的披风和御寒衣物。

柳莫行抽出帕子来轻柔地擦干赫连晳的再次被打散的长发。不过跟上次的寒子凉不同，他完完全全地善后，不单耐心地擦干头发，还帮她照原样重新挽了起来。

赫连晳被圈在怀里，任由他在背后动作，视线四下扫过，最后落在那堆衣服上。

他们午后可没有来过这园子附近，这包裹出现得恰到好处，但却绝不是他准备的。

河水会掩盖他们的气息，他们过河的地点似乎也专程地选择了河流转弯处较为狭窄的地段。那么这一切，无论是一路看似漫不经心的行进路线、突然出现的猎犬，还是应对所做的泅水过河，甚至是善后用的衣物，便都是一早在算计之内的了。

莫行哥哥是什么时候有了这种使坏心肠，都不一早把计划告诉她呢？

同一时间，柳莫行也在默默扫视那包衣物。

那套女款寒衣上已不是赫连皙所用过的茶味熏香，换了冰雪之城里由当地香料特质的香型。如果他没有记错，这一款应是萧洛璧曾选来给她的一种。

柳莫行几不可察地提了提唇角。

——成全小赫连的玩性当然可以，至于成全你，劝你还是不要多想。

以萧洛璧的言行，会用个熏香来留下这种信息，倒也是顺理成章了。

“这里并没有正路进来，他们没有猎狗帮忙很难找到。很晚了，不如休息一会儿，明早带你去城里吃早点。”将赫连皙早已开始回暖却仍透着冰凉的手拉回自己怀里，柳莫行似是收起了某种情绪，于是若无其事地重新恢复温润。那种难以捕捉的玩味，也不见踪迹。

原本的整日漫步加上最后落水这番折腾，再到最后依偎进独属于她的温情怀抱里，赫连皙明明觉得还不算完结，身体却遵从着柳莫行的安顿，渐渐沉入梦境。

*

睡着之后，她似乎做了个梦。梦里的内容很温暖，也很柔和，但是醒过来，她却不再记得。

睡醒了之后，赫连皙发现柳莫行就站在自己身前。

他不言不语，只是打量着她。他的样子给人一种不能冒犯的感觉。那一身白衣，远远地望着，竟会有一种未曾相识的感觉。

赫连皙觉得有些奇怪。

但她还未及开口，他已对她伸出手，“我们该出发了。”

“如果，我还没睡够呢？”

“皙皙，听话。”

“莫行哥哥你何时也这么霸道？”

赫连皙轻柔扬眉一个不解未曾出口，柳莫行唇角的温柔已然挂起了醉人的涟漪。

“现在开始如何？”那一双眼的深远，如同迷透了天空的深邃，柳莫行的笃定，从一开始就没有改变过。他那般水波不惊，为她必然的低眉顺目。

也是这个瞬间，赫连晢脑海似乎闪过什么片段。

“……我觉得，你好像变得和以前有一点不一样。”那种缠绕在心口呼之欲出，却任凭思维怎么回转都描绘不出的记忆画面，让赫连晢一时娇艳至娇柔。绯色的面颊，娇艳欲滴的魅惑，能让每个人的心跳，都乱了节奏。

“不，或许该说……这样才是你？”

“你不喜欢？”几欲是调笑，一瞬而起的孩子气的默契。柳莫行伸出一只有力的手，代替赫连晢白皙的手腕，撩拨开那一缕不听话的飘扬在她耳畔的发丝，几许柔软、几许或浓或重的暧昧。

手心擦过脸颊的灼热，绵延了诱惑的边缘。

于是，那不知何时起的，倾尽的脸庞，又一迷一叶，将谁的牵引，刻画成缠绵的沉醉，任心恋成痕……

晢晢，看到你那般安静地睡醒，我忽然，就想逼你一次——你能不能，想起来？

感觉到肩膀麻痹，只是一瞬间的事情。柳莫行下意识双手扶住赫连晢肩膀将她抽离自己的举动快得离谱，但那一阵风显然比他更快了半分。

忽然就被人点穴的情况是柳莫行不曾有过的经历，然比那更可怕的，是连点穴的人是谁都不知道、都没有看到的逼真感。

柳莫行从不认为自己的武功可以称得上武林第一，但是，武林中想神不知鬼不觉靠近他并制住他的人，恐怕也屈指可数。就连当年的武侯柳卿陌，想杀了他也做不到毫发无伤。即便他此刻内力难以发挥，但该有的敏锐也不会缺失。该说恰恰是和赫连晢在一起，他反而会更加的谨慎。她是他要保护的人，无论她是否需要。他们十多年青梅竹马，彼此都已经习惯并且珍惜。

而此刻，他甚至没有感觉到那人的气息。传递自肩颈的酸涩，恰如其分，让他无法动弹。

这一阵风似的凉薄杀意，是属于谁？

吻在眼角的低柔，甜蜜而深刻，戛然止住。赫连晢感受到来自柳莫行自然而然的保护，却在身子都仿佛随着一阵风移动的瞬间，感觉到了瑟缩的疼。

她没有被人点穴。

但是她的手腕、手臂，乃至纤细的腰肢，都缠绕上了束缚——带刺的荆棘藤条，隔开了两个人近在咫尺却不能相偎相依的距离。

赫连皙稍稍用力试了试困住她的藤条，很牢固。藤条就捆绑在他和她方才站立的树下，她的力量挣不开捆绑的束缚，自然就折不断粗壮的树杆。

眼看柳莫行对她无动于衷，她知他应是爱莫能助。

和柳莫行一样，赫连皙也没有看到是何人靠近、何人动手，但是她在冥冥之中又觉得自己该知道那人是谁，就像柳莫行风中笑着，低首那一吻的霸道却熟悉，就像印在她心底一般并不陌生。

“莫行哥哥，我们……”

“别动，皙皙。”身不能动不代表精神也会停滞，越在这样的时候柳莫行越关注四周围环境。点他穴道的人和捆她藤条的人如果是同一个人，那么武林中竟真的会有如此低调却能在不动声息间置人于死地的高手？他很想说没有，但他没有办法说。

百年来，就柳莫行的知识所记，能做到此的人并非绝无仅有。

但是百年来，武功竟高入化境的人绝对超不过三人。一人是武林第一贵公子，也是武林的一个传奇的白骜禹。白少主究竟会多少家的武功到现在仍没有准确的说法，只知道他是武林中唯一那只要开口就必能执掌他人生杀大权的存在。如果不是最后白少夫人亲手泡的一杯白毫取了他的性命，武林就不会是现在的武林。

一人是数十年前唯一一统武林的奇才，慕容莫生。传闻慕容三公子拿到了白少主留下来的武功秘籍，他以此称霸天下却也用此杀了他唯一爱过的女人。爱过，到最后，也不过只是爱过。

一人就是传闻建立了天魔岛的神秘女子。年龄不详、姓名不详，只知道她编写的那一本叫做“无影疏”的秘籍，本是属于白敖禹。

武林中武功最高的三个传说，都是由白敖禹开始。那个谜样的武林第一贵公子，在他之后，武林中再无人可称之为第一。

无缘和他生活在一个时代，一直是柳莫行心中颇为遗憾的事情。但若给他一个选择，他仍会留在赫连皙出生的时代。

因为只有有她在的武林，才有他的爱与喜欢。

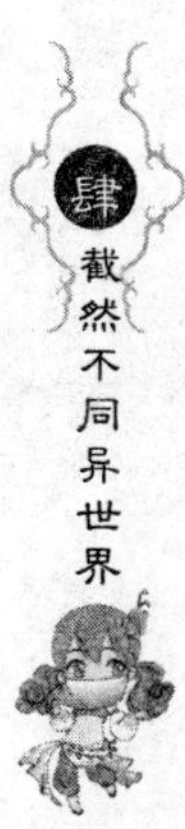

究竟是谁拥有这般惊人的武功先且不论，捉迷藏已进入尾声，此举是为了扰

乱他们拿不到同心戒而杀掉圣女么？

柳莫行沉默的样子，不知不觉，颇有当年慕容三公子的风骨。只是他和赫连皙都没有见过那传说中的男子，无从比较。

清逸出尘的他的确致命的吸引人，可当赫连皙也随他不语却看到缠住自己的藤条上有一根荆棘竟然会生长、且直指他心口的时候，不禁打破了安静。

“莫行哥哥，切忌强行冲开穴道。”

温柔而坚决的叮咛，随后，她以身子能前倾的最大力度，靠向了他。不知道是巧合，还是故意的设计，手臂腰肢不能移动的她，一肩的距离，正好能触摸他心口的跳动。

白皙的脸颊没来由地绯红，些微的抗拒和陌生，这种感觉竟有些像她第一次和萧洛璧见面。他讥诮而凉薄的身姿，她瞬间毫无掩饰的兴致。

柳莫行不是寒子凉，虽温文尔雅文质彬彬却不会煞风景地问出“皙皙你在做什么?”，赫连皙白皙的颈项纤柔唯美，就在他低眉处可见的最近距离——微侧的美丽脸颊，娇艳的红唇胜雪般洁白的牙齿，她在咬他裘皮披风的结扣。

如果换一个场景，换一张床，她要做什么或许就少儿不宜了。然现在是生命攸关，她要解开他披风的扣子只有一个目的——脱他衣服。但，却不是为了鱼水之欢，而是为了减轻衣服间隔阻力，从而用下颚帮他敲开穴道。

这些话都不是从赫连皙嘴里说出来的，柳莫行也没有读心的能力，可他仍能顺理成章地摸清，不是现在只能是此途径，而是他太了解赫连皙了。

还是小孩子的时候，有一次他俩在后院假山处习武，她说出去玩吧，他笑着拉她手说你又偷跑，她反手按住他双手说你看现在你抓不到我了吧，谁知他一个自然的低身，就是以下巴点住了她温暖的香肩，喃喃自语：皙皙，想留住你，我用的可不只是手。

那时候，他看到她稍一晃神，又看到她笑开了一心的颜色，灿烂无边，迷魅了天下所有风情，“莫行哥哥，我好喜欢你啊。”

藤条上为何会有荆棘刺寸寸靠近他尚不得知，点穴之人可是真的想置他于死地，谁人能做到这一步？柳莫行都不再去想，他只是垂下眼帘，感受着赫连皙近在咫尺的温柔。

白茶花香。她永远比任何人惊艳而清香。就在他不离不弃的身边。

米色裘袍落地的瞬间，冰雪之城寒冷的风没有侵袭，原本该觉得有点冷的，他仍是笑容满面，仿佛此刻没有危险。

她纤细的尖下颚去抵他胸口，他一动不动；没有敲开穴道她也没有叹气，而是继续用洁白的牙齿，咬上了他雪白长衫的纽扣。俊秀优美的鼻尖摩擦过胸膛的诱惑，即使隔着布衫仍逼真地传递，他能感到本该因为寒冷战栗的锁骨，已是为了另一种原因而起了瑟缩。

他们这般近在咫尺，许多年不曾改变；他们这般近在咫尺，这仿佛是第一次。

长衫的扣子稍有些难解。她咬了数下，纽扣的边缘似乎划到了唇角。冰天雪地中的割裂，粉嫩的唇畔淌出了血花丽泽，竟有种绚丽的美丽。赫连晢仅只是微微蹙眉，一言不发，再度咬上柳莫行胸前扣身，猛地用力，纽扣从唇齿间脱落。

她呼出一口气，似乎放心。那一瞬间，奶白的芳香，妙不可言。

两个人谁都没有说话，安静地做着这一切。

直到她再度倾身，这一次，下颚还未抵住他胸口，赫连晢的视线已先让一根红绳所吸引。如此眼熟，竟像是……

舌尖与齿间的共同用力，或吻或咬，她终于拉出了那一根红绳下的牵引。

和她猜想的重合，那本该存在记忆中的片段，还是让一块看似平凡无奇的石子所深深地吸引……

一年多前，东瀛海岛。她和寒子凉的大婚因萧洛璧劫持而中断，柳莫行等人均上岛寻她，并为了做一出戏给武林盟主看不得不上演兄弟相残。那时候，她的莫行哥哥也劫持了她。

在只剩他们两个人的时候，他问她：若我才是最坏的人，你当如何？

她回答的声音，很柔，很轻，仿佛说出下面这句话，是生命中最需要温柔的一件事。“莫行哥哥，我想告诉你的是，我相信你。无论你做了什么事，我都不会恨你。若是你要做的事必须用所有人的血来奠基，我也选择你，负遍他们。”因为……“我看了你十多年的时间，而这时间，从未停止。”

那时候，他其实是有过谁也不曾发觉的震撼的。可他都将那震撼，溶在了自己平淡如水温柔似水的目光中，他没有说你既已言至此我将给的也是不变的爱。他只是平摊开手掌，那上面，有两颗恰好结合在一起的石子。

并非心形，并没有一模一样，只是摆在一起就能看懂的相契合。他递给她其中一颗，“送你。”

她接了过去，他对她笑着，不带一丝波澜。有的承诺，必是无怨无悔。

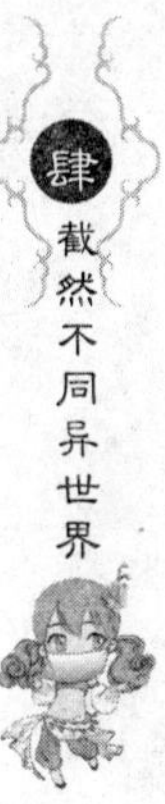

他知道回了中原她就将那枚石子收在了首饰盒里，他却将它戴在了距离心口最近的地方，只为了感受，那永远不会淡忘的感动。

赫连晢本该说的话，止于一声几不可闻的叹息。她轻轻地扬起了脸颊，纤细的身躯，这一刻，清逸而坚持。本该无风的天空，扬起了仿若栀子花随风舞动的曼妙涟漪。

在一片雪莲花溢满的香气之内，固执地弥散。

谁比谁清新，谁比谁娇媚。

都在瞬间的清宁，起起伏伏。偶尔，谁眼波交汇，竟似穿越千年……

"……莫行哥哥，我果然，好喜欢你。"

那一幅唯美的画面，赫连晢扬起的脸庞，有着纯粹到几乎透明的清净。也不顾身后靠近的荆棘将要刺到他，也没有用咬在齿间那石子去挡折断荆棘。这一刻，她的那双瞳眸，忽地凄艳如斯、艳涟如魔，将所有的生死之间爱恨之间全盘接受。

赫连晢忽然就甩开了齿间咬住的红线，那一颗最普通也最具有意义的石子重新擦进了柳莫行怀间。

前倾的身子横向移动，挡住了荆棘刺入的方向。那瞬间就像美人池中舞蹈——玉白的莲足点水间激起的小水花在空中配合月色形成心形的晕圈，窈窕的身形没有规则的纤转，不经意地流落绝色风尘。裘衣散落，一袭月色纱衣，若隐若现地勾勒着赫连晢纤细的柔骨，唇边一抹浅显微笑，魅惑的无声无息。

她此时的满不在乎，倒更像是一种极致到情重的无视。

身子，忽然就腾空而起。

原本困住她的藤条生生断开，拥抱住她纤细肩膀的那双有力臂弯，仿佛在很多年以前，就是这么抱住她的。

不该能动弹的人动了，该刺进她心口的荆棘已远在他俩一臂之外。突然的拥抱，她雪白的鼻尖点擦到他半敞的衣襟边缘，不用再度靠近，已经和那前颈的肌肤相亲。有一种火热，暖了寒冷的天地。

"刚才那么做太危险了。晢晢，你不乖。"

天下有很多奇迹，武林中也有很多神奇，可是要让赫连晢相信柳莫行方才的被点穴是假的，她绝对会摇头；虽然她对现在的他好似全没有不能动那一幕更为觉得不可思议。

“你的穴道解开了？”赫连晳脱口而出的疑问满是疑惑，看柳莫行轻轻放开手对她一个颔首，她马上追问：“什么时候解开的？”

“就刚刚啊。”他耸肩，并没有将敞开的衣襟稍做整理。

是他冲破了穴道？还是没有被点穴？难道真的是石子敲开的穴道？思绪第一次难以立时判断这是个危险还是种暧昧的玩笑，所以赫连晳再度出口的话语，难免有了七分骄纵三分刻薄，“这可真是太巧合了！”

“可说呢。”论及无辜，谁又能企及柳公子？这一刻柳莫行笑容像极了偷到糖吃的孩子，一点也没有翩翩公子的似水而温。

“你……”惹得赫连晳一向伶牙俐齿忽而没了言辞，就让他一把重新拉进了只为她敞开的胸怀。

“晳晳，你解衣服……弄得我好冷。”瞬间温柔凑近的耳语，柳莫行抬起的眉眼，精致中，温润而清凝。

有露水，在微凉的风中飘散着似有似无的芳香，偶有一滴从高高的天空落下，碰触到脸颊，都似水氧的滋润。一滴、一抹，融化开。缓缓的、轻柔的抚慰，倾近，即使不睁开明亮的双眸去看，仍有着明于心的体会和感悟。

呼吸之间，痴缠的暧昧。

赫连晳下意识地抬起头一双美目看向柳莫行，明烁无瑕，仿佛积聚了全天下的风情。莫行公子微笑着，瞬息心情明媚。

“晳晳，你真漂亮。”

那是，温柔得几乎可以融化空气中的气息。温柔的，亘古的，落在她额角的……吻痕。

*

正午，刚好十二个时辰之后，柳莫行和赫连晳神清气爽地到南宫浅影的院落拜访。

迎接他们的，并不是预想中游戏结束的奖品，而是三口没有封盖的棺材。

与正常习俗中的白绫裹身不同，这三口棺材里的死人都把脸孔露在外面。只一眼，柳莫行就能将他们辨认出来——这是今早带晳晳在城中寻觅早餐去处的时候，不巧撞见的守城军。

他们大约是换岗位之后聚在一起吃早茶，都穿着寻常百姓的衣服，言行举止也不像正规军队那样有模有样，让留在包间客座上等待柳莫行回来的赫连晳没有

特别去注意。

等他回来发现，这三个人已经进屋围住她，并且大声宣扬着要上报领赏了。

柳莫行可没有再渡一次河的打算，于是在那三人视线不及的角度靠近，轻轻点了他们的穴道，捆住手脚留在了茶楼包间。料想等茶楼小儿上来收拾的时候发觉，他们俩早已远在他方，再寻不易了。

——没想到再次相见，这几个晨间还活蹦乱跳的生命，竟然已经身死入殓。

南宫浅影仔细地盯着柳莫行和赫连皙脸上的反应，发觉柳莫行轻轻叹气，立刻抓到把柄，“人，你们认得吧。”她的目光转到赫连皙脸上，“他们早上找到了你，可有错?”

“他们的确找到了我。但是，却没有找到莫行哥哥。”赫连皙直视她，不冷不热，“我们中间有一个没有被找到，都该算我们赢吧。说好的戒指呢?”

不想南宫浅影听闻转头就往回走，“我可没有跟玩个游戏就取人性命的恶人有什么交易。这里不欢迎你们，不必再来了。”天魔岛上，杀人并不是什么十恶不赦天理难容的事。但是跟她玩儿捉迷藏游戏的时候靠杀人来投机取巧的获胜，她才不会承认。

这时候说人不是自己杀的，只能被当成诡辩的意思。他们为了躲开追兵，净捡一些无人经过的地方行走，必然找不到证据洗脱。想起方才跟莫行哥哥一起奇异地被缚，感觉到仿佛陷入了团团的阴谋之中。为此赫连皙的表情渐渐笼上一层不悦的色彩。

“人是不是我们杀的，这还不好定论吧？他们被你那一边忽然多出来的那么多玩家一起追赶，走都来不及了，哪有工夫用这么复杂耗时的法子杀人?”萧洛璧原本是吊儿郎当在后头围观的，此刻忽然近前来示意。那三具尸体果然浑身上下不见其他伤痕，只在颈部有一道一指宽的勒痕。若要将一个人单单用手指勒毙，要么需要巨大的力气，要么需要深厚的内力，要不然就需要非常长的时间。而这三点，都是柳莫行和赫连皙现下所不具备的东西。更何况，对面还是三个人。

因为这一段解释也算有条理，自诩并非任性、以理服人的南宫浅影又回过头来，“人死了，自然你们怎么说怎么算。就算人不是你们杀的，谁又能证明他们三个没有找全你们的人呢?”

“所以说，既然分不出胜负，不如我们换个地方赌点别的?”萧洛璧并不爱与无关旁人口舌，能让他开口，自然是为了赫连皙想意愿。而既已开口，就必胜券在握，“我知道这冰雪之城里有道能通往奇异世界的大门，姑娘可愿与我们在那个大家都不熟悉的新鲜地方再决输赢？”

“没赢就是没赢，我为什么还要跟你们纠缠不休？”

“哦？”萧洛璧挑眉，自然就是一副邪魅的挑衅姿态，“你不会是……不敢去吧？”

傲血的南宫浅影最听不得激将，只为这一句，就不假思索地拍了板，“异世界，就这么定了。”

所谓的异世界，是冰雪之城一处奇观。

城民从未有人进入，因为它一直位于城内最深的地方。萧洛璧带赫连皙找同心戒初遇达暗和南宫浅影的时候，曾经看到过那一扇冰门，此刻再来，两个人眼神交汇，谁若有所思，谁笑得浓情惬意。

他们都是很自信的人，从说了进入异世界，一干人便再没有犹豫，三三两两有前有后地步入。无论是寒子凉、或是达暗，都未对先进有利还是后入保险做一个比较，就那么顺其自然地选了顺序，逐个进入。

落西凌、寒子凉、冰凌、南肆、若思、柳莫行、赫连皙、萧洛璧、南宫浅影、达暗。这顺序在初时看来便是一个偏差，前五人均是第一次进入异世界，从冰帘步入并未感到异样。萧洛璧和柳莫行、赫连皙并排走进的一刻，却微蹙了眉，立即伸手去抓赫连皙素白的柔荑就要退出去。偏正好与向里面走的南宫浅影擦身，少女对萧洛璧之前的戏弄尚有余怒，横臂就拦，娇斥出声。

“这么快就要耍赖了么？”

前面的人闻声纷纷回头，只见到达暗似乎也是沉了面色，将手搭在南宫浅影肩上似要劝她什么，但一切都未来得及改变。

因为那晶莹剔透的冰帘，在此刻，忽然折射了耀眼的光芒，一时刺得人几乎睁不开眼；瞬间之后，冰帘闭合，快得让人无从反应。

只那个时间，独留一片寂静的黑暗，笼罩四方。

哑口无言，或是不知道该怎么成言，留给十个人的只有短暂的怔愣。因为片刻之后，他们脚踩的石板地面，忽然塌陷，所有人急速下坠，耳边，只有呼呼的风声……

若隐若现感觉到手臂微微地痒着。若思睁开眼睛，又因为刺眼的光亮而闭上。之后她再慢慢睁开，第一时间就看到了南肆那张近在咫尺的脸。下意识扬起手心，啪的一巴掌，让南肆躲而未及。

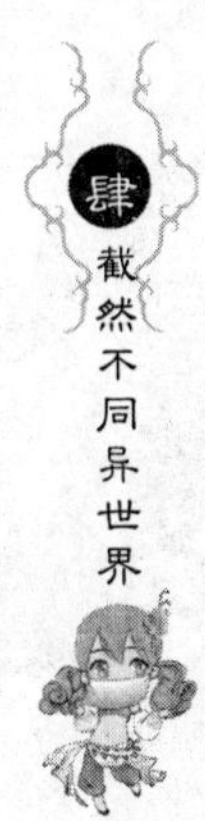

“大小姐，我说看看你伤到没有，你不感恩也就罢了，怎能恩将仇报?”调侃的口吻满是委屈，南肆一直都是这般不曾正经。与他相比，他身后不远处，听到说话声而看过来的寒子凉，则是始终严肃而端正。

“若思姑娘，你醒了？有没有哪里受伤?”

“……我很好。多谢寒公子挂心。”

“简直没天理了。大小姐，最关心你的人可是我啊……喂喂!”

不管南肆还在耳边半是玩笑半是哀怨，若思已经利落地从地上起身，推开南肆想扶自己的手，简单审视过手臂些微擦伤。看来是方才忽然落下的伤痕……但他们这是来到了什么地方?

阴寒的风顺着发际拂过耳梢，凝固了颊面上的表情。一口呼吸，都有白雾结在眼前，仿佛伸一伸手，就可以一同感受冷吹。眼前的景象，那个烽火台般的建筑物，影影绰绰的，不真实又确实地存在。

复古的建筑，或者说因为那种沧桑的感觉，像极了历史的痕迹。有无人烟，现在还无法确定。但是这里的某种气息，深刻地牵扯着心中陌生的悸动。

这是一个村庄。从没有见过，从没有来过。

四下观望，其他的人，俱都在不远处。

落西凌和冰凌相对更靠近达暗他们。冰雪之城毕竟是天魔岛的附属，有天魔岛少岛主在的时候，那种阶级意识会让他们不自觉选择阵营。尽管他们会来到这个地方，其实跟那少岛主任性不肯外借同心戒有着不可分割的关系。

寒子凉一个人站着，距离他最近的便是她和南肆，他的目光仍是越过所有人不自觉看向赫连皙。赫连皙身边有柳莫行和萧洛璧，每当那三个人站在一起，总会产生一种外人不该靠近的生疏感。

若思知道寒子凉对赫连皙有种无法言说的无力感。可是感情的事情，本就不是外人能轻易插手，她想帮他将佳人娶入厅堂，却又深知寒子凉的性格，是正直高洁，他不会愿意勉强赫连皙，更不会愿意用心之外的手段。

寒公子。你最让人放不下的一点，就是你为人太过堂正啊。

“我睡了多久?”想起了什么，若思侧头去问跟在她旁边的南肆。其实她知道南肆这个人除了喜欢开玩笑，是很值得信赖的人，虽然说着只认钱不认人，一年前发生的东瀛混乱还是让人看到了他真诚的一面。也因此，尽管她觉得这一趟冰雪之城之行，南肆似乎有着什么秘密，也本着武林本就是秘密多的地方而留给他私人空间与尊重。

“你和大家都差不多。我醒来的时候，只有那哥仨和达暗醒了。”南肆这人最大的特点就是好自说自话，若思问话后有了短暂的沉默，他闲极无聊便开始了后话补充，“我本一直以为萧洛璧必是技高一筹，谁知道抱着赫连妹子掉下来的是柳公子，两个人一点伤都没受，还真是不可小觑。”

“你怎么知道是柳莫行中途抱住了她？”

“赫连妹子那米白裘袍干净成那样，不可能先掉在过地上。”鞋底抹了抹地下的沙尘，南肆相信自己无须再多解释。

随后，听到落西凌的招呼，他们和寒子凉一起走向柳莫行、达暗在的地方。在陌生的地方，聚合总好过分散。

柳莫行不该和寒公子一样都失去了内力么，为什么能那么快反应抱住赫连皙？如果以他们当时的距离看，萧洛璧也不是迟钝之人，这种英雄救美的举动照理他比柳莫行更擅长？……因为觉得哪里奇怪，若思的思维还在这里打转。转到她觉得自己似乎捕捉到什么的一刻，忽听身边的南肆又对其他人说了句话：“这是……哪里？”

眉角拧起，他的话恰到好处打断了她若隐若现的灵感。真是，这南肆自从进入了冰雪之城也越来越古怪。难道这里真的会让人把控不住自己么？

没有人回答南肆，因为没有人知道这里是什么地方，只知道眼前这个村子，有一种空寂的落寞，像是在招手，等待着他们的进入。

“会不会……有什么问题？”南肆下意识地又看了看若思，因为他发现达暗的目光深刻而纠缠地缩在南宫浅影身上。

他虽与达暗完全不熟悉，但那个被称做“暗大人”的男子，态度始终安静优雅，从容的不含丝毫紊乱。仿佛每件事都在他的掌握之中，仿佛就算发生任何事他都能一肩解决。在这个武林，南肆也见过不少自傲的武林贵公子，他们中间之所以没人能称一个武林第一，皆因为他们都没有百年前武林第一贵公子白敖禹的那种绝代风华。在他们这个年代的人，早就无人见过白敖禹了，但是白敖禹的传说、白敖禹曾经的存在，却是每个人心中的憧憬和禁忌。谁都不能染指，所以他曾有的封号，武林中人再无第二人可以获得。但这个达暗，却又有着一种跟武林其他公子不同的气质，他的言行永远带着一种举足轻重的贵气，让人看不穿，却不会不耐烦。他仿佛比每个人都更接近白敖禹。

在南肆看来，达暗和柳莫行、寒子凉、萧洛璧这三个人都不同。若说后面三

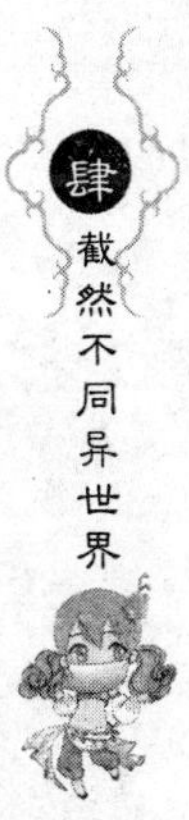

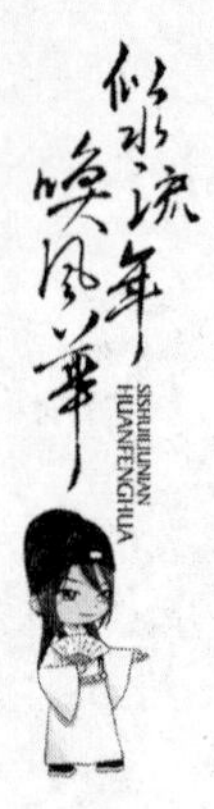

个人多少有着兄弟血缘，虽然性子截然不同，却也总在不经意时偶有一致；达暗的气息和风度，就是格格不入的另一种。

他并没有比其他人更出色，但只有他身上那种从容，高作到近乎矛盾。

这个地方，让达暗忽然有了一种，奇妙的感觉。

发自心底。说不出来为什么，但是，并不喜欢。为了不相关的人事，他很少有喜恶，这一次，却这么鲜明而突兀。

眼角，清凝的瞬间。满是心底百转千回的思索。

他会在初入冰帘的同一时间就察觉异样，一方面因为看到了萧洛璧面上冷然淡定但眼中纷飞的对赫连皙的紧张，另一方面，也因为他似乎是感觉到了一阵风掠过。那阵风太过异样，就像是一个高手从身侧飞过已经用刀抵上了他们的脖颈而他们却毫不自知。

以达暗的武为而言，他并不相信有人能如此神不知鬼不觉地欺近，但他又深信自己那瞬间的感觉绝对真实——才会忽然将手搭上南宫浅影的肩膀。那瞬间，他承认自己是想带她退出异世界的入口。

这可能是他违心的决定，却本能得彻底。可他在冰帘关闭前选择了迟疑，也许是一生一次的迟疑，但货真价实。

是深信自己无论何时都能保护好她，还是其实想带她一起经历一次生死。他不愿妄下定论。看到柳莫行至此还抱着赫连皙的身影，她不挣扎，他便没有松开手放她下来，一抹不同于萧洛璧的讥诮，出现在达暗唇角。

同样是青梅竹马。小影不是赫连皙，他也不是柳莫行。

与其他人不同，萧洛璧其实是来过异世界的。

还在他是孩子的时候，养他长大的师尊便带他走遍了冰雪之城的每一个地方。因此，他和圣女也算是旧识。这一次救圣女的行动，看似落西凌带头，寒子凉正义相助，他没有反对其实已是有心。

他没有把这件事告诉任何人，只在赫连皙偶尔与他眼神擦过的瞬间，从她眼中读出那一分似有所悟。他的小赫连是多么聪明的人，他不必说，她自能懂。

萧洛璧和寒子凉是截然不同的两种人。赫连皙之于他而言，不是情窦初开的不知所措，更多的是一种一眼一心一永恒的选择。他们从遇到的那一刻，他们在遇到之前，很多情感就已经注定了。无论你在不在，无论你在哪里。

说来或许有些不可思议，但情感一事，本就有着很多诸如眉眼心间，心自相许；旧情复燃，此去经年的暧昧和美满。

此刻，萧洛璧的手臂随意地环在上臂，他看着柳莫行抱着赫连皙，看着她在他怀里，其实是为了读取一封书信。很熟悉的场景，仿佛一年前，那来自无影土城傀儡玩偶的邀约；只不过今次，换成了一个请君入瓮的游戏。

参与人，是他们全员。

“就像有的人察觉出来那样，异世界发生了改变。如今，出口已经关闭，各位若想离开这里，须接受一个测试。现在，各位中间有一个人不是原本的人，各位的任务是找出来谁是那个假冒的人。测试开始在进入村庄的一刻。但进入村庄前，请留下一个人。村庄里面共有五个关卡，每一个关卡也需要留下一个人才能继续前进。直到你们走出了五关并找对了冒牌货，异世界的大门才会再度开启。既为测试，就不会轻松的无限制加大时间额度，各位只有十个时辰可以做出选择。否则，被掉包的那个人将永远不会再回来。同样的，每一关卡被错误留下的人，也会在一个又一个时辰后成为牺牲者。

现在，时钟已经开始走动。请选择，谁是留在村庄外的那个人。”

书信上并未落款来自何人。

他们也没有人怀疑达暗，并非因他对南宫浅影无言中加重了呵护，而是像他这般高傲的男子，如果是他，便是他，他没有必要也懒得玩弄如此手法。有的人无须用语言逞强，已在众人心间高洁。

只是不怀疑达暗之间，和心情为这书信之间低沉并不冲突。如果是达暗，纵不熟悉，以他的为人也不会真的出此狠毒的策略；能够以此相威胁，还威胁得让人无法反驳的人，究竟是谁？

很奇异地。这书信内容看起来就是一个夸大的笑话，却没有一个人怀疑其真实性。他们从看到书信内容的第一刻，就似乎相信了，现在他们之中有一个人是冒牌货。而他们，并不知晓其身份。

武林中究竟有多少人可以被称之为高手，或许不少；武林中真正的高手却绝不在多，在这里的人恰巧有一半都能进入少数，却仍是被人钻了空子。他们没有留心？还是纵使他们十分警惕，也不能阻止那个冒牌货的加入？

是不是这就意味着，那个人，远胜于他们？

任何猜测在答案出来前都只是设想。只是如今，他们没有时间慢慢推测，只能未语。原本的营救圣女，原本的异世界比赛，暂时搁浅。在或许心各有所想的

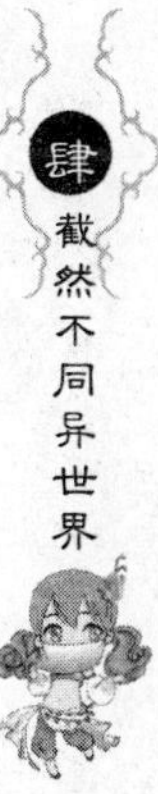

一刻，全员接受了这猜不透何意的测试。

隐在暗处的那个人，究竟是谁，在这一刻，所有人都想深究，却只能暗自揣测。

吹自远方的空气都略显阴寒。打在脸颊虽不似刀割，却有一种，难言难语的针刺感。

南宫浅影一个瑟缩，紧紧了眉。到底是十五岁的少女，纵然是天下人皆惧的天魔岛少岛主，不曾深入过莫测武林，这一测试书信，还是让她隐隐产生了不舒服的感觉。

忽然，粉红色的香肩衣襟上，覆盖了一个人温暖的手掌。南宫浅影侧目而望，看到了达暗那张清逸高洁的脸庞，近在咫尺。他们似乎一直是忽远忽近的状态，她每次转身，都能在最近的地方看到他，可是她不知道为什么，自己却觉得他总在好远的地方。

也许是年纪尚小猜不透他的心思让她觉得隐隐抗拒，也许是他们太过熟悉，他给她的所有她都理所当然地享受，以至于，不再去猜。

寂寞的月色下，是谁的眸光，如同明月?

听到达暗对自己说："小影，你跟着我。"他清凉如水的认真，在这一刻，简单到无以复加的执著。

南宫浅影在片刻的犹豫后，对他点了下头。

她没有怀疑过达暗会是冒牌货，但她不确定自己是否怀疑了……他根本已经知道幕后之人是谁。

忽然，就觉得……有一点点……无言的萧索。

青梅竹马之间，究竟是该保持心有灵犀到你不语我便懂你语我便动的默契，还是该总有一个瞬间你回眸才发现身边的我有你所不明白的咫尺之隔?

目前，年纪尚轻的南宫浅影无法决定。

赫连皙，其实也在一笑间，不能确定。

与柳莫行、萧洛璧一起步入冰帘的瞬间，赫连皙其实就有了种异样的感觉。她不知道有这种感觉的除了她是否还有别人，但那种明确的注视，不知道来自何方，却真实到无法形容。

那种凝视，不是简单的爱慕或仇恨，而是一丝丝挑剔的品读。似乎，在品读一个模块，有没有资格合在拼图之中。

赫连皙也不知道自己怎么会有这种奇怪的感觉，她甚至在冰帘关闭前用眼角余光扫过每一处可能藏人的空隙——什么也没有。

除了她之外，又没有其他人感觉到。难道这是错觉？

不，绝对不会。

因为真实感太过生动，她才会到此刻都依偎在柳莫行怀间，脚下虚空的无力，无法保持平衡。她不语，她的莫行哥哥却比谁都了解。

也许，同样了解的还有一个萧洛璧。可是本该了解的他，却任唇角挂着无可名状的邪魅笑容，转过了身。

他本该说：小赫连，我的怀抱，可是更舒服哦。

他没有说：小赫连，你真调皮，但是我偏喜欢。

他只是在她静默于柳莫行怀抱时，若无其事地背转了身子。萧洛璧说："做选择吧。萧某，是绝对不会当那个留下来的人的。"

那是种不属于他的邪气魅惑。

那是种，比萧洛璧所拥有的轻描淡写的疏离感更清淡的波澜不骤。这一刻，萧洛璧是真是假，萧洛璧想了什么，恐怕只有他本人清楚。

若思注意到萧洛璧说完话后，寒子凉和南肆的表情都有了微妙的改变。寒子凉那种明显是为了测试的狠毒而不满，再加上担心冒牌的人是否赫连皙却又不知道该如何询问证实的纠结，混合在一起，有种深藏激烈的矛盾，犹如深海中滚滚波涛汹涌。这样的他很真实，若思相信自己能确定寒公子并非假冒。

而南肆，则多少让她觉得有点可疑。若在平常，南肆对这种游戏也好、测试也好，大都抱持着看戏的态度，没有什么会让他觉得担忧。她跟他也算认识不短的时间了，南肆这人，喜欢金钱喜欢姑娘喜欢生命，都比不上他喜欢刺激。这般玩笑，按理该正中他下怀，却为何一闪而过那种紧张的情绪。是紧张测试的危险？还是紧张……自己的伪装被发现？

在目前阶段，若思先选择了沉默。她没有将自己的疑惑直接问出来，一方面她跟南肆多少算有私交，另一方面就是她还隐约记得，南肆从来到冰雪之国就隐瞒了什么心事。这二者会不会有何关联？

因此，听到萧洛璧直言的他会参加测试，若思也用清冷但坚定的声音说出了："我们也不会留下来。"

这个我们，究竟是包含她和寒子凉，还是包含他们三个，她没有点破。

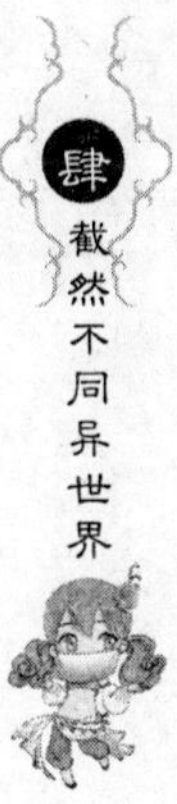

只在南肆侧头似笑非笑看她时，给了他一个冷淡的无视。

“啧啧，大小姐啊……”

“西凌哥哥，我们该怎么办?”众人中只有冰凌一个人是孩子，他用一双眼扫过在场众人，扯着落西凌衣袖，隐约不安。

落西凌的视线同样扫过众人。在这个时候，最为难的那个人其实是他。分不清眼前的人何为真何为假，他是冰雪之国的人却偏不能带大家走出异世界迷宫，但若真的要靠武力留下一个人质做出决定的人也并非他……

落西凌唇角，隐隐挂起了自嘲的笑。

纵然他知道寒子凉、萧洛璧、柳莫行三人自进入冰雪之城便已没有了内力，真要以一敌三，那个叫若思的姑娘也未必不会插手。达暗和南宫浅影的身份，注定了他无法与之动手。再说若真的对付寒子凉，冰凌也会难过……呵呵。

苦笑，轻轻一抹。落西凌在大家都想不到的时候，说出了下面的决定。

“请求诸位帮忙的是落某，那么，就由我留在这村庄外面吧。”

4.2 真假伙伴

月色的银白，闪耀着炫目的光芒。在这个满是镜子的房间中，不需要灯光，已经照亮了一片天地。这样的亮，是一种显眼。同样也是一种，模糊不清。

因为太闪亮，反而，模糊了视力的焦点。让人看不清楚，那样一张温柔的笑脸上，有几分存在的真实?

落西凌留在了村庄外面。虽然冰凌折腾与抗议，但是萧洛璧走进了村庄，达暗和南宫浅影走进了村庄，就连柳莫行也抱着赫连皙走入了村庄，若思等了等迟疑的寒子凉，知道唯有这个堂正的男人无论是否朋友皆无法轻易割舍同行之人，但时间的限制以及必须保护赫连皙的意志，让他也在点了冰凌睡穴后和南肆走进了村庄……

入村庄前，寒子凉和落西凌有过对视。虽然并不喜欢落西凌，但生来的正直与正义，让他义无反顾地点头替落西凌照顾冰凌。君子一诺，必守信义。

如今走进村庄的九人，来到了一处镜屋。

“这里有点像地下堡啊。”

大略看过镜屋的环境，南宫浅影白皙的脸颊浮现出丝丝缕缕的好奇。传闻天魔岛是极恶之人所聚集之所，那里拥有太多的机关暗道，这种镜屋场景对少岛主的南宫浅影而言毫不稀奇，她觉得有趣的反倒是这里就像在模仿天魔岛。不过既然冰雪之城是天魔岛附属城池，会有相似的机关也并不稀奇。

想到这里，南宫浅影微微走离达暗身旁，她能感到身后的他似有目光追来，但对镜屋的熟悉感还是让她放松了警惕。

但当那一双白皙柔软的纤手去碰触镜子表面时，一股强大的吸力却以迅雷不及掩耳之势将她扯进了镜子空间。

所有的一切，瞬间而已。

这个瞬间快得竟连达暗几乎同一时间闪身上前的拉扯都没有奏效，只认那强力的握拳擦痛了镜面。镜面无感，痛的，便是人。

“这是……”包括若思在内，所有人都不由轻了呼吸。这群在武林中也是见多识广的年轻人，这群无论哪一个单站出去都是武林不可多得人才的年轻人，面对镜屋刚刚发生的瞬间，只剩沉默。

或许沉默不只代表无可奈何。

沉默，有时候也是一种深沉的酝酿。

相比起萧洛璧唇角若有若无勾勒的讥诮，赫连皙没有在抱着他的柳莫行身上体会到丝毫变化。柳公子对人对事一向温文而善意，在武林中更是翩翩君子，或许他不该对这一幕无动于衷。但赫连皙却比任何人都清楚，她的莫行哥哥，在她也在同一部局中时，眼里便只有她一个人的安危。

有的执著，看似微妙，他人或许猜忌，唯个中人知晓。

于是，赫连皙柔软的身子轻轻动了动，果然看到柳莫行马上垂眼向她示意：皙皙，有什么不适么?

所谓心有灵犀便是这样了。很多话根本无须说出口，一个眼神，一分笑容，早已是眉眼心间，默契恣意。

“这么多年没有像个孩子一样在莫行哥哥怀里撒娇了，不由就想找个更舒服

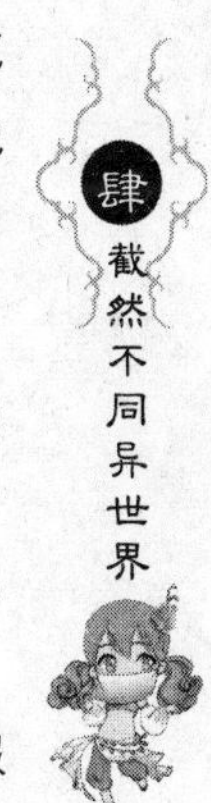

的姿势。”

闻言，他笑了。笑得丝丝缕缕地轻柔，笑得丝丝缕缕地悠然。

“无妨。皙皙喜欢的话，我可以这样抱你一辈子。”不愠不火、不紧不慢，明明知道这是她玩笑的试探，他仍不介意以平和的态度包容收揽她一切的随意。或许他是有高不可攀的手段，落实在她身上的片刻，都会化成清绵的涟漪。柳莫行的水波不惊，是与他对自己从不刻意强调但绝对的自信分不开的。

一辈子，究竟有多长？那一刻赫连皙从柳莫行的眼中，读出了温柔的水波缱绻。

“我说……现在可不是调情的时候吧？”南肆并非第一个看不下去那种温柔的暧昧的人，而是当若思发现寒子凉注视赫连皙的视线中出现伤痛时，不着痕迹地掐了南肆一下——于是不论如何都还算受雇于人的南大官人，只得皮笑肉不笑地开口。

扫兴什么的都不算……其实他还是挺喜欢看春宫图的，尽管，这话有点扯远了。

只是，所有人都认为该对柳莫行一路抱着赫连皙最看不过眼的萧洛璧，却不曾有分毫不悦，别说捣乱或交换，连理会都没有。

这太不像萧洛璧的作风了！莫非……若思默默地扬起眉梢，不发一语地审视着那个自从来到冰雪之国，就换上墨蓝色皮裘的男子。

与黑与白交错的矛盾不同，那种极致的冰与火、极致的邪气与无邪，并不因为那墨色的蓝而有所改变——或许唯一不同的，只有踏上冰雪之国后，他所展露的微醺。

明明没有喝酒……难道！因为想到了什么，若思不由瞪大了美目，一双手悄然握紧自己翠绿色的袖边。

难道早从进入冰雪之城的时候，萧洛璧就不再是以前的萧洛璧了？所以他才会故意欺骗南宫浅影而引得她不肯外借同心戒，所以他才会主动提出进入异世界再做比试……本来她就觉得那短短的瞬间，有人想要掉包替换不太可能，如今想来最可靠的想法就是萧洛璧从最开始就已是冒牌货。只是，这样一来……真的萧洛璧又在哪里呢？

而且，也得想办法通知其他人这件事……

“选择吧，谁是那个留下来的人质。但这一次，请让我欣赏一场武斗的较量。

当一切尘埃落定，自会归还那美丽的少女。”始终沉默的萧洛璧，在此刻开口。语气中的玩味与调笑，充满了浓浓的讥诮与无辜。

“你在说什么？”若思从小便是被当成楼兰水国宫主养大，不论楼兰水国是否已经在数年前灭绝，她的冷和骄傲都不会改变。不是萧洛璧的对手，并不影响她不习惯对寒公子之外的人温柔。

“这里有张卡片。”他似笑非笑，扬了扬手中一片雪白。没有比他更早看到这卡片来自哪里，若思就有理由让自己确信这卡片从开始就在萧洛璧袖口。

“哈？这可是让我们内斗？”南肆啧啧了两声，看了看若思和萧洛璧，又看了看寒子凉与冰凌。如果说第一关落西凌自愿退出是因为起因在他，那么这一关退出的就该是那个装无辜的小冰凌了吧？明明在他面前一副小大人的样子，此刻又跟个受惊的小兔子似的缩在寒子凉身边……啧，真不是个省油的灯。

“最好不要中了他人计谋。”尽管明知这话无用，寒子凉还是要说。他的堂正与正人君子最不能允许的就是这种逼迫式的内斗。可是他同样知道面对此种情况自己的无能为力，所以他的话语其实多么无力。

“如果非要留下一个人，寒某……”

“寒公子，此事非同小可，你答应过照顾冰凌，便要守信。”听若思如此偏袒寒子凉的出口阻止，南肆不禁暗暗摇头。桃花运这种东西，还真是眷顾面瘫呢……

“但是……”

“寒公子，即使你主动请缨，不符合武斗较量，南宫姑娘也未必出得来。该怎么做，让暗公子选便好了。”赫连皙的声音，甜得悠扬婉转。

听到了，寒子凉只是沉默着接受。那高傲的瞳孔，倒映着谁似水流年的美丽。

这时。没有任何废话，达暗忽然欺近南肆，然后只轻抬了下左手，在少有人知道发生了什么事的情况下，南肆居然跌到了镜子边缘。

“怎么回事？”若思不由感到手心出汗，她甚至都没看清这男子做了什么……怎么可能！

只有少数人和倒在地上的南肆心里清楚，刚才那达暗抬手的瞬间，仅是衣袖带动的风气，就像一道重拳打中了南肆前胸的穴道，让他不能抵抗的跌倒。

以赫连皙和冰凌目前的武为，尚不在少数人之列。看出端倪的几个男人当中，南肆的表情最为生动。

达暗比他虚小个两、三岁，武功竟像已入化境。南肆内心稍做衡量，莫说自己不是他的对手，若那三个人内力不受限制，真要动手，谁胜谁负都还难以定论。武林真是不缺高手……

其实南肆很清楚，若非萧洛璧手中扬起的卡片上要求欣赏武斗，达暗这人选择的定是等待别人自动退出绝非会亲自出手。像他那般清傲卓绝的人，从不把别人看成对手，自是不愿与人平起平坐。

现在他摆明了要留下他去换南宫浅影，既然怎么都会被他强行留下……南肆故意摆出一副可怜兮兮的样子去看若思，“大小姐，今后的关口得靠寒公子保护你了，虽然我是不愿意，但是还是给寒公子一次一亲芳泽的机会啦。”

说话的时候，南肆的目光与寒子凉擦过，就像落西凌留在村外时的那种视线，欲语还休，总有些话，得靠心去猜……

*

南宫浅影平安无事地在镜子反面等着镜屋中其他人陆续进入，关闭的镜面只留下南肆扬着手笑看他们一个个在镜子的另一面世界汇合。

寒子凉发现达暗自靠近南宫浅影便露出了一种心悦的轻松。他不曾言语，也不曾表示，关心或贴心的话一句没说，却是真切的安宁。或许其他人都没有注意，寒子凉却能真实地感受到那一分与自己相似的温暖心境。

进入异世界，虽是名为比试，本意仍是为了救人，尽管此刻因为外力的介入，让这一趟变成了一场测试。但谁又能说，测试他们的人真的怀有恶意？

初时，寒子凉或许是觉得人质一说太为恶毒，刚才第一关镜屋的内斗也是他所不喜，但进入镜子的反面空间后，他却比一般人先产生了一种平和的心情。

明明还在他人的掌中旋转，明明还不知道谁是那个冒牌的人——或许本就没有？

寒子凉只是看到了一双他所熟悉的瞳眸——曾经多少次百转千回，曾经多少次午夜梦回，曾经多少次近在咫尺却似远如天边，他始终爱不释手的那一分美丽——赫连皙从柳莫行怀里探出了头，那一双几近透明的琥珀色瞳孔，看向他，似水温柔。

这一刻，海角天涯，人间天上。

“暗，你觉得那人是冒牌货么？”起初被镜屋吸入的南宫浅影没有受到一丝伤害，少女弹了弹桃粉色裙衫上的冰片，用着甜美娇艳的声音肆无忌惮地和身边的男子交谈。

她根本不在乎他们的话有谁听到，天魔岛少岛主从小的养尊处优让她习以为常每个人都围着她转，让她习惯一切都会因为谁化险为夷。

“谁是都不要紧。”达暗的声音清冷亦淡薄，与寒子凉的冷淡冷凝不同，与萧洛璧的清邪冷幽不同，与柳莫行的清凉温润亦不同。他冷冷的声音，带着一种万年冰晶中孕育而出的疏离，他说出的话，意思简单而无情。

南肆是不是冒牌货并不重要。他们是留下了冒牌货还是将自己人留下了也不重要。重要的是，他在那个时候只考虑来到她身边。让她等一分，他亦不愿。

寒子凉是这么理解达暗的意思的。

但看萧洛璧眉宇间隐约的讥诮，他的理解，应该是另外一种。若思一直在注意萧洛璧的表情，从她看到他玩味地勾勒起唇角整个人绽放出一种言之不出的冷艳之感时，她就更加肯定自己最早的判断。

——萧洛璧或许就是那个冒牌货?

虽然她不认为萧洛璧会那么轻易让人困住、甚至调包，萧洛璧这个人最为神出鬼没，究竟有谁能了解他，可能一个也没有。若不是赫连皙是他相中的人，若思甚至觉得，萧洛璧那种轻描淡写的悠闲，根本懒得步入中原。

萧洛璧那个人身上有一股远超常人的淡薄气质，甚至比让人觉得他可能无欲无求的柳莫行更为清淡。萧洛璧这个人，喜欢什么，在意什么，若不是他刻意表现出来，任何人都无法看透，更有甚往往他表现的那种激烈，都让人摸不透其中真有几分、伪又有几分。

似乎除了他对赫连皙的感情，一切都是镜中花、水中月，没有人能深入探索。然而到了这个时候……若思却忽然有了一种连她都觉得不可思议的感觉——萧洛璧真的喜欢赫连皙么?

他在东瀛那种“小赫连，你不要的我便不要”“小赫连，唯有卿心，我生死不弃”，真的是真实的而不是幻觉或虚妄么？也许萧洛璧从最开始就在演戏，演一出谁都分辨不出真伪的戏码。只为了一个不可告人的秘密……

自己究竟为何会有这种近似荒唐的想法，若思也不知道。她只知道，她认为此刻的萧洛璧是他人假扮的。若然不是，这个异世界的测试就是萧洛璧一手策划。

“子凉哥哥，你看这个怎么会在我的袖子里的?”

一个软软弱弱的声音吸引了大家包括若思的注意力。这次是一直躲在寒子凉身边的冰凌，从皮裘大袖间拿出一张书信。又是在没有人看到的时候送到他们其

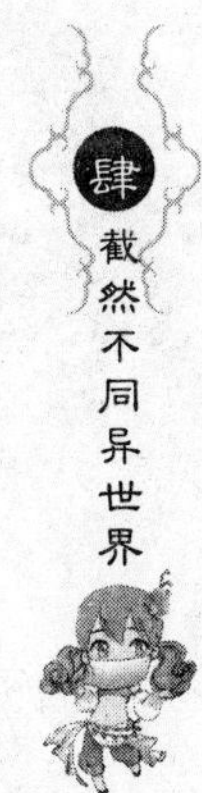

中一人手上，又是在有什么线索即将呼之欲出的时候。

无论这测试谁是幕后主使，他的心智，都远胜于在座的每一个人。

武林中竟然是有这样危险的人物的？几乎在同一时间，若思脑海中又跳出了一个新的疑点：赫连皙未免太过老实了。

如果冒牌替换的不限男人，那么其实是否萧洛璧的不闻不问正是知道佳人非也后的正常无视？

……也不对。若真如此，与赫连皙青梅竹马的柳莫行才应该是第一个发现的人。武林中人皆知柳莫行温文尔雅与人为善，但那样的柳莫行，毕竟是曾在一年前靠绝对完美的演技从而将武侯阴谋粉碎的人。这样的他，绝不单纯。

很多人都不能单单的看他是否凶恶是否温文来判断正邪，这是武林，什么样的人都有可能出人意料。就像是百年来武林唯一的王者慕容莫生，众所周知慕容三公子一向淡泊名利与世无争，谁又能想到最后正是他翻手为云覆手为雨将武林牢牢地握在了手中？他做到了数百年无人做到的真正的天下第一。甚至，不惜杀了传言中最爱的女人。

武林中有两段不灭的传说，分别是围绕两个男人而起。白敖禹与慕容莫生。由于太过震慑太过传奇，很多人包括若思都对此耳熟能详太过清楚。

她也不知道自己怎么就忽然想起了拿柳莫行、萧洛璧和白敖禹、慕容莫生对比。也许是身在生死未卜的异世界，也许是迷雾中的重重矛盾，让她的思维产生了一点混乱吧……

“若思姑娘，你没事吧？”低沉的问候，声音虽然清冷冷淡，却只有寒子凉发现了若思的走神。他有些担心，故而将书信交给柳莫行审读。那微抬起的手曾想搭放若思肩膀给予安抚，但考虑到男女有别，终是作罢。

一年前的诸多际遇与事情，一年前的杀戮与真相，让他和若思有别于男女之情产生了亲近与在意的互助，尽管两个人都没有说什么，却任那种近乎兄妹与挚友间的情绪顺其自然。寒子凉自是不会将若思与赫连皙做对比，就像萧洛璧所言那样，天下只有一个赫连皙，任何人都不是她也不能和她比较；但寒子凉其实同样也将若思看成是独一无二的友人。于别人或许那是暧昧不清，但在寒子凉身上，有的感情就是那么清透干净。他问心无愧，所以无须掩饰。

“没有。寒公子挂心了。我们还是看看那幕后人又有了什么新的玩法吧。”轻抬眼帘，又慢慢垂下，若思对寒子凉言辞清和，笑意温和。现在有些事还只是她的猜测，先不让寒公子担忧了……

*

一行人按着书信上的文字指示，沿着一条四面是镜子的窄道，很快走到了反镜屋中心。虽在室内，广泛的空旷感仍浓浓袭来。

抬头上望，竟高不见顶，只有刺眼的白光一时晃得人睁不开眼。反镜屋的中心空间，竟然皆是由千年寒冰组成，冷到令人窒息的寒气刹那间包围住众人。在这可以称做冰屋的空间，不见出口，可见的只有寒冰堆砌的墙面上，那黑与白交错的硕大棋子。

整个中心房间就像是一个棋盘，棋盘中有着数目不规则的黑子与白子。就像书信中指示的那样：黑与白将进行激烈的对战，只有胜利的一方能继续前进。

虽然这个时候寒子凉很想问一句评判胜利的标准是什么，也因为不会有人回答而作罢。他就那样看着黑子与白子，五颗白子三颗黑子，若说要按黑与白分成两个阵营，黑子的阵营难免会处于少数人的劣势。

这是，要他们强行的分开阵营么？

寒子凉内心掠过浓浓的叹息。先不论他有多么不喜欢这样的争斗，即使他们和达暗本无关系可以分成两边，那么谁是舍弃给那边的第三人呢？

他不可能会把赫连皙分出去，莫行与萧洛璧自是会在这边，若思姑娘也是一直以来的朋友，那么，舍弃的人难道要是还是孩子的冰凌？

要他把冰凌舍弃掉，寒子凉做不到。他早有无声的承诺给自愿留在村外的落西凌，他会保护冰凌。所以，纵然是舍弃掉自己，他也不能将冰凌置于对立。

似乎是看出了寒子凉的决定，有个人更快地比他做出了决定。

当若思说出“我一向喜欢黑色，我选黑子”的时候，寒子凉纵然是立即出言阻止，也不及达暗已经携着南宫浅影站在了黑子那一面的速度快。

黑与白的人选，就这样定了。

黑与白的较量，也开始迅速并沉默。

随着柳莫行温柔耳语过“皙皙，能站得稳么？”那少女似是点头一个倾身立于白子之上，其他站上白子的人——尤以柳莫行与萧洛璧二人，移动脚下白子将赫连皙护在了四十五度角的身后。

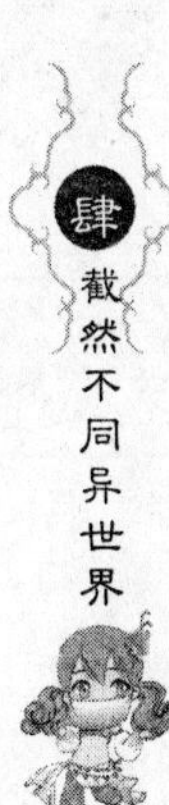

棋子的移动需要调整全身力气均衡控制，人身横着半立于空中需要轻功与耐力。站在白子上的寒子凉不禁暗谢往日的武修能让这一切并不需要内力支持，不然若以他三人此刻内力皆无的状态，别说与达暗一战，恐怕都要换赫连皙和冰凌来保护他们。

白子多数，黑子少数，看似以多战少的有利，但三个人没有内力，一个人脚

踝受伤，一个人只是孩子，又有谁能说这不是巧妙算计下的势均力敌？

如果，现在留下的人不是若思而是落西凌，胜负可能在一瞬间就分晓了。

白子前三，黑子进五，亦步亦趋地紧逼，达暗的存在，冷然高作，完全没有让南宫浅影费任何力气的意思，也完全没有将若思当成阻碍的防备。

黑子周旋，以一敌四，完全不落下风。

真正聪明的人是不会固守所谓的公平竞争，以己之长对敌之短是兵家不败法则，如达暗这般习惯胜利并位居高位之人，自是深知这个道理。所以他既没有为己方人数少而抱怨，也没有因为寒子凉等人没有内力而手下留情。他手起手落，干脆利落，每一招式的迫力，都似风刃，满是杀伤。

高手过招，胜负往往一夕之间。

按理说，就算寒子凉、柳莫行、萧洛璧都是武林中少有的高手，就算他们三人曾在一年前默契联手胜过当时武林中武功最为高强的怪物，但现在他们毫无内力，自是不能同日而语。更何况达暗的内力乾坤泰达，虽不及当年的师尊，在此刻亦应所向披靡，可以轻易制服包括此刻站在黑子上却偏帮白子的若思在内所有人。

偏偏，这一幕理所当然的场景没有出现。

没有出现的原因不是达暗一时心软了收手，也不是考虑到若思毕竟站在黑子上得顾及她的安危——而是须臾之间，从柳莫行和萧洛璧的方向传来另一股深不可测的内力，仿佛无懈可击的铜墙铁壁，阻挡了一切胜负之间的必然而然。

达暗青墨色的瞳孔，不由裂开了一丝从未有过的惊讶。

其实，早从进入异世界的一刻，达暗就在想这是否会是天魔岛主的一场测试？天魔岛给继承人安排的历练多而严格，但岛主对南宫浅影的疼爱定会确保她的安危。他抱着这样的想法，始终以戏内人兼局外人的身份参与其中。

虽然还未看透岛主何以将寒子凉等外人卷入其中，达暗仍没有过多分心猜测这里是否另有玄机。一方面他深知寒子凉三人是真的无法使用内力，武林中能与他匹敌的人本就少之又少，最主要的是他有绝对的自信无论在哪里都可以确保小影的安全。

但现在，这种确定，却不由自主地蜿蜒了几许……

来自移动中白子的内力博大而深厚，绵延不绝，仿佛要吸陷每个人，却又恰到好处保护每个人。

它毫无恶意，却亦并非善意。

只是牵动着每个人的步伐，开始不由自主，变成跟紧足下黑白棋子游移漫步——在这个本该聚精会神本该揣测试探的关键时刻，陷入其中并且显然因为独自拥有内力而在此刻武功最高的人——达暗，却忽然就分心了。

没有人说了什么。

只是那一抹白茶香气擦身而过，因腾空而起的米白色裙袍越发显得飘飘欲仙的赫连哲，已经携着白子与始终饶有兴致看戏的南宫浅影近在咫尺。

两人相比，赫连哲长南宫浅影四岁。对达暗而言，这四岁就是决定一切的因素。况且赫连哲经历过一年前的武侯风云，她远比南宫浅影拥有更多的经验与见识。或许天魔岛是比若水山庄拥有更可怕的力量，但此刻，少庄主与少岛主的一对一，无疑是赫连哲更有优势。

“好狡猾，你这是偷袭么！”

“你说是，便是吧。”

虽然南宫浅影下意识牵动步伐连带黑子移开了一丈之距，赫连哲那轻功亦是连南肆都赞不绝口的最为擅长，自是瞬息之间再度拉近了二人距离。

“偶尔，也得由我来保护一下他们三人，不是么？”

赫连哲轻笑嫣然，无声无息地到来，凌然曼妙地出手。她一句若无其事的呢喃，无懈可击的态度，听在谁们心中，霎时溢满温柔的玉质纤纤。

南宫浅影作为天魔岛少岛主，武功并不算低。只是她和赫连哲一样，从小生在保护中，温暖的环境，让她的武功多了一种肆意，少了一种杀气。

赫连哲执掌间虽同样无杀意，但她目的明确，因此下手快而准确，顷刻间，便逼得南宫浅影退无可退。或许一时间取南宫浅影性命绝无可能，或许长时间缠斗下去她二人武功上并无太大差距，但南宫浅影与真正的武林接触时间尚短，而赫连哲要的不过是达暗的稍有分神。这一次的胜负其实简单得很，让那个最强的强者分心便赢了。

正因为此刻寒子凉等人皆无内力，达暗比每个人都占据优势，同样的他分心时，也会扩大战局的倾斜。

一眼，便是决定。

“小影！”男人清华冷傲的声音，听不出情绪的呼唤——当达暗看到赫连哲自裘袍中扯出一记匕首，森寒的光亮刺透了眼角的关怀，他抽身飞离了黑子，便等

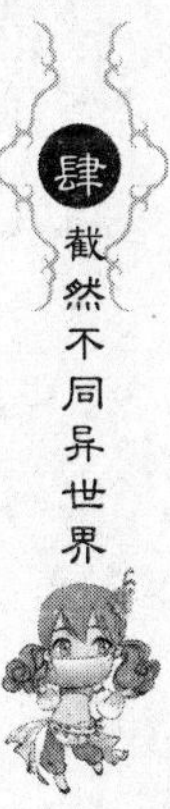

于脱离了战局。一袭黑色身影抱起那桃粉纤影，自墙壁几步游走。

游走之间，所有处于相反色泽棋子的人——寒子凉、柳莫行、萧洛璧、冰凌甚至距离他们最近的赫连皙，都随着脚踩的棋子迅速隐入冰中。

就像不曾存在一般，剩下达暗、南宫浅影和若思三人在冰屋寂静。

“发生了什么事情？难道是他们去了下一关？”即使立即四下寻人，也不见消失的人之踪迹。南宫浅影微微撅起了粉嫩的唇瓣，“暗，你就算不过来我也不会输给她啦。”

初来她或许为赫连皙的进攻而惊慌了一瞬，但很快便从那毫无戾气的招式中感觉到赫连皙别有用意，她本想再几番下来便转守为攻，谁曾想达暗竟会自动放弃。

她不知道他是否不相信她，或许这是种保护，但保护得太过，便成了距离。

达暗没有跟南宫浅影解释。

不知道是不想，还是觉得事已做到话不必多。其实他担心的并非赫连皙，那女子冰雪聪明甚至是狡黠，他在冰雪之城初见便有感觉。甚少分心给他人，他本并未在意过她在这个游戏中的角色，直到她逼近了小影——赫连皙的举动表现在明，真正让达暗忽然间分心了的，其实是须臾而起的杀意。

那杀意来自身后，当赫连皙怀间匕首闪烁，不知是柳莫行还是萧洛璧的方向，传来一阵令人窒息的冰冷。

即使是很少为了什么而紧张的达暗，在那一刻，他有种感觉，如果他不马上离开黑子，他将再也见不到南宫浅影。

这威胁自非来自赫连皙，他也不愿将真正的危险告诉南宫浅影。因此在这个时候，达暗选择了沉默。

与达暗同样沉默的若思，则是轻轻松了一口气。无论如何，她是护着寒公子去了下一关。只是，这是对还是错，是危险还是安全，她现在全无从猜测……

4.3 君念非念

与留下来的人不同，离开了冰屋的五个人，又再度置身一片新的空旷。除却身后冰壁，前方是一望无际的银白。

冰雪之城中的异世界，仍是漫天飞雪，如柳絮鹅毛。

常年生活在塞北的人想是没见过春柳拂面，从中原而来的人则很快让这一场纷飞的银白素裹于身。

赫连皙已经将匕首收回了袖里，平静得好像本就不曾拿出来过。她并未再提刚才的行动与对话，她只是在寒子凉望过来的时候，微微偏了偏头。

“寒公子有话说?”

“赫连姑娘，刚刚的事……”寒子凉压下了本已到了嘴边那句话，他忽然有点不知道自己想说的是以后要小心，还是根本不该做。无疑，赫连皙那举动将僵持的武斗画上了句号，也无疑，她其实是为了保护失去内力的他们，可他就是一句赞扬的话都说不出来。

寒子凉不是不感动赫连皙的保护，只是他的感动比所有人都要沉重。正人君子，端正矜持，他所希望的是堂堂正正的胜利，他所希望的是不必赔上朋友的两全。赫连皙偷袭南宫浅影的举动，让白子获胜，但留下了保护他们的若思。异世界布满了阴谋，留下的人质不知道会面对什么困境，若若思真的遇到什么危险，他的心定会因此满受折磨。

可是寒子凉并未将这些话说出口。他和赫连皙之间，好像从很早很早以前，早到他们第一次相识，他第一眼将她放进心中，就有很多话不能轻易说出口。

无论是相请，或是爱。

“刚刚的事，怎么了呢?”

“……没有什么。”寒子凉的声音沉默已极，布满了因谁而起的无奈。他知道她一定明白他的意思，他知道她其实比谁都了解他的矛盾，他也知道她那么做，真的是为了能有个最快速的解决办法。他都知道，只是，仍会作痛。

因为他们之间，矛盾在于也许她从一开始就不是他骨子里喜欢的类型，但情感一事，往往身不由己；矛盾在于他其实多少能感觉到，这段感情之中，他或许想大方地成全放手，只是，无法放开。

“寒公子，你是不是在生我的气?”清缈的言语，甜到酥骨般风雅。赫连皙的笑靥，柔软而明净。她有种很特别的气质，轻易牵动他人不自觉的接受她的言谈举止，不自觉地就随着她的所想轨迹行走。她还没说对不起，往往已经激起对方袒露没关系的心声了。

一种莫须有的、却无法忽视的存在感。

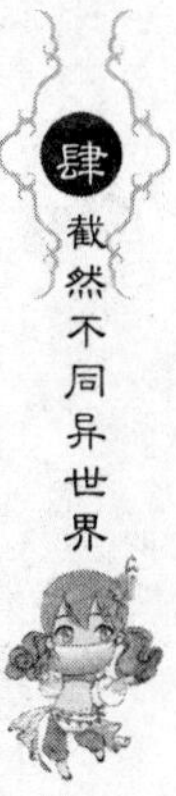

一种几近不食人间烟火的滟涟。

“……我没有生气。”冷漠的面上些微有了不明显的表情变化，寒子凉如是回答。

——我永远，都不会对你生气。

有的话，他永远都不会说。

闻言，赫连皙袅袅婷婷地回过身来，脸上始终带着令人迷醉的笑容，眼波流转，片刻间的妩媚摄人魂魄。

“寒公子，你这样的性子，很容易让人吃得死死的哦。”

赫连皙的声音，满是惬意的愉悦。白皙的小指尖，绕过耳际的缠绵，谱出绝华的娇艳。

那个瞬间，他觉得她又一次清晰看出了他几近赤裸的想法；那个瞬间，他忽然在乎死了她眼中片刻浮现的玩味——

“寒公子，为什么你每次都这么开不起玩笑呢？”

——我开不起玩笑。

——是因为我面对你的一刻，只有认真。

*

原本，离开冰屋继续在异世界村庄前进的人应只剩下五个，但当寒子凉他们在大雪纷飞的道路上走了约莫半里路，那一个翠绿色身影再度出现。

再见面的时候，若思身上只有翠绿色裙衫，身子已有一半被雪覆盖。人虽未昏迷，却一动不动，许是让人点了穴道。

寒子凉马上要上前为其解穴，有一人手臂已先一步做出了拦阻。“子凉兄，小心有诈。”柳莫行温柔亦冰凉的声音饱含着朋友间兄弟间的关心。

在这个异世界，似乎有太多他们不了解的人事。虽然现在是照着指示一步步在行动，却并不代表他们不会自己思考。这是一个测试，既为测试，就一定要有结果，那么这测试的主人想在他们身上看到什么样的结果？

柳莫行没有说的话，寒子凉并非不能理解。可让他看着若思受冻于冰天雪地，亦是另一种不能接受。

无论如何，若思姑娘都是为了护他才站上黑子，他就算为她涉险，也是应该。

“不用担心，这是若思姑娘。”寒子凉婉谢了柳莫行的劝谏，独自走上前为若思解开穴道。几乎就在他解穴的同一时间，他们一行人所站的大地再度发生了颤动，就好像开启了埋藏何处的机关。

在轰然间，随着雪地一同陷入……

“小赫连，等下，你必须跟着我。”

朦胧中，耳边，谁的细语轻亦清晰。

萧洛璧只有对赫连皙说话，才会有那种称之为温暖的温度浮现。淡淡的、几乎不可分辨的，却是真实的。

这个男子常常让人猜不透他在想什么，看似很会说话却有着难以侵犯的倨傲气质，他的脾气并不好，喜欢和不喜欢很分明，唇角一抹不屑，常常轻舞飞扬。

但也是这样的他，和谁之间，是温柔到心里，溺取一方涟漪。

他们落下的地方与冰屋相差无几。寒子凉甚至怀疑他们又回到了冰屋，只是这里没有达暗和南宫浅影，也没有那几颗黑与白交错的棋子。

下落时他撑住了若思纤细单薄的身子，感觉到她周身溢满了无法言说的冷气，内心，忽就一瑟，所以站稳地面他立即脱下皮裘要为她披上的举动也就顺理成章。

看到这些，只有跟在他身边但已经很久不曾说过话的冰凌有些担心，扯了扯自己的衣服好像要说“子凉哥哥给你我的”，都在寒子凉欣慰但摇首之下而制止。

“寒公子，我们有内力，这裘衣……”

“若思姑娘，寒某是个男人，你不必替我担心。这一路承蒙若思姑娘照顾，这一次，请务必不要再逞强了。”

继续摇首示意若思自己心意已决。片刻后，寒子凉也走向了柳莫行三人方向。他看到萧洛璧手中把玩着一抹珍珠，那正是赫连皙皮裘上系扣处的装饰；他看到柳莫行手里展开了一眼书信，知那是来自幕后人的下一步指示。

至此时，寒子凉的表情已经微微低沉，就算之前他的感觉告诉他幕后人无意杀人，但他对于那人一而再再而三的进犯，以及若思明显是被扔在冰雪中冻了许久的行为深感不满。

方才听若思说，他们离开后，她本是和达暗与南宫浅影留在冰屋。她与南宫浅影是百无聊赖地在等待，但达暗很快就在冰屋中发现了机关，只是那机关的启动似乎需要留下一人。因此达暗和南宫浅影走了。达暗没有将若思一并救走，这行为看似冷酷，却出奇的符合那男人的性子。

就好像若那个时候，换了人是柳莫行和寒子凉，断不会只是带着赫连皙离开，他二人肯定会找其他机关或暂时留下想中和的办法，绝不会独留一个女子，

即使她是陌生人；但若换了萧洛璧，则会有与达暗一样的选择，对他们而言，留下的人是谁并不重要，重要的是已经带重要的人离开了未知的危险。

赫连晢从注意到书信上那句——两两一组，但能够从机关室出去的只有一个人。因为分组后，有一个人将作为被控制住的影子——眉眼就蜿蜒了似有似无的思索。

虽然面上那分甜美微笑从未更改，六条藤蔓突然从地底冒出，警惕仍慢了惊诧半分。藤蔓轻而易举地缠上了冰凌、赫连晢、若思双足，寒子凉因为顾及若思有伤迟了一瞬，但若思竟反手给了他一掌让他因下意识的飞身躲闪而避开了被缚，另外两人柳莫行和萧洛璧也因反应极快而避了开来。

“怪不得要送个人回来……”

“人质总是不嫌多的么。哼。”

相较于柳莫行若有所思、萧洛璧冷嘲热讽，寒子凉更为关心的不是这一关的测试而是此刻束缚于藤蔓的人——目光稍一下移，看到了赫连晢忍俊不禁的笑意，三分娇柔，七分清甜。寒子凉的面庞不禁热了几分。

他们三个已经重新站回地面，试探片刻，并未有第二波藤蔓奇袭。

与其说书信倒是遵守规则，不如说这些测试就像是在玩他们，而他们这些在武林中有勇有谋的人，都成了让人牵线的木偶。

寒子凉不禁会想为什么他们要如此听信这个幕后人的话走遍关卡，那人口中的假冒之人若开始便不存在，他们岂非是自己给了敌人新的人质？但想只是想，柳莫行未动、甚至萧洛璧都未提出异议，寒子凉就清楚他们一定是和自己一个想法：幕后人没有说谎，他们中间，的确有个冒牌货。

只是，那人是谁？是留在了前面关卡的人，还是，就在他们中间？

依寒子凉的性格，任何正面的攻击他都不在乎，涉及计谋他的经验与聪明也能堂正面对，只是，不能牵连到他在乎的人。看似心冷的他因为比别人更重情义，但凡有他在乎的人，反而会因为关心在意过度而无法准确拿捏。

像现在的情况，只能出去一人的空间，谁出去留下剩余五人都是不可能的。别说这里有他最在意的赫连晢和柳莫行，就算他狠下心让赫连晢出去，也会因为担忧她之后会否遇到危险而作罢。更何况，照此刻的事态来看，能出去的人显然已经只剩三人——便是他、柳莫行与萧洛璧。

就算他们三人谁也不争，都想让赫连晢安全出去，他们也办不到了。

书信上的内容，还清晰在目：藤蔓缠绕之人便是那样子，他们三个人若想继续测试，只能分别与不同的人组队。

但这样的组队还有任何意义么？对寒子凉而言，这个测试到这里其实已经到头了。但他怎料想，另外两个人竟说出去了他认为是自己幻听的言辞。

“即使用抢的，小赫连也必定是和我一组。”

无视寒子凉似觉不妥的纠结，萧洛璧那种淡漠讥诮的口吻，也在似笑非笑的表情下轻易地逸出唇齿。

“萧公子，这恐怕不妥……”

“既是如此，那么我就和若思姑娘。”

柳莫行的话，让赫连皙精致的唇角漾开甜柔的弧度。她不说多余的话，那一双清灵的眸子，似水而涟。

“莫行，怎么你也……”

以寒子凉的正直心性，实在无法接受这般自私的选择。自相残杀无疑是最折磨人的一种方式，因为这里面要体验的还有背叛、自责以及会一直存在的矛盾。

“既然有能出去的路就不会只能出去一个！我拒绝这种毫无意义的争斗！”

“这样只是徒增残忍。”若思立即的附和并不是她怕死或留在这里，而是她早就认为萧洛璧和柳莫行中有那个假冒的人。再者，若真的只得一个人离开，以寒子凉的善良，他断不会去抢唯一的活命名额。“柳公子，赫连前辈应该立过不得兄弟相残的规矩吧！”

“规矩毕竟是人立的……”轻轻自语，之后，柳莫行的周身就旋起了风力。“三人动手么？既然子凉兄自愿放弃，那就证明我和兄长一战胜负即可。”

“你开玩笑么？莫行！”

“我有一定要参加的理由，我下定决心就不会改变主意，这你们是清楚的。所以即使是同伴，我也一样会下手，你明白吗？子凉兄。”从来没有看见过这么认真的柳莫行，记忆里他总是很温和很随意，可是所有人也知道，只要柳公子真的决定做一件事，那的确是谁也无法改变他。

“你疯了还是假冒的？”代替此时也不知道该说什么的寒子凉开口的便是若思，其实她真的许久都没有说过那么多话了。只是当她发现寒子凉眼中带有不置信和伤痛时，实在无法作壁上观。

也许南肆有句话说的是对的，或许她没有爱上寒子凉，但是她对他的相护已经成了无法更改的习惯。

"嗬，难道你们还没发现这里是什么地方么?"冷漠的加以嘲讽，似乎对待任何人萧洛璧都是这种固有的毫不在乎，他淡漠，并且似乎没有感情。与柳莫行的温文清和完全是两个类型的存在。

对柳莫行而言，一视同仁的面对所有人。不在乎你是朋友还是陌生人，或是是敌人，他的温柔，是一种渗在骨子里面的优雅。

彬彬有礼的气质，大气而谈笑风生的态度。

萧洛璧和柳莫行不同，他没有耐性和颜悦色的去面对每个人，更没有兴趣去接受那种他不在意的爱慕。

简单地说，这个人非常狠。

他的价值观里面，没有一种固定的应该与不应该，有的是一种随心所欲的偏向。他偏心的人，他就会袒护到底，一如对赫连皙那种看似随意的唯一；他不在乎的人，生死都与他无关，看一眼都懒得。

倨傲、任性、脾气坏、嘴巴毒，虽然总是笑得销魂却没有任何的感情在里面，他可以悠闲地看人笑话却又不屑于去关注不相关的人，他可以不择手段的去做一件事却在事后完全不再回忆那不再有意义的空白。

这个男子慵懒的气息中，总有着，挥之不去的讥诮。极致，凉薄的一个人。

他不会主动去诱惑任何人来爱他，却也不会费心去警告她们不要爱他。外人的爱，本就无关痛痒，所以他们的心情，根本无须考虑。

"哥哥，这里是什么地方?"一直没有开口的冰凌，此刻嚅嚅地问了一句。即使双足被藤蔓缠住，因为寒子凉始终站在他身前，所以小孩子一直也没有害怕或吵闹。看着寒子凉和柳莫行的争吵，他也很着急，才会在萧洛璧开口之际大家都沉默时，替若思与寒子凉开口。冰凌虽然在与南肆相处时表现得非常小大人，但那是他知道南肆绝不会伤他固有此举，若是换了萧洛璧，他是万万不敢造次的。

"寒公子，你还不明白么?"萧洛璧并没有回答，回答的是赫连皙，回答的人也不是冰凌而是寒子凉。"这里既名机关室，必定是有不少机关暗器存在。藤蔓缠足应该只是开始，再耽误下去，恐怕人家会拿剑雨之类招待我们了呢。"

像是要印证赫连皙的话一般，这边语音未落，那方已有数十个透明小球不规则弹出，分别袭向在场六人——寒子凉与柳莫行皆很快做出反应为彼此身边不能动的二人挡下了小球，萧洛璧则是随意抄手揽起了赫连皙纤细的腰肢在脚不离地的情况下似与她低空飞舞般避开了攻击。

萧洛璧已经许久不曾如此主动了。在来到冰雪之城，在进入异世界，仿佛现在的萧洛璧才是真正的萧洛璧。那么之前，他是在等什么吗？宁可看着赫连皙在其他人的怀里也要等待的能是什么？

聪明的人，似乎都是有些狠的。越是聪明的人就越是没有软弱的情感……这样的萧洛璧……什么话想说，又一次留在了口中。心里面一点一滴的寂寞，已经很久不曾这么清晰而真实了。寒子凉才发现，在对待赫连皙的争取上，也许偏是谁不择手段，谁就赢了。

“时间容不得我们犹豫。”

“既是如此，动手吧。”

“咦，寒公子？”

若思清楚地看到寒子凉在应承过柳莫行的话之后，竟然选择站到了他与萧洛璧中间，背对着赫连皙，却也是保护着她。

寒子凉并没有跟萧洛璧说我们联手吧，他也没有说抢下名额我们要留给谁，但他做的决定，无疑是要将赫连皙平安的送出去。

本该是如此，但一直悠然清邪的萧洛璧，却不着痕迹地凑近他耳畔，寒子凉一惊，听到的就是萧洛璧那一字一句咬字清晰却只有他才听得到的话……

很多事情，知道的时候，和不知道的时候，是截然不同两种心情。

其实寒子凉正因为觉得柳莫行的坚持太过诡异，才会全盘接受了萧洛璧那耳畔的秘密。原来，是如此么……

“在动手之前我要先把一件事说清楚，我一定要出去。我不会对任何人留手，如果不想受伤就请退开。”

寒子凉语句的冰冷就像他态度的冰冷，认真的宣言说明的是绝无更改余地的决心，也算是一种介于警告的劝说。不犹豫就不再会改变。他是不是好意，柳莫行和萧洛璧都很清楚。

“子凉兄应该是从不会说出这样的话的人。你现在是觉得紧张么？”柳莫行面容的柔和不改，这句话怎么听来却都像是强势。

“就算挑衅也不能弥补我们之间战力的差距，这一点莫行你不会不明白的。”没有内力，拼的即是武为与体力。纵然武为上他二人可能须臾之间，他体力上的优势仍能决定胜负。

寒子凉说的是事实，柳莫行却是淡淡地笑着。几许风声不露，几许柔若春风。“什么事情可以做是用眼睛看的，什么事情要做是我自己的心决定的。子凉

兄如此了解我，就不要再多说了。”

春风拂面，或许和暖；那根竹笛的旋转，却逆向带着风声鹤唳。

“再说我也不一定会输，不是么？”修长的指尖，收纳回旋而归的竹笛，轻耸了肩，是如此嫣然的微笑。这个瞬间，谦谦君子的柳莫行竟然有了种言之不出的妖孽味道。

师兄弟多年，对方有什么习惯也都了然于心。

看着柳莫行的笑容，寒子凉一时没有说话，只是抬起一只手摸了摸自己的脖子。微微的泛着热，虽然不是多深的伤痕但是那被竹笛刮过的地方却那么真实。

多年师兄弟，彼此间的了解，他是没想到柳莫行也会偷袭，但若真的要躲并不是躲不开。寒子凉之所以没躲，是他怎么也不相信他会对他下手。尽管不曾刻意留心，柳莫行始终对他最为照顾他不是不知道，就因为知道，才会对这个然而如此痛彻……

这并不是一招躲不开的偷袭，而是他们兄弟间真正的决心。

“……莫行，你这样做我拦不住你，但是若你输给我，你就要听我的。”隐忍，并且固执的保护。寒子凉将一切的感念深深地压在了心口，他能看到若思、冰凌，甚至赫连皙都对现在这一幕幕的思考，因此，他更不能开口。若必须要出去一个人，他一定要当那个出去的！

“那话等你先赢了我再说吧。”

“既然只能这样，那你就别怪我了。”手中旋转的剑柄由他放到一旁，徒手而战是不想伤害到彼此，拉开距离，寒子凉一双眼变得认真。

“我会打败你的。”

武斗想在一招之内就制住对方，只有在双方实力相差悬殊的情况下才有可能办到，如果是两个势均力敌，或者实力相差不远的对手间，时间战是不可避免的。这样一来，耐力也将是获胜的一个重要元素。

考虑到自身和寒子凉体力的差距，柳莫行从一开始就无意打延长战，所以没有以静制动的场面在两个人中间出现。

“子凉兄，以前咱们只是切磋，这次，我只能冒犯了。”

翩翩公子柳莫行，一直以来，都是那么云淡风轻不经波澜的。

仿佛只有他，在武林这个乱世，可以从容而优雅，可以温柔而平和。全无恶意，全无惧意，全无敌意。他从不轻易表达对人的喜恶，他的心温润在所有人眼角。

这样的柳莫行，是否真的曾全力以赴地对待一个人，没有。还是没有。即使眼前到了这样不得不战的场景，他依然，似水似风，不惊不乱。

不知道有谁。会因为柳莫行和寒子凉的一战，而忆起一年前东瀛孤岛上，柳莫行与萧洛璧那一战。

一年前，柳公子为了保护对身世还不知情的师兄寒子凉，甘愿让自己做了那个极恶之人，周旋于武林盟主与武侯之间，他承受了多大压力，下了多大决心离开自己最心爱的赫连皙，即使很多人知道却无一能了解的深沉。

那是种，不情不愿的心甘情愿。矛盾在，所有人又都知道这是事实。

东瀛孤岛，设计让寒子凉假死，设计与萧洛璧一战，一己之力承担所有的阴谋对策。竹笛起落，他的眼角，只望向一个人所在的地方。

寒子凉知道这个地方。

一如他一直在看的一个人，除了她之外，他不知道谁还能那么吸引他的人与心。

寒子凉知道萧洛璧也清楚这个地方。

不清楚，他就不会在黑箫披靡间，又轻轻放下。

不清楚，他就不会笑到惊艳诉说那一句“小赫连，你不要的，我便不要”而任柳莫行的笛去颈间流转……

那是一场胜负未分的战役。平局在他们期待的那个人，从未改变。

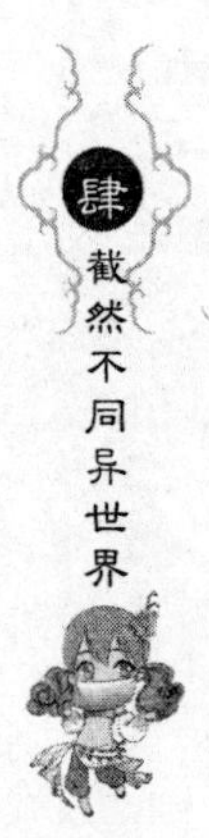

伍 神女惊风绿水前

5.1 君归不归

在一间充满水莲香气的卧室里面，酒红色的地毯柔软而鲜活，半隐半掀的水色窗帘，遮挡也流落了几许阳光的进入。

温柔得好似没有瑕疵的声线，玻璃窗上影出的男子的侧脸，精致得如同玉雕出的神祇。有种气质，临风惊世。

嘴角勾勒的笑痕，似有似无。

“你既不能永远把我留在这里，这出戏码便早晚会有人知晓。然我的确没有想到，圣女是假的。”

谁的笑声，这个瞬间的清薄。

*

“咦?”

似乎就连冰凌都看了出来，原本是势均力敌的两人，原本可能还要持续一段时间的战斗，却因为柳莫行忽然露出了一个破绽，而瞬间收尾。

在战斗中一点小破绽都逃不过身经百战的高手的注意，寒子凉自然清楚地看到了柳莫行这一破绽，所以他在第一时间就单手横切了过来。

就在寒子凉的右手靠近自己左肩的同时，柳莫行本应是站不稳的身子却突然向前一倾，紧跟着右脚也一个侧踢朝着寒子凉的下腿而去。

但是本应该踢中寒子凉小腿的动作却没有得以进行，因为早在柳莫行侧扫腿的同时已经有一只手先托住了他的腿。

“莫行，这计划本来不错，只不过我了解那破绽不该是你露出来的。”原来寒子凉在第一时间反应过来这是圈套时就将计就计地虚晃一招，一方面可以降低对手的警戒，另一方面也便于他的反擒。

“咱们实在太熟悉了，你这样对我是没有用的……”

“不愧是子凉兄，我就知道你一定能看出来。”偏，和寒子凉同一时间说出这句话的柳莫行，手边的竹笛已经飞了出来。

“咱们确实太熟悉了——而我，比你更了解你是什么样的人!”轻轻挑起的眼眉，微微上翘的嘴角，是成功后愉悦的展颜，也是心底一抹轻若廖水的叹息。

看那直奔着自己面庞而来的竹笛，寒子凉一侧头就躲了过去，从听到柳莫行说话他就开始警惕，果然没有让他偷袭成功……不过……

再想到什么低头看时，柳莫行的手肘已经靠近了他的身前……

手捂住胸口向后撤了一步，因为随之而来那男子的重量也赴压过来，寒子凉不仅单膝跪地，还又半跌于地上。若不是迅速反应以胳膊先撑地，恐怕两个人必然要同时躺下。

但尽管如此，现在这姿势当真是受制于人了。

“原来莫行你也有这么狠的一面……”声音都因为这犀利的肘击而变得有些沙哑，寒子凉虽然想着坐或站起来，却难以让自己的脖子离开那一只冰凉的手。

反手卡着寒子凉的脖子，那一双墨黑的眸子如染了星霜，这姿势似乎有一点让他觉得不舒服，柳莫行微微皱了皱俊秀的眉梢。“是子凉兄你心太软了，你刚才要是用力那现在受制的就应该是我了。”

“他刚才要是用力恐怕你那只腿就要骨折了。”唯一没有受制却也不曾加入战局的萧洛璧缓缓开口，颇有点坐山观虎斗的感觉。若思之所以会在关心寒子凉与柳莫行的战斗时仍分心监视他，就是深信那假冒的人还在他们中间。

“我们在战斗，同情敌人就是伤害自己。你告诉我的，忘了么?”武斗不是真的比谁技高一筹，而是看智慧的技巧……以及，谁的心够狠。无情的人，出手才能稳准狠。

“你总是学得很快……”寒子轻声凉叹了口气。

“这只是我的坚持而已。”虽然徒手，但柳莫行修长的手指指甲已陷入寒子凉最薄软的颈边肉里。指甲是人身上仅次于牙齿第二坚硬的地方，他若想用力，仍可以让之替代刀剑。

“我不想真的伤了你，子凉兄，你也乖乖地留在这里吧。”那未曾闪烁的眼神昭告的是一种不容改变的认真。

“那你就动手吧。”不顾一切地抬起身子尤其是挺起脖子自己反去贴近那犀利的指甲，寒子凉的决定同样是不容置疑的坚持。

“莫行，我就知道你不可能真要伤我……”

眼看着柳莫行下意识反撤了两个人之间的距离，寒子凉翻身而起，一个闪身抢先跃上了机关室墙壁，几步的奔走，当他的人来到屋顶，不顾会受伤的危险，手握成拳横切向其中一个扣环状物体。

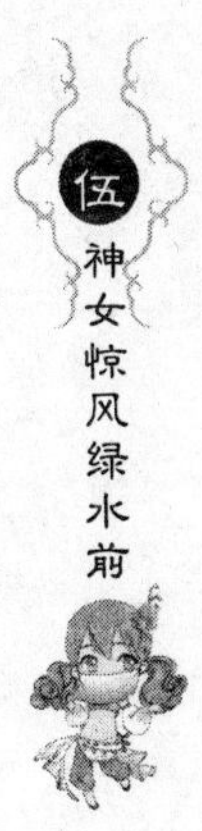

之前藤蔓从哪里来因为突然他未注意，之后那些玻璃珠的袭击俱是来自这扣环他却看得一清二楚。故而这里必定是机关室开启门扉之处。

很多时候，奇门遁甲一术，看似与正直的寒子凉格格不入，并不代表他不精通。

扣环撕裂，在随之而来的可风可雨可火可雷可震的压迫下，机关室立时陷入了被拉卷的境地。

寒子凉为了避开正面伤害暂时退回了地面，但他发现，与此同时，柳莫行和萧洛璧都动了。动作之快，好像两人早已商量好一般。

“门开了，子凉哥哥快走！”冰凌突然高声喊起来的话尖锐地闯进耳中，小孩子一个抱膝整个人趴在地上扯着柳莫行。

若思在机关室门开启的时候已挣开了藤蔓，她在冰凌去抱柳莫行的时候跃身而起以最及时的速度飞到了空中。

“我拦住他。”

若不是内力受制而行动变缓，若不是若思在他靠近敞开的门扉时突然出现甚至不惜使用暗器让他侧身，萧洛璧现在已经离开了刑讯室。若思突然介入，无疑阻挡了他的道路。

“让开！”

“谢谢你，若思姑娘。”与萧洛璧忽显冷冽的神色不同，寒子凉从两个人身边擦过时，以非常温和的眼神看了那个还在远处站立的美丽女子，并对她露出了温暖的表情。

那么温柔而真心。在看到这个自相识以来自己第一次见到的寒子凉的温柔表情后，不知道为什么若思忽然有了种很不该有的想法。她本来颇觉可疑，警惕着是否先出去有诈，但见萧洛璧有所行动，便压下了心头的疑惑。

可现在，为什么她会觉得……

“何必如此聪明。”

眼见着萧洛璧摇首而止步，终于领悟到为什么他们会争一个出去的名额，那般于心不忍已感到了最大的真实，若思几乎是从心底喊出了这个声音。

“等等！寒公子别出去，这个机关室不能出去！”

天窗开启同时，赫连皙和若思一样已褪去脚踝藤蔓，她之所以在等，仿佛就是料到这一刻。值此，少女未曾再有犹豫，立即飞跃过来的身子和那尽了最大力气伸直的素手只为了可以拉住一个男人。

“寒公子，这个机会让给我如何?”在这个时候，是否在意其实很透明。她终于扯住他的手，虽玩笑着，却根本感受到和他相同的吸附力。

“小赫连，别动。”然耳边，那个人清晰中带着坚持的语音刹那响起。与此同时，指间交握的两个人，因为谁刻意地推开而撤离了距离。将赫连皙推入已一个闪身从自己身边穿过的萧洛璧怀间，他眉眼冷凝，望尽她瞳孔却暖意安然。

寒子凉忽然就笑了。

谁是谁眼里的风景，谁又成了谁眼里的风景。

唯有赫连皙一颜的素净，白茶出水。

如昔岁月，谁曾经深驻心底，一颦一笑，勾动心中百转千回的思绪。一凝、一望，抱一臂温暖，缱绻烙印。

那时候，他们初遇，她以一个少女的甜美面貌，微微一笑，倾了他一颗炽热的心。再面冷的人，内心中总有一个角落柔软而敏感。

他用一分真实，承载了足以让他用生命去守护的那个人。

就在今天。今天来了。

也许，很久很久以后。

久到已经可以让人忘记很多人很多事的日子，她会忘了他。

无论那分忘记，是她给自己的要求。

还是时间的虚幻错觉。

寒子凉知道自己都会很高兴。高兴她，将不会伤心难过。所以他忽然就笑了，在她咫尺之距，笑着，将心里话说了出来。

“赫连姑娘，再见了……”

*

寒子凉是第一个出去的人。纵使他本来最不愿参与争斗，也在知晓先出去的人是祭祀的一刻，甘愿为之。

室内，一瞬间静得很彻底。

无论是冰凌、若思这两个帮助过寒子凉的人，亦都未心急火燎的要冲出去救人。也许这只是瞬间不知所措，也许这其实是内心的疼痛蔓延。

赫连皙尚在萧洛璧怀抱，她是寒子凉最后对话的一个人，她与他近在咫尺的相望，看尽了他眼中悠远绵长的深沉。那瞬间说不感慨是假的，可她就是没有产

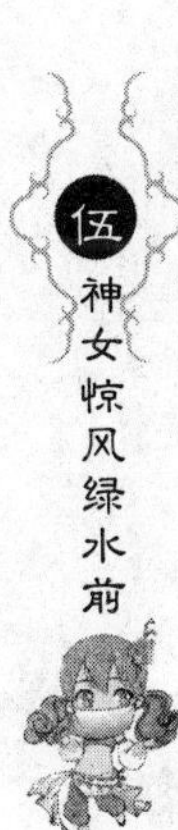

生痛苦的情绪。寒子凉无疑做了最伤己的选择，但萧洛璧和柳莫行亦都因为知道真相而用自己的方式在维护他，稍有偏差，出去的可能就是另一个人。

她并非觉得牺牲寒子凉最好。

而是在这一刻，仿佛重影了一年前罗兰水国的一幕，最恶意的机关，她领悟到的却是无恶意的试探。纵然如此，谁去暂作牺牲都无所谓，虽无理由，但她深信幕后人的手段。

她愿意用自己去替代寒子凉步出机关室。

但若换了牺牲柳莫行或萧洛璧中的一人，她实则，绝非本心。

步伐轻盈，那完美的抬起落下几乎让人忽视了，谁的脚步，接近悄无声息的淡然。赫连皙回头的时候，对上了那样一双清亮温暖的眸。

长身玉立，毫无瑕疵的白。除了柳莫行，不做第二人想。这一刻的柳莫行，竟像不似往日的他。

修长的手指按下天窗开启后显现的开关，机关室里一片明亮。比月光的朦胧照射在他的脸上更动情的真实，一抬眉一扫眼，都是意犹未尽的风情。

柳莫行的眼一一扫过角落，又看向萧洛璧，看向他怀里的赫连皙。

那双深邃的眸，满是蛊惑的温柔。在看什么？目不转睛。

那一刻柳莫行可是在审视赫连皙，若思已经不想去细想，她只是忽而反应过来伤怀无法解决任何问题，为今之计，只有继续前进。

但在此之前，她有话要对萧洛璧说。——他途中一跃，几乎打消了她认为他是假冒的猜忌，但他对这里的了解，仍应当给大家一个说法。

“萧公子，你之前好像就来过这里吧？”

“那又如何？”

“我不想指摘你是否冒牌是否与幕后人有着千丝万缕的联系，我只想知道，原本的全城游戏你为何主动提议大家改来到这里？”

“嗬。”萧洛璧面对若思冷艳的凝视只是微微一笑，他并未说什么你这还不算指摘，也并未正面回答她的疑问。即使此刻尚在机关室的每个人都因此而看向他，他也不曾感觉到任何压力。有的人天生就是这样，他做了什么，他想做什么，都不在意其他人的看法。

“萧公子不想回答么？还是你——不能回答？”

“我答与不答，都左右不了你信与不信。答的价值在哪里？”

“若你说了，我便信。”忽然而起，那甜美的女声，却是从容的，清明着娇柔。漾着满满的甜美的芬芳，一眉一眼，都是精致无瑕。

“嗬。”萧洛璧又笑了。只是这一次，他的笑，都零落在谁精致的眉眼。琥珀色晶莹剔透的美丽，赫连晳仰目，留一颜清晰如白茶的气质，仿佛空气，毫无涟漪。

“小赫连，你可是想问据我早先所知，寒子凉被带去了什么地方么？”

短暂的无声，让无声之后瞬起的讥诮，风云变色。

“那里是异世界的有去无回。”

冷峭而漫不经心的结合，那清薄的口吻，冰晶映出萧洛璧清俊的面孔，这样漂亮的男人，如同抽丝剥茧的珍珠，最纯粹的一枚。

萧洛璧的漂亮，是一种男人的精致，因为太过清俊，反而飘了分细致与硬朗的结合。邪气的魅惑，从内向外的发散。他不刻意，已然有种气息，倾倒众生。或许夸张，却又真实。

“你骗人！”

“既然不信我的话，姑娘又何须一听？”

“如果真的没有生机，你怎么会有一瞬间想要替寒公子出去？”若思隐下内心的激荡，即使那本不是能遮掩的惆怅。

“这是指责，还是询问？”萧洛璧掀起了唇角，似有似无的讥讽毫不掩饰。

“你……”

“若思姑娘莫急。”这个时候，出言安慰的是柳莫行。也只有柳公子的温文尔雅能让将一切火药气息趋于平复。他淡淡地微笑，扯开了唇角优雅从容的完美。“兄长刚才说的既是据先前所知，就是说，现在发生了变化也未可知？”

柳莫行无疑很聪明。从不锋芒毕露，从来低调从容。其实若与这样的人为敌才是真的可怕。若思不禁就想起了慕容莫生，百年来最为颠覆善意的那个男人。虽然他们从未见过，但她觉得，如果慕容莫生没有称霸天下，如果慕容莫生一路沿袭了那分清渺的肆意，他一定是现在柳莫行这般的自然而风华。

“也许。”萧洛璧唇角几乎是绚烂的犀利，一闪而逝。但他这个人似乎天生就是毒舌，接下来便一个耸肩，意味深长的回击。“但也也许，完全没变呢？”

因为马上看到柳莫行略带歉意地对她摇首，这一次若思纵有戾气，也暂时压在了心尖，只任眼角流露丝丝不满。

“那还来得及。我们走吧。”最终，开口的是仍然依偎在萧洛璧怀中的女子。她途中似曾有过挣扎，但他抱得用力，她便褪去了无为。

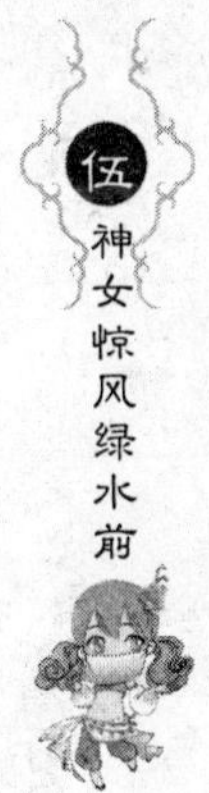

赫连晳轻唤的尾音，绵延出柔软的清雅。冰天雪地印染下，琥珀清染冰蓝色的瞳孔，如同波涛汹涌的大海那唯一无垠的水波不惊。

*

寒子凉以为自己会这样一去不回。

萧洛璧那一刻在在他耳畔轻语的是只有他才能听到的“这里需要新的祭祀，却似乎是有去无回。”寒子凉立时便懂了，柳莫行为什么那么坚持。

他了解柳莫行的温柔，一如他这二十年的清正。

萧洛璧为何刻意告诉他这一切，是不是料到了他一定会舍弃自己，这一刻都不重要。即使萧洛璧是那个冒牌之人，他和赫连晳在一组，在寒子凉无法确认先出去的人有去无回会不会连累同组的人之前，他都不会贸然将赫连晳置于可能性。

他相信柳莫行和他有着相同的心思。

所以他选择替自己的师兄弟承接一切。

尽管这样的有去无回，让他难舍她颦笑间，风姿嫣然。

让他难忘她回眸时，风华娇艳。

比谁都耀眼的美好。

可让寒子凉所意想不到的是，他本以为的有去无回，没有伤到他分毫。不止如此，还让他听到了那样一个人的轻唤。

“来人可是……子凉兄?”

就从他站立之所，身前之门内。

5.2　海市蜃楼

走过一道道所谓的测试，从冰雪之城进入异世界的人，剩下的还有柳莫行、萧洛璧、赫连晳、若思和冰凌。

这其中应是还有那个所谓的冒牌在的。究竟是温润如玉的柳公子，还是神秘莫测的萧洛璧，或是根本是去而复返的若思？除了赫连皙和冰凌，似乎所有人都有可疑。

小孩子难有人模仿，赫连皙，则似乎从初始就无人怀疑。

再度向前面走着，走到甚至能够见到波涛海水的地方。异世界有冰有密室就可以有海，对大家早已是心照不宣的事情。

谁也没有表示出稀奇。

但走着走着，冰凌忽然不走了。

“我不想跟你们一起走，我要去找子凉哥哥。”小孩子说完这句话，飞也似的就跑，若思微一怔愣，侧身去追。也不是觉得自己有义务替寒子凉照看这个孩子，而是她早听南肆说过这个孩子的多面，心下反应出他或是有什么深意，必须避开他人。

剩下的三个人自是没有追。

赫连皙还在萧洛璧的怀抱，柳莫行又怎会自行离去？

“要走哪边？”

“也罢，那边就交给若思姑娘……这边还是以找子凉兄为先吧。”

“到底是师兄弟……啧。”

谁，话语中，玩味的暧昧。

就像空气中忽然传来的海风，吹拂在脸颊，轻柔的恣意。

萧洛璧似笑非笑的俊逸模样，冷凝中带着若隐若现的讥诮、讥诮中却又有着似有似无的怜惜，他看着赫连皙，终究还是决定就这么看着。

两个人脸颊的距离，近得，他只要愿意，甚至可以轻易地吻到她。

“前方可是有海？”

“小赫连你会游泳么？”

“我会与不会，萧公子难道不是更清楚么？”

隐约中赫连皙似乎看到了萧洛璧的唇角，展露一丝罂粟般的笑意。满是魅惑的吸引，却无辜到纯粹的缜密。

她看到他的瞳眸，深黑得一如夜色幽远，一入眼帘，一入心间。不用对话，就了解他的心思，所以，她从开始，就什么都没有做。

所以，她掉入海洋之中，身边只有谦谦公子的相拥相偎。

*

涟漪阵阵，带着海水的咸味。

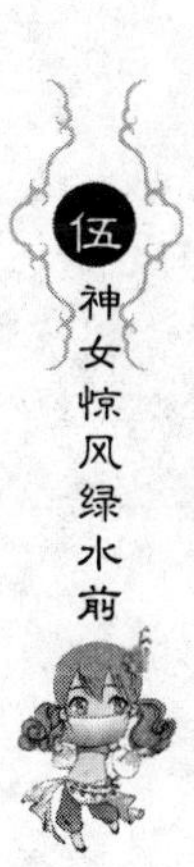

如此的近，仿佛一伸手就可以触到。

海水，一拥而上包围了身躯。

衣袂翩扬，水压划过眉间那一阵瑟缩的疼——他俊逸斯文的脸庞，毫无退缩的相护，将一种苍白诠释得彻底。

海水，涌进了眼的咸涩——他眼角的余光，海底深处，和谁的瞳孔相望；波浪起伏，倾尽了一眉一目地胶着。

没来由的，他邪媚的一个唇角上挑，牵扯出的笑容堪称举世无双。在这样的水压下，忘却生死的距离，仿佛更显真实。

水溶成的玻璃花是何等清宁？

谁的似乎笑意，配合着那张柔美精致的容颜，和那分独一无二的干净气质。

——那个女子，周身都像是发散着光芒，让人不知从何处移开视线。

水流仿佛送来阵阵花草的清香。白茶的味道，朦胧间，与百合相像。迷魅了世间所有风情。

百合花的绽放，最美的一季。

一生仅此一次。

他忽然间，就想到了谁。

或许是故意的。

或许是无意的。

勾起了手指，倾近了身子，将她柔软地揽进怀中，他似乎笑了，也似乎没有笑。

这是一种什么场景的突来，修长的指尖点在少女柔软的红唇之上，他不等赫连皙冰冷的指尖相推，已然温柔并清凛了气质。

他喜欢过一个少女。

他爱过一个少女。

虽然那少女已成过眼云烟，仍不能改变他，情感的真实。

赫连皙在水中似乎不太适应，雪白的面颊泛白的唇瓣，他轻触着抚摸，轻到几乎没有痕迹的落下一个吻痕。

还是柳莫行那张比谁都漂亮的脸，还是柳莫行那双比谁都温柔的眸，他的呢喃，却不再属于谦谦尔雅的柳公子。

“太多的真相是经不起推敲的，有人一定要一览无余的任性，就必定有人会陷于不义之中……”

手指，又轻轻地使力，因为看到她似乎要张口说什么，他摇头，不给赫连皙开口的机会。他的眼神分明在说，很多话不要说出来。

他的言语，也是落地有声的不容置疑。

“赫连皙，别急。你会看到，你想看到的那个人的。”

那张笑得轻描淡写的脸，依旧给人以疏离又温和之感。

熟悉的，纤细的身影，即使只是背影，依然清晰而娇柔的美丽。乌黑的秀发飘逸的散落在米白的裙衫，盘踞出海花的涟漪缠绵。

香气。

即使远远的相隔，仍不自觉的领略。

“莫行哥哥……”

湖蓝深潭下，无邪的艳丽。谁的手轻柔地挑起她颊边的发丝在手心缠绕，赫连皙微微扬起的脸庞，笑柔了一靥的精致……

*

一片无声无息的蓝色。

萧洛璧在耐心地等着。他是等着柳莫行与赫连皙出来，还是等着其中一个人出来，或无可猜。

等待的时间并不算太久。

浮出水面的人，是那个翩翩而雅的白衣公子，他的怀中，是美人独睡，也知安然无恙。

“刚刚的玩笑，并不好笑。”

“你以为我是冒牌的人?”

刻薄得无以复加的口吻，如同点对点的攻击，萧洛璧冷漠地开口，吹在身上的风，似乎顿了顿，冷了冷。

“我没有特地想过。”柳莫行的声音，暖和得很。

“那是因为没有必要吧?”萧洛璧的讥诮，从来彻底。

“难道我怀疑你，反会让你觉得开心?那日无影土城中，我既已说相信你，便绝不后悔。”言语温柔，回忆更是温柔。他们之间，这只有彼此知道的对白，一年前有一次，一年后，再度重复。

没有一个冒牌货能知道这本无第三者知道的对白。

本该没有。

但萧洛璧却笑了。刹那眼神冷凝，背身而站，长身玉立在夕阳的余晖中一抹清净之泽。不知道是他不记得这话，不知道这话，还是他觉得，柳莫行说错了什么。

“现在你也相信我么？”

看在谁眼里，淡若水的温柔微笑。

“为什么不呢？”

闻言，轻旋的脚步，萧洛璧回首而望的一刻，没有惊喜或是惊讶，有的只是一抹讥诮，在那张俊逸脸庞上的连绵冷酷。

“果然……你连装下去都懒了么？”

“你说什么？”

面对着柳莫行温文尔雅的询问，萧洛璧轻若无声地叹了一口气，满目慵懒的冷漠，再也无遮无掩。

“你到底是谁？”

“你以为，我是谁呢？”

太漂亮的人，总是容易让人迷惑的。流连忘返的眼神，和深深地印在心底的刻痕。柳莫行微笑的时候，仿佛整个天地间一起为他而缠绵悱恻。

萧洛璧却没有为之迷惑。或许他从最开始便不曾迷惑，因为能迷惑他的人，天地间唯有一个。若不是她，皆无意义。

“普天之下只有两个人有神鬼莫测的内力。那一日，尚有第三人在场。”原来这测试早从一年前就安排在了他们身侧，只是那时的他们，探寻无影土城的秘密，却忽略了前人的观望。

“哦？”

“你是白敖禹，还是慕容莫生？”

“嗬。”柳莫行那张脸上，闻言露出的笑容，丝丝温柔，丝丝从容，还有丝丝缕缕难以分辨的讥诮与欣赏。

“拿百年前的人物来比我，兄长你可是寻人心切失去了理智？”

“我并不介意，以身试你。”长箫一转，黑色的犀利仿若划破天际。萧洛璧甚至肆无忌惮，单以没有内力的身躯，步步长驱。

“可我并不想呢。”

雪白的身子腾空而起，柳莫行的身形在空气中迅速飘远，他反掌间已将那一柄墨色长箫弹开，也将怀中的睡美人重交回谁手，唯留下眼中一抹暧昧供人回味无穷。

“嫁衣绯红，会是谁呢？”

留下萧洛璧，目色冷凝，似有似无的清薄讥诮，深深回忆着，这只言片语中饱含的意有所指……

*

寒子凉和柳莫行赶回来的时候，看到的正是萧洛璧怀抱着赫连皙，站在原地一动不动。乍一看还有点惊心，待寒子凉快步而来，才发现萧洛璧脸上挂着意味难明的讥诮笑容，他不是被点了穴道，只是，懒得有所动作而已。

当他看到去而复返的寒子凉，再看到和他在一起的柳莫行——这时候的柳莫行，又是那副从容优雅的淡然，真假并不难猜。

“假冒的人呢？”

寒子凉问出这句话的时候，恰是萧洛璧将怀中的女子夸张地递到他手中，他双臂一揽，即是佳人在怀。寒子凉一时竟有点惊讶。

莫说萧洛璧绝非会割爱，就算要递，他也应该会选择柳莫行……

“萧兄这是……”

“抱得累了，也该你了。”

“嗬。”还不待寒子凉所有反应，最先笑出来的人是柳莫行。在柳公子身上丝毫看不到曾被束缚的痕迹，他干净剔透，一丝狼狈之气也没有。

“你想说，有兄长跟着，也会发生这样的事情吗？”

“不。我什么也没有想。”迎上萧洛璧清冷的斜视，柳公子一个摊手，无辜得波澜不起。

接下来，他对显然还没理解他们对话的寒子凉轻轻颔首，“子凉兄，劳烦着抱着这女子，我们先去找若思姑娘他们吧。”

在反镜屋附近找到若思的时候，她也是一个人站着，一动不动。寒子凉不禁为这似曾相识的这场面皱了皱眉。

萧洛璧是犯懒，若思则在沉思。

看到他们三个人向她走来，她只是轻轻低垂了眼帘的方向，当寒子凉顺着她的视线看过去时，看到了倒在地上的冰凌。

心里立时一紧，他想马上扶起那孩子看个究竟，可他怀里还有一个尚是温存的身子。于是脚步，顿了一顿。寒子凉看了看萧洛璧和柳莫行，莫说前者，就连

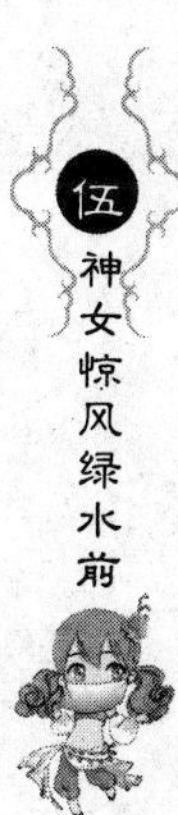

温润公子都没有接过他怀中女子之意，寒子凉只得叹气。同时，也似乎明白，这或许正是为了阻止他去帮助冰凌。

柳莫行被假冒，如今真的他已然回来；假冒他的人去向不明，但他们却知道了一个冰雪之城的秘密。

柳莫行一直没机会和萧洛璧交谈，但寒子凉觉得，萧洛璧已经知道了那个秘密——冰雪之城的圣女早已不在人世。

既是如此，那么落西凌所谓的解救圣女，冰凌所谓的心疼姨娘……究竟是谁？这是一个无法圆的谎言，还是一个精心设计的骗局？

圣女不在。让他们开棺的楔子，就变得像是引诱他们找寻钥匙的借口，那么找不齐钥匙呢？进入异世界冒险么……但是异世界又明明是萧洛璧提议的啊？这也是寒子凉唯一想不透的一点。

而且，纵然每每他在冰凌靠近的时候，是能够感觉到这孩子有武功底子并且内力不低时，也没有感觉到来自他的恶意。所以，他才会明知道该防备仍没有防备吧？

寒子凉想看的，是冰凌对他隐瞒，苦衷在哪里。

如今的一幕，他不必问，也能够从若思的眼角余波，联想到片刻前发生的场面……满地的尸身，倒下的孩子。若不是冰凌带领那些人袭击若思，便是冰凌杀了那些人而若思制服了他……尽管，哪一种，都会让心思堂正的寒子凉叹息。

“这孩子下手果然不轻……”

“有嘲弄的工夫，我们还是加快步子吧。”

柳莫行恰到好处地阻断萧洛璧意有所指的话，寒子凉深知那是师弟为了他不必再感伤之后连染苛责。

只能略表感谢的一个颔首。

“莫行放心。”

“这发疯的小东西也要一起带走？”

“我们要去哪里？”

“兄长何须明知故问？”淡然地回了萧洛璧一句，柳莫行做了一个请若思为冰凌解开穴道的手势后轻轻开口：

“当然是去入口处，再和落公子见上一面了。”

*

在异世界的天空，星月总是特别的皎洁。

落西凌一个人在雪地上踱步，看着自己深深浅浅已无规律的脚印，在想什么。

其实他在等人。

等柳莫行带着那些人出来……

早先落西凌自愿留下，待所有人都因为指引进入村庄后，大概半个时辰，他看到了那个男子缓缓出现。

柳莫行是武林公认的温文俊美公子，纵然独自，他每走一步，仍是飘逸出尘。

落西凌迎了上去。

一点也没有奇怪，为什么刚送走的人中有一个柳莫行，现在又来了另一个。

“抱歉，我慢了一拍。”

“柳公子客气了。因为少岛主等不及开始玩，大家便先进去了。暗大人特安排落某等你。当然，赫连姑娘的意思也是如此。”

“有劳落公子了。那我们走吧。”那时候，柳莫行就是平静地接受了这个说辞，与落西凌一同步入村庄开始了一场他人不可知的较量。

他完全没有对他质疑为何暂暂会不等他，也完全没有提出疑虑怎会所有人都掉下去的一刻独留他慢了半拍。柳莫行只是跟着落西凌，静观他到底还有什么用意。

5.3 致命赌约

落西凌一路带着柳莫行前行，途中遇到了几次陌生黑衣人的阻隔，都让他们轻易制服，丝毫不影响进程。这一路走，好像真的只是为了和前面的大部队集合。

但柳莫行知道，落西凌只是想带着他兜圈，并等着他，有什么话说。

既然想到，柳莫行就没有再迟疑。有的时候先说并非沉不住气，选好时机也能先发制人——尽管，他完全并未刻意选择。

“落公子，前面已经没有路了。”

“路明明就在脚下啊……”

“你才是冰雪之城真正的城主吧？”这并不是一个问句，柳莫行却没有刻意用上肯定或质疑的语气。

“为什么这么觉得？”

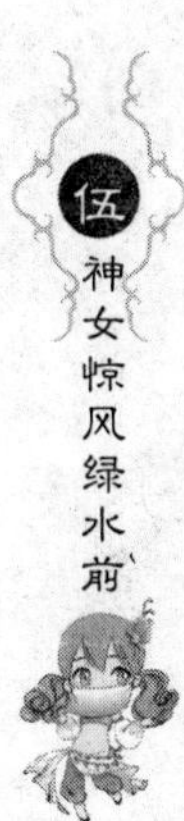

“虽然神医最初应该不是为了使毒才在武林出现的。但显然，多少年过去了，什么都会改变。”

听闻过他的话，才发现柳莫行知道的着实够多。他也足够的聪明，因此，往往能一针见血。但他似乎又不喜欢管闲事，所以与他无关的，他一概不闻不问。

柳莫行的心性中，有一抹淡定出离执著。他所有的温柔，是心性真实的温柔。他所有的温柔，亦都是为了一个目标。——和自己，也有一点像呢。

落西凌唇角勾起轻缓的笑容，淡薄而清逸逸世，“你早就知道了?”这不是问句。因为他看得出来，柳莫行之所以陪他看这海市蜃楼的一幕，是有明确而清晰的目标的。

“也可以这么说吧。”精致的侧脸，柳莫行带着温柔笑意转过身子，轻轻开口，也不隐瞒，声音是平和而自然而然的清逸。

“我这次会来和你一组，其实就是想要接近落公子。”

“……我这里有什么你想要的?”

“我想见见，神医的后人。”笑脸中，有一抹清漾的温柔，似水不可捉摸。柳莫行声色不动，看着落西凌，一字一句如刀锋般犀利：

“因为，你是我找了太长时间的——”

5.3 致命赌约

更深露重，夜风呼啸。

不知不觉，已经有一种无形的压迫，沉沉迫来，从那个似乎是随时发出腐朽的臭味的棺木地道之中。

进入的时候，尚不觉得这一路有多么狭窄恐怖。

折回再走一趟，不舒服的感觉才逐渐加重。

虽然这条路仅有的只是檀香的味道，却另有一种深不见底的罪恶感吸引着人向前进。同时明白地警告着，不要继续。

月亮何时隐在云后，在几人上空投下一片阴影。伸手不见五指，安静得连彼此的呼吸声都可以清晰地听到。

夜风的呼啸短暂停了一刻，瞬息而起。

三道视线移转了方向。

“是我是我……怎么一副要吃了我的样子？”从暗影处踱步走出来的，竟然是南肆。说来也是，从他留在镜屋，大家一直没有见到他。但这并不是最让南肆纠结的，他纠结的，根本是这些人完全没有一个有要找他的意思……明明他这么热情人见人爱花见花开应该是人缘最好的啊！啧啧，现在居然比不上一个面瘫……

“你怎么会在这里？”

“大小姐，你们留我在这里还不许我在这里，简直没天理……”

“废话少说。你是怎么出来的？”若思向来不理会南肆的贫嘴，此刻更是凤眼一挑，冷若冰霜。

他们解开了冰凌的穴道，在他还睡着的时候将他留在了那里。若思便开始思考既然每一个看似被留下的人，包括她和寒子凉都能安然无恙的出来，那么南肆没有理由被困住……更何况是落西凌。

落西凌有阴谋自不必说，南肆又是为了什么而故意落单呢？

其实早从南肆和落西凌搭着帮忙找所谓的冰棺钥匙，若思就感到奇怪了。她之所以没有从最开始追问，只是给南肆一个时间，让他先搞清楚自己在做什么。

两个人认识时间算来虽不足够长久，却也并不算短。更何况有的默契，绝非靠时间累计。还要看那一种心性，是否共有。

而她和南肆，显然是有这种默契的。所以她和他说话，全无顾忌。

“嗯……嗯……如此这般。”玩笑着敷衍是南肆的擅长，即使明知道这种敷衍毫无意义，但他不想说的话，其实也没有人能让他说出。

更何况，那是关于他曾以为的，身世。

冰雪之城的圣女是否曾和师尊的徒弟育有一子，答案已经随着圣女的逝去而再也无法问出。南肆不禁想感叹，他这一生看来注定逍遥自在，早先不知道身世可以无所畏惧，长大后知道了其实也是再无所谓。

也罢。只是，要怎么告诉若思圣女不在冰棺却又不必暴露他的调查呢？

就在南肆冥思苦想之时，又是柳莫行的声音，轻轻传来。

“南肆公子一同来吧。”

来吧来去哪儿啊……本来想这么问一句，南肆恰和柳莫行对上的双眼，在那

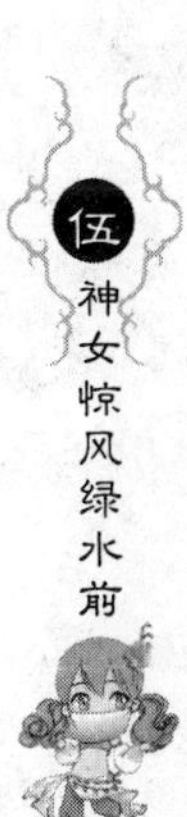

双平静如水又温文无波的眼中，他看到了他想说的话柳莫行已经懂了。

好吧，他就知道救美可以他来，但美人以身相许的永远是柳莫行这种波澜不骤的调调。算了，随便了……

“嗯……嗯……”

让南肆分神的呻吟声，发自寒子凉怀中的纤弱女子。那种真实的虚弱着从海中出来病娇之感，绝非假装。

南肆却没有盯着发出声音的姑娘，反而更有兴致地看着寒子凉的脸。哎哟，这寒公子哟，脸都青了也比不上身子僵直好玩，哈哈……

“你可是醒了？”

“她自是醒了。”

“那么，问话吧。”

南肆不禁对那哥三这次出奇一致的语序而惊叹，亦同时反应过来——看来这假冒的人是赫连妹子啊……

“莫行哥哥，寒公子，萧公子……你们，在说什么？”

“小赫连在哪里？”峭壁严寒，忽冷冷不过此。比起柳莫行的循序渐进温文尔雅，寒子凉的正人君子堂正措辞，萧洛璧高作的侧脸，就像是极地冰封，无血无泪。他的开口，更是漠然，连往日的讥诮，都已不复再。

明明是那么的精致的漂亮。

明明是那么的优雅的清明。

却比所有人，都冷得彻底，几乎没有感情地平仄起伏。

“我不懂你在说什么……”

“你懂的。”

“莫行哥哥，你也怀疑我是冒牌的么……”低柔，甜美，还有满身那装不出来的白茶香，从来是赫连皙一望，那个谦谦公子便会相护。

只是这一次，虽然听到她的话看到她的人，柳莫行的神色，仍蜿蜒了面无表情。

柳公子轻轻笑着，更为轻轻地说：“一般问题只有两种答案。”

他镇定地、从容地抬起了握着竹笛的手腕。

“要么，是我们想错了。”

又若无其事地将竹笛放在了雪白衣袖内最深的地方。

“要么，就是你说谎了。”

微笑，僵硬得不似真的，“那么，究竟是这其中的哪一个呢？”

如果没有萧洛璧不等女子再度开口的瞬间移动、身形如影，可能，有一种事实就昭然若揭了吧？

萧洛璧和赫连皙近在咫尺的距离，是他的长箫，旋转了十五度地突刺，墨染了谁似乎与世隔绝的周身。

若思那瞬间精致抬眉的“你不能杀她，她是我们出去唯一的路！”脱口而出，萧洛璧的优雅转身，也在下一刻顺理成章。

“我只是想告诉她，不要将我的话当成商量。”

——我说让你说出来小赫连在哪。

——不是我跟你请教该如何地去找她。

——而是，我命令你告诉我。

萧公子没有必要再说的话，已经深刻地传递在每个人心间。

“若我不告诉你呢……”

这一次，女子扬眉扫眼，已经不打算再装下去。她并不觉得自己哪里露了破绽，或许唯一的不同，就是抱过她的人，都能感受到的她所不知道的真实。

有一点羡慕。也有一点妒忌。

不过早从她决定跟随那个人开始，那个人的天地间，就让她牢牢地记住，此生，只为伴君，却再不能有，博君回眸的一刻。

“我不是那边从不杀人的柳莫行，也不是自负正道不肯与女子动手的寒予凉。”

“你要杀了我么？”

“也许呢。”

有什么意味深长，慢慢地蔓延在这漫漫长夜……

*

斜前方是四根石柱，高到需要抬头仰望。

纹符一般的痕迹，刻满石柱。

比起雪白的无人触摸过的白壁，更像是古老的官道中一痕一缕的镌刻，说是咒文也好，说是密码也好，总之，是一种以现在的眼光所无法解答的文字。

“又是西域文？”

“整这些玩意……”

“不要碰它比较好。”

南肆在柳莫行静静开口的一刻，已然收回了自己的手并扯回若思的手，看起来像他占了她便宜，这其中有没有几分下意识的关心，一目了然。

“赫连姑娘在这里面?”寒子凉与走在身边的女子对话，她在萧洛璧一语无情后点头说：“好，我带你们去。”便带他们来了这里。尽管他表现得最为冷静，但他心中也是那个最担心和关心的人。

“还在不在呢……谁知道? 你进去看看，便知道了啊。”

看着眼前的景象，结满蛛网的房间，一丝不挂的却只是勉强可以辨别性别的少女尸身，如同抽丝剥茧的彻底。

非常的恶心，也非常的、恐怖的画面。

看到现场的时候，甚至连南肆都想捂着嘴巴跑到窗口去呼吸着新鲜空气，骤然而来的画面，逼得人的眼和身体感官扭曲的冷战。他武林历练够多，本身也杀过不少人，也见过处刑，但从没有一具尸体，可以被摧毁成这个样子。

南肆忽然觉得有一点冷。

他回过头去，看到了比他更冷的寒子凉。

南肆深知寒子凉的性格。这个男人可以比谁都堂正，比谁都冷漠，也可以比谁都用心用情，他的心，只真不假。

“原来还在啊。”尾音带了丝妖娆，女子像是欣赏着地上的尸身。

她的声音，却让屋内三个人同时一震。

以南肆和若思的立场来看，这三个人会有如此大的动作实在不符合他们的性格。若说寒子凉本性纯粹相对易对人心软信任别人，萧洛璧那种凡事漠不关心的人也不该在此刻竟像是中邪了。

他们三个人受到的震撼那么明显，以至，完全无法掩饰。

若思和南肆不由对视，女子只是随便拿一具尸身就想冒充赫连皙，连他们都不信，这三个按理说和赫连皙相熟了解她的人又怎么会信并且还有这么一副受伤般的痛苦。

那种，几乎无法掩饰的痛苦，正在蔓延。

“他们这是怎么了?”

“莫不是产生幻觉了?”

若思和南肆短暂的交换视线，后者猜测后便开始摇头表示自己的确毫不知情。

“那我们为何没事?”

“我记得，当年神医的妙手，就是可以针对某一种心情下毒。只有具备条件的人才会中招，其他人毫不自知。”

“你又知道了?”

“别这样看我啊大小姐……”南肆不由就从眼神诉语的状态，变成了直接口语的便利，而他说的话，那三个人甚至都没有听清的样子。

“我好歹也是想长命百岁的人，自然会对武林中的事多了解一下。眼下，我看咱们唯一的办法是把三个人再分开，不然所中同样毒的人，彼此传染会入迷更深……”

于是，毫无防备的寒子凉睡了过去。若思示意南肆点他穴道后就带着他离去，留下南肆啧啧两声自己这简直是给他人作嫁。

本想在柳莫行和萧洛璧中间挑一个人带走，谁想到还不待南肆有所反应，一阵风的涌入，落西凌来了。

不，南肆在看他第一眼就发现了。虽然容貌是落西凌，但这个人，有着落西凌所没有的气质。具体是哪样他也说不出来，可是更加的深刻，并且风华。

假冒的落西凌从进入就要带走柳莫行，南肆曾犹豫了一下好歹共患难过自己是否该出手相助，也都在男子清冷的一瞥中作罢。

“柳公子，不是我不出手啊，实在是我不会是那个人的对手……”自言自语，随后将目光落在不知何时已经和萧洛璧面对面的女子身上。这女子也挺有意思，易容成赫连皙的样子不露真颜其实无所谓，但她为何对萧洛璧格外感兴趣?

莫非是一见倾心?南肆也知道这样可就太狗血了。

狗血剧并没有发生。

因为那个女子忽然开口了，虽然她开口的内容让南肆相当之惊讶。

“异世界早已变化，你不熟悉这里，我占了地利，这是第一；萧公子你已没有了内力，我和南肆又是二对一，人数占优，这是其二。”

南肆还来不及补一句“亲，咱先等等哈。谁说我会跟你一伙啊?虽然我长着

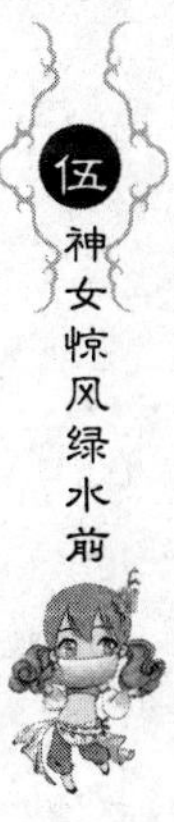

一副爱色并重色轻友的脸，可你真让我出卖朋友其实还是得靠钱的……”

“第三嘛，自然是赫连皙。”

那女子已经继续了言语，当她言辞间提到赫连皙名字的一刻，明明该是中毒的萧洛璧，忽然扫起了冰冷邪气的眼。

“不要提小赫连的名字。”他毫不犹豫的强硬，撕裂了空气中温馨的涟漪。

“哦？你怕听？”

“这毒烟的重点原来真是小赫连啊……”只有对谁用心用情，才会深陷其中无法自拔。萧洛璧纵知地上那尸身不是属于那个少女，仍无法自抑地任颤抖一路蔓延。身体自觉反应地心慌，毒烟侵入的已然是他们神经的一部分。

萧洛璧轻轻笑着，为什么会没有内力的谜已解开。虽然现在内力在一点点地恢复，但当这分内力恢复成原样的时候，也是毒烟功效发挥最大的时候。

过分的在乎，有时候会让人疯狂。

但他讨厌那种不受控制的感觉。

“萧公子，你放心我只会袖手旁观。”——南肆看似见缝插针的补话，实际上暗帮萧洛璧回神。

“没必要。”——谁知，萧洛璧却轻轻的、但不容人质疑地落下如此回答。他应该是了解南肆的好意，但萧洛璧的为人，从最初就是唯小赫连而矣，所以他并不会接受任何人的靠近。

“小赫连，一定会回来的。”

谁的自信，轻描淡写的恣意，阳光透过冰雪折射的温暖，细碎地拂过他的面颊。那种波澜不惊的气息，萧洛璧具备，便是一辈子。

“明知道赫连皙就是饵，还敢如此肆无忌惮地提到她想她，我该说你是无畏还是愚蠢呢？”

“你错了一件事。”

与女子对话，萧洛璧一字一句都是断不容忽视的决绝，以及，轻描淡写的笃定，“你不该把儿戏自以为成真相，还沾沾自喜地对我说。”

毒烟毒药，莫测的对手。任何人深陷其中都会崩溃或慌乱。

更何况那女子身后，若隐若现还有很多手持兵刃的黑衣。南肆对此早已习惯，武林中太多这种伏笔与走向。但还在他暗自推测自己收拾那群人的时间与他还是带着萧洛璧快逃哪个更容易时，他又听到了一声冷笑。

妖孽，并且魅惑以极。

萧洛璧在这一刻，冷静得过分。南肆不由大感奇怪。虽然这个男人一直都是那样冷冷淡淡的样子，虽然见惯了萧洛璧临风清逸的潇洒，反倒对他偶有的忧伤所不习惯。但这一刻，在这本该是他有着和柳莫行、寒子凉一样的痛的时候，他却没有兴起任何的手刃女子的举动——反倒是，旋转了黑箫的方向，将它收在了袖袍之中。

在众目睽睽之下，将杀意，抽离了女子二分之一米的距离。

萧洛璧冷淡的声音几乎不含一丝温度，他的表情，那一抹精致中的淡薄，可是心痛？已经再看不清。

“我们，赌一把吧。”

*

若思觉得自己不会忘记异世界的这一天。

她带走了寒子凉，却很快被人追上。看清落西凌的脸，看清他身边的柳莫行时，若思所想的不是落西凌的真假，而是如何不让柳莫行与寒子凉靠近。

她虽不如南肆对当年神医之事了解得多，她虽不认为过了百年神医真能再现，但她不想让寒子凉冒任何险。她与寒子凉之间，虽无爱情，却有种，不忍不管。

可她想与落西凌的一战并未开始，因为那个看起来似乎和落西凌不太像的男子，关心的只有柳莫行。

他将柳莫行甩在地上，他看着柳公子完全不似平日温文的萧索。仅只是看着。

“晳晳在哪里?”直到柳莫行闭上双目，强自提着真气，低声开口。

莫测高深的笑意浮现在脸颊，温柔的回应了柳莫行的话，冒牌的落西凌做出了似乎是遗憾的举动，摊一摊手，轻描淡写。

“你要跟我赌一下么，赫连晳的生死。”

他说一个人的生死，就好像在说今天晚上吃得不错一样平静。仿佛没有心。

可是，真的没有心么？还是他的心，已经不属于现在这个时间与空间。

风中，是谁的冷凝，如此孤独。手心的力量，似乎为了谁的话更加深刻。

若思眼看着柳莫行的掌心，微微泛起了血色的鲜红——那该是如何的力道，刺得肌肤都深陷痛楚裂痕?

他不该有这样疼痛得几乎麻木的目光，微微一笑，在勾一勾唇角之后。柳莫

行听见自己的声音，越过了若思，对那个曾假冒过他现在正假扮落西凌、已经越走越远的男子这么说。

"如果我赢了，我要这整座城池，给我的晳晳陪葬。"

若许白头墨已凉

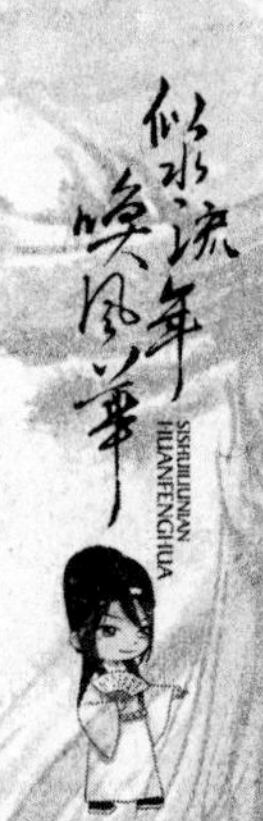

苦许白头墓已凉

6.1 大红嫁衣

风声、雪声、呼啸的声音。

环城之塔，冰筑的台阶，有人一路走来。

他一袭白衣，风霜不染。怀中抱着的女子，大红嫁衣。室外温度没有冻伤他们任何人，他因风张扬的裘袍，好像鲜明的起伏，谱写乐章。

迈上最后一级台阶，推开宫殿的门扉。夜已深沉，无人打扰。

扑面而来的暖气，仿佛带着醉意，他笑着，将她放在了崭新的槐木床榻；反手掩门，拉下那玫瑰红色的珠丝。

满屋相符相映的红色。

落西凌端详着赫连皙的样子，端详到几乎有些失神。

猛然低头倾身吻住床边的新娘，两人双双跌躺在柔软的床上。他一只手扣住她更加柔软的身子，一只手去褪她身上的馨香嫁衣。

当那灼热的唇碰触到怀中女子皙嫩却冰冷的颈肌时，她清雅的声音如意料淡淡地传来，“你真的，要这么做吗？”

落西凌的唇稍抬，离开赫连皙的玉颈并不遥远，笑得恣意。“我已经这么做了不是么？”

“神医之后也只能靠迷药毁人清誉么？”

“那是中了迷药的人的错啊。”轻轻笑着，没有人能听出落西凌这笑声中，究竟含有多少的讽刺与自嘲。“那三人实在枉称为武林三王。我真想把他们请为上宾，观赏这一出横刀夺爱。”

“凭你么？”

“女人还是不要嘴太硬的好。既然属于了我，不爱我你还想爱谁？拖着残败之身，回到寒子凉那里乞怜么？”落西凌的冷笑，仿佛带动着周遭的温度一并下降。“可惜无论是你那温柔的莫行哥哥，还是固执正道的寒子凉，都护不了你的完璧。萧洛璧那人再自负，再瞧不起别人，他又能如何阻止我呢？他来不了！赫

连皙，无论你愿不愿意承认，是我赢了。”

而你深信不疑的三人，输得彻底。

“这还不一定吧。”

“你这女人，当真是欠调教。”骤然抬高的声音，落西凌火热的吻已惩罚似的落在赫连皙水质的细嫩肌肤。片刻间，如雪地洒落樱花，她雪白的颈肩已全是深深吻痕。

身下的人没有片刻抵抗，他无须点她穴道，也能用一种药香轻易控她于无法动弹。落西凌准备更进一步时，混合在自己混乱的喘息声中，却隐隐听到了谁那样淡淡地开口。

“我一直疑惑的事情有结论了。”

“省省你美妙的声音等下用在呻吟会更动人……”干脆撕开绸缎薄纱，桃红色的兜肚衬得身下女子雪白的肌肤更加冰清，呼吸的一起一伏让她分明的锁骨看起来更加性感诱惑。

赫连皙此刻的气质太过知性，举手投足都含着女人独有的纤细暖意，与强悍实在连不到一起。但她接下来的一句话，绝美中带着不能忽视的温柔气息，却远胜过千军万马的践踏。“慕容莫生骨子里到底和白敖禹是一类人。”

——!!

“你，不过是个不被承认的儿子。”

私生子。武林中这样身份存活下来的人并不在少数。越是有名望的家族，越是很多见不得光的子女。每个人都有自己存活的方式，要么一辈子遮掩，要么企图夺回，要么根本毫不知情……落西凌显然跟他们中的任何人都不同。

他没有仇人既不必报复，也无须抢夺什么权势，从小跟父亲去了天魔岛。不满十岁流放到冰雪之城长大，他凭着自己一步步拿到手的权利，已经远胜于城主。

所以他查了自己的身世，所以他知道了，这一生再给他次选择也许会宁愿不知道的故事。他不是私生子，却远比私生子，还得不到承认。

只因为他想要那个承认的人，是遥不可及的存在。

慕容莫生。百年来唯一君临武林的王者。

虽不似百年前武林第一贵公子白敖禹那样引人争议，慕容莫生也没有白敖禹那般不择手段娶到自己心爱的女子，但他和白敖禹有一点是真的相似，此生都没有记住第二个女人的名字。

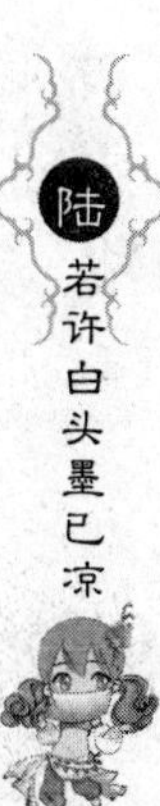

刻在生命里的，一经出现，就是唯一。

无论，他有没有心狠手辣的杀了她，都是她，不会再变。

“昔年，慕容莫生亲手杀了楚依依，是爱是恨，没有第三者能替他解释。但是，唯一能为慕容莫生生孩子的女人已经死了，他又怎么可能会让有他骨血的后代留下来？”无论面对什么情况，无论表达什么意思，赫连皙说话的态度永远没有改变，那仿佛心不在焉的态度最是让落西凌受不了。她甚至连同情也吝于给予他。多少年了，那一段已经快能称得历史的回忆，每个人都惊羡慕容莫生大败古皇派君临天下，却没有人知道他在敬那男人的同时，也多恨慕容莫生。

“住口！”落西凌一直用以伪装的轻佻终于有了裂痕，他加重语气，同样加重的还有含在语气中的怒气。愤怒中夹杂着被伤害的自尊，是什么往事，一幕幕回播。

古皇派摧毁已那么多年，楚依依香消玉殒再也不在，慕容莫生却始终不娶，君临天下不过十三年，终是腻了厌了带着自己唯一曾爱过的女子留下的唯一的物件——长剑语灵下落不明。没有人真的猜到，那正是慕容莫生和楚依依相识相爱的年份。而他祖母，纵然非那女子，却无怨无悔地跟着慕容莫生走了。那时候，他父亲才只有不到三岁。狠心地留一个尚在襁褓的婴儿，祖母是种什么心思他猜不透，但他从懂事起，经历的就是生父杀了生母，生父带他去了一座据说只有被流放的极恶之人才能生存的岛屿，他生父唯一告诉过他的，只有“你是我儿子，我没享受过的亲情，你也不需要。”

十年后，他随将他养大的师父一起到了冰雪之城。再十年，他杀了自己的师父取而代之，操纵一个傀儡自己则在幕后执掌一切。天魔岛并不如外人所传是个能让人是非不分的地方，只是他，没有什么是非观罢了。

他查了自己的身世，他查了一切能追寻到的线索，终是查不到慕容莫生去了哪里。那他的探索，谁能给一个真正的答案？

他本已放弃了。

直到有一日，他偶入了那座冰封已逾千年的地方……

“赫连皙，你何必这么聪明？没有人告诉过你，女人可以美，可以蠢，却绝不可以聪明么？”

“莫行哥哥教与我的，却是玲珑百巧。”嫣然一笑，美若群花都在此刻盛放，又都在此刻因这绝美佳人的惊天颜色而失色。

“柳莫行那种人，不过是与人作嫁。”高作的冷语，落西凌挺直的身姿带着种浓浓的抗拒，挡人千里之外，为保护他固守的那分骄傲。

其实，心里是有羡慕的。就因为羡慕同样是不曾和父母生活在一起却受到了赫连兆影照顾的柳莫行，落西凌才会那么像他，又那么不像他。无论柳莫行是否遭人觊觎，无论盟主不在孩童时期杀了他是有多大的阴谋，柳公子幼年到青年的成长，都有赫连兆影更胜父亲的护航。赫连兆影甚至把赫连皙放在了柳莫行眼前，让他眉眼心间，有了必须为之端正变强的存在。心中有了想要保护的人，柳莫行一步弯路都没有走过。

反观自己，落西凌不禁冷笑。他不是嫉妒，也不是得不到才愤恨……他只是太过羡慕，以至于，想要摧毁那分保护。想看一看没有了赫连皙，柳莫行会不会疯掉？还是他依然能轻描淡写的与人为善，不皱一丝波澜。

“赫连皙，你以为，你们为什么会来到这里？因为萧洛璧想带你看冰冠？那为什么萧洛璧会知道冰冠的存在，又是谁带萧洛璧来的这里？”内心里忽然就涌起了一股虐的气质，落西凌忽然很想看到眼前的女子露出无措的表情。他知道赫连皙不是那种胆小的女子，他知道她很难大惊小怪，但他相信只要告诉她他在那座冰封已逾千年的地方看到了知道了什么，她是会花容失色的。没有人能在知道那个秘密后还泰然处之。没有人！

“这里的一切果然是个阴谋……”

“没错，还是个已逾百年的阴谋呢，呵呵。”冷笑声阵阵传来，落西凌落在赫连皙身上的视线渐渐变得深沉，变得深邃。“不要小看任何地方，一旦它能孕育传说，便不会那么简单。百年以前，这里其实什么也没有，直到那个人来了……”

“那个人是谁？”

“你猜嘛。呵呵，赫连皙，你不是很聪明吗？用你那聪明的脑子想一想嘛，还有谁，有这分能力。”

眼见那一双美丽的琥珀色瞳眸闪烁思虑，落西凌心口逐渐扩大的虐就越发深沉而清晰，逼得他都有些不能自已。他不断地给她提示，他知道她无论多聪明其实都猜不到，因为真相比所有的传说都离奇——可他多么想让她猜到啊。那样一来，那秘密，就不用只逼得他一个人喘不上气。

“冰雪之城这个名字是天魔岛岛主起的，据说第一代岛主跟你一样是个女人哦。看来无论何时，武林中从来都少不了绝色红颜……这里既是天魔岛的附属地，它就少不了机关谜题。异世界能让人自相残杀吞噬人性，冰棺就不是简单的

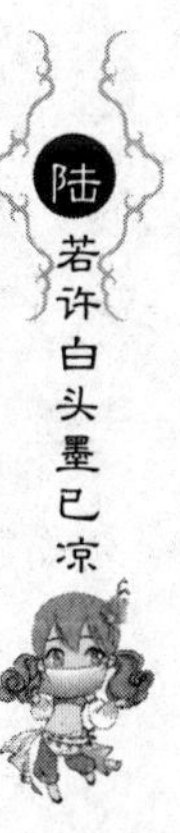

三件圣器能够开启。任何开启都少不了祭品，你明白不？小赫连……”

伸出的手，就游移在赫连晢脖颈，他一痕一迹地摸索，她能感到他稍一用力都足以压碎她脆弱的血管。落西凌的手无比的冰凉，仿佛没有温度，他口中热情的讲述，根本是伪装而非发自内心。

“你的意思是，当年师尊会带还是孩子的萧洛璧来这里，也是别人的设计？就为了让他在将来的某一天，引不一定会相识的我们来此？”赫连晢此刻的声线稍显清冷，虽是不变的甜美，却将一分疏离表露无遗。她不是觉得落西凌到了现在还在说谎，她只是有那么点压抑，为了这如果是事实那么算计他们的人将是何等的恐怖？还记得一年多前，萧洛璧第一次带她去看已成兽人的师尊，她无法控制内心为那兽人凶恶的威慑而浅尝的心跳加速；这一次呢，如果是可以轻易地诱导师尊、诱捕他们，必是更危险的存在……不，也许高明，都不足以诉说那人的千万分之一。

百年来武林中能算得上这样的人只有两个，一个是武林永远的传说，第一贵公子的白鹜禹。但白敖禹若还在世，也已是一百多岁的人……难道是慕容莫生？不……赫连晢不由直觉自我否定。先不论他们与慕容三公子根本无交集，就算有，也该在他们父辈甚至师尊那一辈终结。慕容莫生没道理在自己百岁的日子拉他们来庆生吧？这就是玩笑了。

看出自己的话已经让赫连晢有所困惑，落西凌原本摸索她纤细脖颈的手劲忽然加大了力度，甚至让躺在床上因为药香无法动弹的女子感到阵阵呼吸困难。“我怎么能忍心看到这么美好的你去做别人的活祭品呢？晢晢，为了我……”

落西凌的身子慢慢低了下来，他的声音也压得很低很低，低到几乎没有人能够听见，也没有人能够分辨，这是一种什么样的感情，“你去死吧……”

赫连晢只感到一瞬间头晕目眩。谁人施加给她脖颈的力道不只让她无法呼吸，仿佛也让她听到了骨头相挤压的摩擦声。

她从未感觉过生死之间的距离可以这么近。

眼中渐渐模糊的影像，忽远忽近的落西凌，和记忆中谁的样子重叠，却像是比她还要痛苦不堪。

落西凌手上的力道越大，由手臂一路蔓延到指尖的颤抖就越发剧烈。他看着赫连晢的眉眼，看她脸色惨白的不见血色，看她朦胧而焦距渐散的双目……他真的就想在下一刻用上全部力气掐死她，让自己不用再那么清楚地感知她把他看成了谁！

……柳莫行！

即使是死，赫连晢，你也要死在柳莫行手里么……

多少年前，那乱世红颜的楚依依，死在了慕容莫生剑下，她到死的那一刻仍是漂亮得无人可及，她说：莫生，我多么感谢你出现在我的身边。

纵然迷惑了当代所有豪杰，到头来，她仍是死心塌地成全了三公子的霸业。

只因为楚依依本就比任何人都清楚。

她活着，慕容莫生从未爱过她之外的女人。

她死了，慕容莫生就再也没有机会去爱别的女人了。

"赫连晢……其实你根本就没有忘记，你爱过的那个人……"……是柳莫行吧？纵然药物可以让你忘了当年的情诺一生，心却是比记忆更真实的烙印。

落西凌的话没有说完，字里行间那种深邃的寂寞也没有因为杀了谁而得到抚慰——他骤然停手的瞬间，正是一柄黑箫旋着杀气劈开他身形的一刻。

身体与床棱相接触，说不震惊是假的，但落西凌怎么也想不透，本该已在他伤情药阵中迷失自我的人，缘何能够出现在此。

还是那一身黑白分明却又和谐相衬的华服，还是那样冷峭讥诮淡漠疏离的极致，还是那样无论何时，只要他想，仿佛没有他做不到的——萧洛璧来了。

就站在那里，不远不近。

就看着这里，危险莫测。

萧洛璧的邪气，是一种清邪。无邪的罪恶，反而妖孽得无懈可击。

落西凌的邪气，就只是邪气。他的邪中，多了阴霾。

"你怎么来了？""你竟然不曾迷失？"这样蠢的话在显而易见的事实面前，落西凌是不会说的。无论他内心有多么的震动，甚至几乎有些失态地紧盯着萧洛璧，仍没有逃避或企图解释的不安。

两人武功伯仲之间。不，他清楚，若不是萧洛璧受制于他的毒，他和他武功上的差距应该会有致命的不足。什么二三百招见分晓，那根本是胡说。武功高强之人，无须耗费到比拼体力知输赢的地步。

他和萧洛璧都是聪明人，他们都知道真正的较量不是比武的公平，而是杀人的武功。

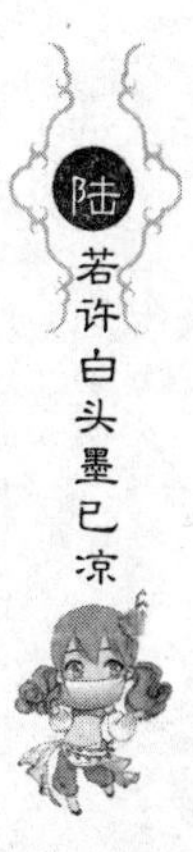

所以落西凌此刻只是与萧洛璧隔着空气的距离对视，直到他看到那个男子懒懒地掀了唇角，似是无聊了看他，转而将全部注意力给了床上气息奄奄的美丽女子。

此刻的萧洛璧仿佛全无防备，浑身都是破绽，落西凌却不敢妄动。他也不知道究竟是萧洛璧身上的哪一种气息震慑了他，让他竟也在瞬间，重叠了谁的身影。

有点可笑。却一点也不想笑。

赫连皙的呼吸渐渐平稳，伴随着偶有的一声微咳。毫无血色的唇角，几许因为险些窒息而快速干裂的部分也在口腔中血丝的渲染下，润了色泽。

微微侧首，也不知道是否能看到站在门边的萧洛璧，赫连皙琥珀色的眸中几丝朦胧，几丝若隐若现的放心。

离她最近的落西凌自然看到了这一幕二人瞳眸相对。其实他很清楚，若他这个时候拿她做人质，萧洛璧是不会强行救人的。她的身子此刻非常柔弱，经不住颠簸，落西凌有自信萧洛璧不可能拿赫连皙的安危当赌注。即使他玩世不恭倨傲不羁，即使他有必胜的把握，有的事做不出来还是做不出来。一年前萧洛璧和柳莫行笛箫相向，赫连皙那一刻明显心系柳莫行的偏袒，就是看似冷峭无情的萧洛璧先撤的箫。

“小赫连，你不要的，我便不要。”——没有人能体会落西凌知道萧洛璧那一刻说的这句话时，内心有多么的瑟缩。因为他觉得，这样的话不该是萧洛璧这种人说的，那样的话，应该只属于柳莫行。可事实上柳公子什么都没有说，仿佛古玉上的漠漠玉泽，将心思缠绕得波澜不惊。赫连皙忘了柳莫行的爱之深刻，柳莫行只任眼角莫测的犀利尽掩温和。

就像现在，来的不是柳莫行。而是萧洛璧。

“柳莫行没有跟你一起来么?”落西凌不愧是影子城主，常年的历练与经验让他很快平复了心中的惊奇，问话从容。再浓的血亲，再近的兄弟，也不会轻易割爱，伤人伤己。柳莫行是无所谓的，但是他是不是真的有如表现出来的那么无所谓——落西凌的答案是否定的。他无须了解柳莫行的个性，他只要了解男人就够了。

圣塔上抢了琉璃盏给寒子凉，异世界将组队双人留于萧洛璧，并非柳莫行欲擒故纵，而是他关心之所不在一朝一夕，只为长相厮守。

这样的柳莫行，又怎么会留下这救了赫连皙清白让她心存感激的机会？

落西凌的确聪明，他的猜测也的确是符合人心，但这一次他猜错了，他没有看到萧洛璧之外的身影，柳莫行没有从屋顶、窗外任何一个地方悠悠然走进来。屋子里还是只有他们和赫连皙三个人，柳莫行，从一开始就没有来。

他不在这里。

就像他从开始要的，就不是赫连皙的感激。

窗棂缝隙，风很轻柔。

就好像是一朵花瓣的飘荡，忽而零落在脸庞，亲昵的、恣意的抚慰，弥散着，那抓不住的温凉诱惑。

“他不在这里。”萧洛璧的声音仿佛从很远的地方传来，却恰到好处让人听清。面对落西凌若有所思的疑惑，他轻轻地掀了掀唇角，一派轻描淡写的悠闲。“连我都没想到他是那么激烈的人……但屠城一说，的确颇有看头。”

“你说什么——”空气中流动的气流都在这个瞬间停滞。柳莫行要屠城？这是于落西凌无论如何都不能想象的消息，其实莫说他，就连和柳公子发小二十载的寒子凉都无法相信从不杀人的把兄弟会做这样的事——但这已是事实。

落西凌明明没有看到，眼前，却像是出现了那谦谦公子白衣飞舞、衣袂飘飘，翠绿的竹笛遍洒寒光，优美的唇型划出讥诮的弧度，清凛的侧脸留下一道明净而且波澜不惊的气息。“若这城池要吞噬你，我便屠城给你陪葬。”

天下人生命，不及一人生命。

这是不该属于柳莫行的迷失，却是，只有柳莫行一人能做到的极端。

萧洛璧的目光，透过室内明亮的冰晶，变锐气为浮华的光影，落在不知道距离的远方。连刚才落西凌为了阻止谁的屠城离开也没有阻挡。不是没有听到他的奚落，也不是不在意他侮辱赫连皙的强迫，事实上黑箫已溢满了杀意，却忽然，懒得动手。情绪过于无法触及，有时候也是一种遥远，让人分辨不清。

萧洛璧清俊的面孔上，水波不惊的淡漠，侧目，望着赫连皙衣衫不整轻躺的床榻，掀唇，三十度炫目的微笑，讥诮得无声无息。

他一步一靠近。

由落西凌打开的大门外，水流的声音忽远忽近，缱绻着室温的朦胧。她纤细雪白的香肩，清晰而性感分明的锁骨。

清辉之下，是那种不识人间烟火的艳丽。——总有一种，即使伸出手抓牢，

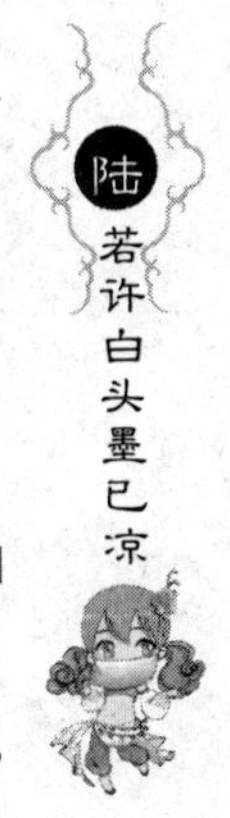

她还是随时会消失的感觉。

太不真实，逼痛了谁的眉眼。

“小赫连啊……”那张近在咫尺的绝艳笑靥，轻漾着令人迷惑的可望而不可及。萧洛璧发自喉间的叹息，忽而清晰。

瞳眸深邃，黑艳边缘散布开冷冽的银色，他一点也不喜欢，这一刻，她倾斜在唇角的那分柔软馨然。

你是为来的是我而放心？

还是为屠城的是柳莫行而倾心？

黑与白交错的颜色，长衫随着萧洛璧坐在床沿而微皱，他伸出的一只手，手指比落西凌更加不规矩地触摸那细嫩的肌理。

雪白的肩颈，比雪更白皙的脖颈，赫连皙因为呼吸而起伏的锁骨，在萧洛璧指肚的轻抚下有了浅浅的红痕。他没有用力，但是他的力气，恰到好处摩擦了灼热，滋长了暧昧。无声无息，又瞬息升华。

他们两个人，这样面对面的机会并不少。

一年多前，他在寒子凉大婚现场劫了她而去，一路都将她抱在距离心脏最近的胸膛，让她听心跳，一下一下真实。那时候，她就没有笑。她不误解他的强抢，却不代表，她就要欣然接受。赫连皙是多么有主见的女子，她从未轻易受任何人左右。她的心思、她的情感、她的举动，无一不是她自己想，才会做。萧洛璧从未想过，如果他们两人的第一次见面，不是一年前，而是更早的五年十年，他没有仅只是将白茶花叶一片片放在她的门前，他们之间是不是就会少一分玩味，多一分柔软？

他不去想。是因为所有的假如都没有意义。他不去想，是因为他们二人其实都更习惯这样回眸一笑，来去自如的暧昧。

可是暧昧，它毕竟不是爱。

他给她太多的暧昧，也许反而，会让她分辨不清，爱与不爱的区别。

萧洛璧没有说话，也没有急于恢复赫连皙的行动。他只是，指尖滑过锁骨的诱惑，慢慢地抚摸。好像就这样一辈子，也不嫌无聊。看着她眉目如画，他夜黑的瞳孔色泽越发幽深，几欲挑起了嘲讽似有似无的线条，模糊了面庞的清俊。

赫连皙看到，同样没有说话。这一刻她该是清楚萧洛璧要做什么的。这一

刻，她想了什么呢？

呼吸中，有水的滋润。

那个轻柔而暧昧恣意的亲吻，开始得唐突却那么顺其自然。

齿痕一落，有微红的轻薄。

他的唇，冰冷而炽烈；她的唇，柔软而冰凉。冰凉的温热两极混在一起，他唇齿不徐不疾地允吻，她本该得躲避或退缩却被迷离的韵慰所取代，让这一吻中，更多的是一叶蛊惑人的娇艳。

呼吸，微微乱了节奏。

那般甜美芬芳，似乎不是窃取而是欢爱，她唇瓣的柔软，一瞬间，让他错以为，身披大红嫁衣的女子，是他的新娘。

突然间，谁却化吻为咬。一下，有点疼，也有点麻麻的酥。

“痛感让萧公子清醒点了么？”扬起漂亮的脸庞，赫连皙问话的声音，轻得几乎没有力量。

“看小赫连你这么精神，我就放心了。”

“萧公子原来也是这样乘虚而入的么？”

“啧，小赫连，相信我……我这只是——有一点妒忌而已。”

漂亮的声音就那样毫无间隙的融入两人之间，赫连皙闻言微微睁大了美目的瞬间，眼帘，先被一吻柔情缱绻。

如此如此的温柔。

如此如此的霸气。

“你以为……我是不会嫉妒的吗？”

萧洛璧那双漂亮的眼眸，似乎流转的萤火，星星点点，都足以燎原的迷魅。他的唇，染了血色，反而更加的绝世风华。

双目对视。

一个似冰，深入骨髓的烈气，眼角清明的温柔无人能触及，冷月清寂；一个也似冰，却是纯粹的透彻见底——只是那个眼底，什么也没有。

除了无所谓，就是没有所谓。

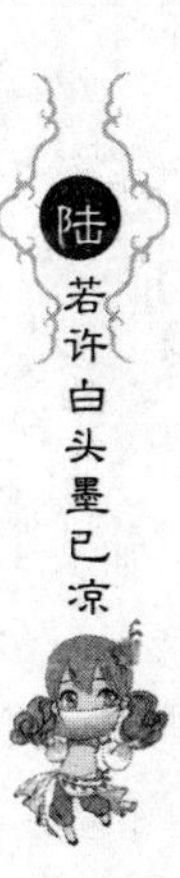

小赫连，你真的以为，我是不会伤心的么？

你真的以为，那个无所不能的萧洛璧，什么时候都能漫不经心地吹着箫，望天地辽阔，一人恣意逍遥？

赫连皙没有回答，萧洛璧便没有再说话。感情可以轻描淡写，可以炽热翻腾。他早已确信，他的心思，她比谁都明了。就算不言不语，也足够在那样的温存和柔软下，凝结成心照不宣的缠绵。

“我有点冷。”她所拥有的那双琥珀色的美眸，镜花水月般艳涟。雪白香肩上的红痕还未淡去，一抹一痕，刻骨而鲜明。

“等下去外面会更冷。”

“不打紧。萧公子的裘衣借我便好了。”

“嗬。”轻轻的笑声，几不可闻。听在屋中二人耳中，却又那么清晰。萧洛璧手指再度点过赫连皙肩颈，点了两个地方，她一瑟缩的痛后，由他拉了起身。

赫连皙坐起来时，毫无征兆的，萧洛璧原本披在肩上的墨黑皮裘，已安然搭裹了她的身体。她看他，他不以为意地旋身退后了一步，有一种若无其事的清随，是逸在骨子里面的风韵。

“你又觉得，我能迁就你多少次？”

萧洛璧双臂环胸，影子在正前方修长着，月光是背映，看不清他说话时脸上的表情。也许是漠视，也许只是陈述一个事实。淡然的笑容，清明而讥诮，永远带着惬意的神情，仿佛没有一件事可以让他失去自信从容。

“萧洛璧的迁就，一生，一次足矣。”

赫连皙的话，让萧洛璧笑了。轻轻掀了掀唇角，那三十度几乎是无视的笑意，讥诮着空气中的躁动，冷峭蚀骨。

“小赫连……你，好狠的心哪。”

6.2　此心彼心

抵达山前的时候，天色已逾黄昏，断断续续落了一天的雪将山径埋葬得干净彻底，入眼皆茫茫。

入夜后的寒气开始蔓延，渐起的风从雪地上掠过，扫起阵阵雪尘。南宫浅影的裘衣被风雪掀开一角，引得腰间环佩清响，却很快断了余音。

达暗略微侧身，挡住了风袭来的方向，修长的指，将南宫浅影被吹乱的外裘一一翻过整理，不透分毫空隙。风扬起他的额发，露出他清俊的眉目。他没有说话，一双黑眸不泛波澜亦看不穿心思，没有情绪，唯余专注。

一眼一语，一系一心。

南宫浅影于他，时时铭于心尖上，事事不假他人手。

他们从异世界出来已经一天一夜了。反镜屋世界黑白子一局，因为那莫名的杀气，留下他们和若思三人。

本就不熟，自是相对无语。

南宫浅影哪里受得住那种等待的枯燥，自小便精通奇门暗道的达暗于是犹自寻找着离开的路。

用时不久，他便发现了这里和天魔岛相似的布局，带着南宫浅影而去。对于留下若思，他并无犹豫，武林中人虽为义字而忠，本心亦有轻重抉择。若思与他们非亲非故，更何况他能感觉到这一场异世界的试探，其实与他们无关。

他和小影，不过是恰巧参与了而已。

然后真的是恰巧么？

也许达暗明知道没有那么简单，这一刻，却宁愿如此简单。

冰雪之城无疑已经变化。或是自很久以前开始。但天魔岛历届巡视官竟无人知晓，可见痼疾已根深蒂固，绝非朝夕足以整治。

若此次前来的人只有自己，达暗或许还会深入探索，但此趟，他带了另一个女子，凡事都会有个度。

并非没有自信。而是所有的自信，都不是让她置于险地的理由。

所以他未曾犹豫，不曾驻足，从异世界步出，带着她就要离开冰雪之城，重返鸟语花香的天魔岛。

回到那里，他或许会再次回来。

但一定，要等她先转移了注意力，再不记得有个冰雪之城，有过什么样的邂逅——即便那三男一女，或许正经历着截然不同的故事。

在冰洞之内，在游戏之外，达暗都没有与赫连皙有过任何交谈。他之所以唯独回应了她对他名姓的问候，皆因为她那一双眉眼。赫连皙略带深意与惋惜的眼神在他和小影之间流连，他与南宫浅影都注意到了，只是小影领悟不得没有在意，而他，心下奈何，却不与人说。

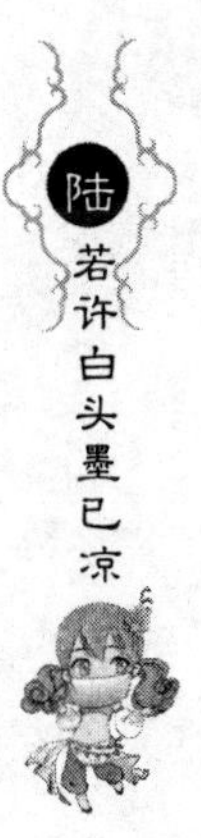

千年玉老，时间还有那么长。他有着足够的耐心来计划，来布局。他相信着，待到南宫浅影情愫初开时，折下那朵花的，一定是他。此时此刻，他的一往而深，可以沉默在她懵懂不知之后。

达暗深藏入骨的心上人，只有一个南宫浅影。有子相伴，才堪当百年江湖。

“暗，我们还要翻过几座山才能回去啊？”南宫浅影抬头望向已经模糊成墨的天际，精致的眉眼透露些许疲惫。

他还没有给出回答。

她便很快又笑颜盈盈，“到底还是我们赢了啊。”

他静静地端详着她。因这一分纯粹，普天之下，或再也无人可及。即使有，也不会让他高看一眼，更勿论陪伴之亲临这苦寒之地。

还要面对着……比冰天雪地，更为森寒杀气的阴谋诡计。

这时候的风，忽远忽近。有人影绰绰，逐渐靠近。

达暗不着痕迹地将南宫浅影护在身后。他说：小影，闭上眼睛。

风中的杀气，和那一柄柄袭向他们的雪亮刀剑同时到来，达暗手起手落，南宫浅影已经闭上了眼睛。她能笃定的不多，唯达暗，明信于心。

尽管达暗永远不会给她多余的解释与保证。他只会在她的一颦一笑间明她所想所愿，而后达成，倾尽心思，且不择手段。一直如此，仿佛理所当然地存在。

点滴在心，如雪中的暗香，缓缓萦绕进而逐渐弥漫开来，却不易察觉。

达暗眼前忽然就出现了一抹幻觉。

那幻觉来得太快了，以至于，他一时没有立时从其中挣脱。

与已无关的人或者事，达暗向来不关心，也不会上心。

他给南宫浅影的，永远是最好的。却不会让她知道，为了她的最好，他在背后步步为营耗费的心机与思虑。但却就因为太过理所当然，她的眼睛看着别处露出微笑，将这缕缕幽香当做空气般习以为常，仅此而已。

天定各有因缘，若她终有一天，遇到了另一个人呢？

人间依然斑斓婆娑，而南宫浅影的宴宴言笑，只能盛开在他的回忆之中。

再也没有一个人，会让他牵挂所有的年月，浮生不悔不释怀。只万般无奈，她或笑或蹙，都已远在万水千山之外，再无可能相伴。此去经年，乃至一生。

他只能慢慢地后退，然后将自己放在离她最近也最远的距离。最近，只要她一回首就能看到他，在她不开心时在她遇事踌躇不定时在她举步维艰时……只要她需要，他就会出现在她身边；最远，则因为她江湖相望，携手眷侣一生的，并不是他。

恍若回神。

达暗那略带清冷气质的眼，映满了南宫浅影娇艳的身影。

却不是她真正的身影。

只在一个瞬间，消失的是那个本不该消失的少女。

*

南宫浅影本是站在达暗身后的。

有他保护，她从不曾真的担心自己的安危。或说她即使来到了冰雪之城，经历了异世界一幕，也仍没有半分紧迫之感。

并非她不懂江湖险恶。

而是冥冥中有一股力量，让她远离了真正的威胁。

就像这一次。

原本站在达暗后面，看到他轻而易举击退袭向他们的人，她还来不及细想，便让一阵朦胧的风气倾裹。

南宫浅影惊讶的不是这一刻抱起她的人长得一张和达暗一模一样的脸，而是真正的达暗，竟然没有发现，有另一个人向她悄然靠近。

所以当她的眼前褪去朦胧，她的人影已然站在了另一片天地。

冰雪之城这个地方邪气得紧。明明是不同的地方，却有着相同的景色。

就像明明是不同的人，却有着一样的脸。

那是易容。南宫浅影知道。但她依然震惊于，有一种易容，竟是如此的神似而无可挑剔。

眼前的人不是达暗，可她看不出来，他哪里不是。

她的穴道在起雾的时候已被封住。

正当南宫浅影勉力冲开被封穴道之时，只觉得一线阴寒的内力自肩头灌入，霎时将她即将冲破的封穴又牢牢闭住。体内的真气蓦地紊乱了起来，呛得她不住咳嗽。

“在想着逃走吗?”伪达暗的声音似乎有一种魔力，即使是同样的温柔，他依然比达暗多了一分让心弦微颤的挑动。也许这就是一个武林传奇的存在感，明明

自白的温和，亦有难以抗拒的不动声色的威严。只是这一刻，南宫浅影不知道他是谁罢了。

怨恨地抬起头，直视面前人如雪的容颜，南宫浅影道："你将我掳来这里，所为何事?"虽然体内翻江倒海，但却依然不失少岛主的风范。

伪达暗一笑，说不出是冷是暖，只能说那笑中，藏着几分魅惑，就如同他拿在手中把玩的百合花，纯净中，亦带着铺天盖地的妖异馥郁。

他只是在南宫浅影的背上拍了两下，便有一道真气顺着她的脉络而走，自身真气被不由自主地引导到原位上。

少女这才顺了口气。她扫眼观察着伪达暗。她知道达暗一直是少见的美男子，但她也是直到此刻才发现，他有一双那么漂亮的眼睛。眼中的神色或许因为是伪装而有所不同，那双瞳眸的风华，却翩然清远。

"你是谁?"所以她禁不住开口询问他，企图在他眼中找到一丝一毫与真正的达暗不一样的地方。可是寻来寻去，也没有找到。南宫浅影不禁对自己有一些不悦，她对暗，竟不了解到这种地步么?

那么暗呢?如果有一个女人在他面前扮成是她，他又会不会能明确地区分，那个伪装的人身上缺少了她的哪一种特质呢?

"你希望我是谁?"他明知故问，笑开了一抹、竟像是昙花一现的灿烂。那种危险的、犀利的感觉，这一刻，都像是种错觉，远离了他的坦然无辜，和一分亲近的善意。

风，轻轻地吹起了南宫浅影幽黑的长发，一丝一缕，像是缎带飘摇、在谁面前轻舞飞扬。

"我无所谓，你是谁。"南宫浅影的诚实，毫无做作。

"你是唯一一个，对我说这种话的人。"

伪达暗的手心，是微凉又泛着温热的，他触摸到南宫浅影的肌肤，轻轻揉捏，稍一用力，都似乎可以，伤筋动骨。

"所幸我，也无所谓。"

*

这天下，再相像的人也不会是同一个人。

即使容貌相同，风神和气质也不同；即使风神和气质也如出一辙，总有一种感觉，是别人。

论起武林百年历史，达暗要比南宫浅影知道得多很多。

天魔岛虽是武林极恶之人聚集之地，仍有着那里的规矩与生存法则。知彼知己，百战不殆。所谓武林的历史，其实都是为了后人，不要重蹈覆辙。

所以无论是武林第一贵公子的白敖禹的传闻，还是君临天下绝色倾城的慕容三公子的传闻，达暗都很清楚。

清楚到步入异世界，他在反镜屋黑白子赌局前就有感——传闻再现。

纵然所有人都说他们失踪，下落不明，那所有人也不过是武林的庸人，非同类的比肩，又怎么会给他人轻留足迹?

可是达暗不愿深究。

一是这两段历史真的太过悠久，二是他和南宫浅影，不是赫连皙与那三人。赫连皙眉眼盈盈处，有种执著，宛若天生；南宫浅影的脸庞，却只有漫不经心的饶有兴趣。

兴许还是孩子的缘故，她所有的兴趣都有一个度。

而他，对她感兴趣之外的实物，皆无兴趣。

无论，那是不是武林传奇。

“竟做得如此碍眼。”

吐字清晰，连那听起来刻薄的发音都在优雅中冰冷。达暗扬起一抹清逸，抚平一世的尘嚣。

眼前的人，扮作南宫浅影的样子。外在多么的神似，看在他眼里，也不过是无聊至极的天差地别。

“真正碍眼的不是我吧。你所在意的碍眼，难道不是那个时候你心里的感觉——那个小女孩，和你之间有着不足半寸却犹如鸿沟的距离。”

这或许是真相，或许是挑拨的言语，没有答案。因为言语起落的间隙，那些本该已经倒下的人已经跌跌撞撞又站了起来。

达暗微微眯起了暗色的眸，心下千回百转，轻易地便看透了这是一种什么样的傀儡控制。原来，冰雪之城已经……

他，就站在那群人正中间，那么真实。

真实得让人几乎分不清，那是幻觉，还是现实。

“我和柳莫行不一样。我并不在乎，杀了你。”

*

伪达暗在说完所幸我也无所谓后，像是忽来了兴致，又牵起她的手，对她

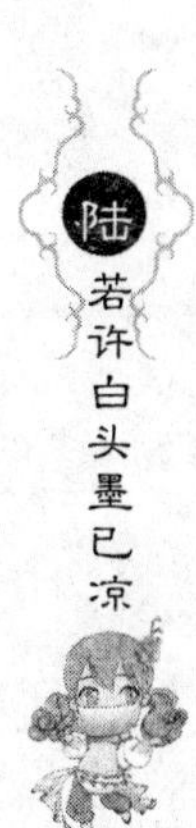

说：我带你，真正参观一下好了。

于是，这整个冰雪之国，便仿佛攥在男子手心的娃娃，毫无反抗余地。任何的稀奇，不论它被隐藏得多深，或在暗无天日的地下沉睡了几千年的岁月。只要他想，就能带着她，悄无声息地目睹任何一处天地。

短短的时间内，南宫浅影几乎看遍了这整个城池。她穿梭在曲折幽暗的长廊间，触摸墙上的壁画，聆听夜深后风吹入耳的雪落声……而在她的身侧，只有那个陌生的男子。

但他不是达暗。

就如同唯独有一处雪山之巅，他不带她前往。

她问他为什么那里不可以去？

他看了她一眼，用达暗的那张脸笑着问他：若是去那里必须要牺牲你或者他，你选择留下你们中的谁？

唔，那我不要去了。只是略有停顿，却毫无迟疑，南宫浅影黑白分明的大眼中分明写着适可而止。

于是，伪达暗又笑了。

他笑着说：这是一个好答案，可是越聪明的人往往越难抑制住好奇心。

“哎？”

他说：让你看看我是谁吧。尽管，你应该很快便会忘了我。

泉水清淡的味道，好像海洋的清新空气，随着一个人的到来恣意流淌。

南宫浅影下意识地抬起头，视线中，出现了一个人漂亮到几乎惊艳的轮廓——穿着雪白长衫的那个男子，比温文尔雅更尊贵的气息，也许他不是刻意高作，就已经显得高人一等。

“南宫少岛主，你好。”他的声音，比柳莫行的温润要冷淡一分，却又比萧洛璧的蛊惑要清明几许。

“是不是觉得，我并不像你在等的那个人。”

还不待南宫浅影开口，似乎是可以看穿别人的心理，再度出声的反而是那个白衣翩翩的美男子，他笑着，比云淡风轻更多了不沾纤尘。

“啊，可是你……”一点也不像暗啊。又是她还没有问出来的话，他已经笑着开口了，他说：你越来越漂亮了。

他笑的时候，好像笑开了全天下的风情，明明没有多余感情的脸上，却让人觉得一阵又一阵的温暖。

达暗也有这样的气质，风度翩翩、看似淡漠之下的温文尔雅，但是这个男人的温暖，是截然不同的另一种，更像是一种，侵入的无声无息的温仪。

南宫浅影一时竟因为这样莫名的称赞而迷失语言，但她很快就因为男子忽然的靠近而本能退开了抗拒的距离。

男子看到了她的行动。他本该介意的，但是他没有介意。

他只是笑了，笑得比尘世间所有的形容词都更为绝代风华。他看着南宫浅影的眼睛，对她说："和他回天魔岛去吧。你的血，不是他等待这百年所需要的。"

什么血？他又是谁？

南宫浅影本想继续追问，一探究竟的。但是这个男子，就像来时全无招呼，离开的时候，也伴着风而无影无踪。

她甚至没有看清楚他是什么时候离开的。

她甚至，有一点怀疑方才那瞬间自己是不是错觉了。

只有南宫浅影自己知道没有。她刚才确实和一个连她都觉得不像是生活在同一个天下的男人交谈过。

即使，只有短短的一瞬。

一瞬间之后，同样一扇门，再度打开。

这一次走进来的，是那个黑衣华服的男子。达暗出现的时候，空气中的涟漪都随他一同清凉淡然。

而他看到了南宫浅影，只用了一个瞬间。

瞬间之后，他转过了头，似乎要走。

"等等，暗！"南宫浅影马上几步追了过来，她从没有见到达暗生气过，所以她不知道他生气的样子。但她却知道，他背转过身，她无法习惯。

站在达暗身后，隐约间，似乎是个做错事的孩子。

"你不会要留下我吧？"

"小影不是还没有玩够么？"谁的声音，不露尘俗。

"咦，不要嘛。暗你难道生气了？你是跟我开玩笑的吧……"

看着南宫浅影仰面看着自己的眼，她虽不懂他几番险阻来到这里，在那双晶莹到透明的眼眸中，达暗仍看到自己的脸。那么清晰，也看到了自己的影子。

他知道自己好久没尝试过暧昧是什么感觉了，可他在她的眼中，看到了他少有的、几乎是不可见的，暧昧。

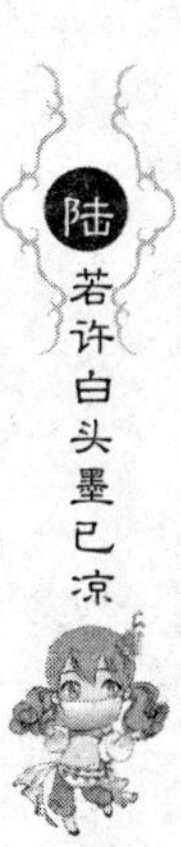

因为对视她，因为，是她。

一线之间，一线之后，她之外的人谁也再见不到。

南宫浅影看到了达暗形状优美的唇角，上扬了一个轻微的弧度，接着，她听到了他对她说，“是的，是开玩笑的。因为想让小影自责一下，一个人偷跑的事情。”

在那种可以魅惑人于无形的笑容展开时，达暗也不再冷漠着表情，而是最自然的一个牵手——牵起了她柔软芬芳的温暖。

就算有些距离，人力仍不可及；就算天意弄人，情感也已经弥生。

不露情深，不奢卿知，唯望卿安。到最后，只余欷歔。

红尘有幸，你我相遇。为卿沉醉至今，不曾过眼成灰。

太早成功的人、太过出色的人，似乎都有一个共性，那就是淡薄。达暗温文尔雅的气质中，有一种清薄，深沉似海。

“我们该回天魔岛了。”

这之后，冰雪之城与他们再无关系。

无论他猜透了这里将要发生的事情，无论实际她在这里遇到了谁。

都不过过眼云烟。

只是生命中匆匆的过客。

走过，唯有路过。

6.3　血染城池

那个男子，给人如沐春风的感觉，好舒服。

那个男子，笑容清逸对人有一种自然的吸引。侧目而去，了然于心。

那个男子，温柔纯粹得滴水不漏。似乎全身都是破绽，反而，无懈可击。

武林中所有用来形容柳莫行的言辞，都是彬彬有礼、翩翩公子。他从不与人为恶，他的一言一行，都是大度的宽容。

端丽精致的脸庞，似是而非的温凉。从没有人见过柳莫行真的生气，也就从没有人见过他的冷淡会是何种颜色，现在，算吗？

指尖都溢着不明显的颤动，缓缓地成拳，可以看到用力地握紧……再稍后，缓缓地松开。白皙的手心间，是清晰可见的指甲印。

泛着红丝，刻溢得很深。

*

对柳莫行而言：赫连皙并不是多么特别的人。

她的存在，对他而言，太过自然而然。从他生命懂事伊始，她就在他眼前，在他身边，在他心里。他每时每刻、每分每秒，都能看到她、感受到她的存在。

赫连皙。就好像是空气中的涟漪，随着他的呼吸芬芳而起舞。只要他的呼吸存在，她，就一直都在。

柳莫行从来没有把赫连皙看成特别的存在。从来也没有。

因为她和他在一起，他们在一起，是顺其自然、理所当然的事情。所以他从来也没有想过，哪一天，她会消失。

从他眼前消失。

从他身边消失。

从他，心里消失……

多少年以前，少年倾心所望，牵着少女那双素白的柔荑，吻一抹温柔无双。他轻轻地看着她说：皙皙，等你长大了，嫁给我可好？

似是把她整个人都捧在了心尖最柔软的地方。

那时候的她，一双琥珀色的明眸，晶莹闪亮，笑开了他从未见过的最美的颜色。娇艳柔软的唇扉，抿出了无瑕蜿蜒的弧度。

莫行哥哥，你猜，我会说几句好呢？

少年少女，青梅竹马。彼此守望在最初也是最近的地方。

她一个眼神，他心间自悟；她一个笑痕，他掬手所握。从未言：只要能守住你的笑颜，我可以做任何事——是因为他所熟悉的她，比谁都懂得保护自己。

只有会爱自己的人才知道该如何去爱人？

赫连皙摇着纤细雪白的手指，笑而轻许：不，只是因为莫行哥哥告诉我，什么时候，只要把自己保护好就好。

他们，真的是已经……习惯成自然。

习惯了喜欢着彼此的感觉，习惯了在意彼此的感觉，习惯了拥有彼此的感觉，习惯了彼此的习惯，习惯了……这一分习惯。

相爱的感情其实简单的几乎没有痕迹。

习惯了这个人，其他的人，就都不会是她了。

*

寒风，几近刺骨。哪一种感觉是刺骨，对现在的柳莫行而言，已经没有意义。那张玉面秀颜，苍白得几乎透明。

若百年前之武林人还有印象，这一刻的柳公子，可谓重合了一个人。

那个人清郁而薄情，清高而骄矜，武林中、天下间，他都没有什么激动或疯狂的在意，因为他所有的在意，都给了他青梅竹马的爱妻。

武林第一贵公子白敖禹。无人可知他和爱妻路夕颜分道扬镳的时候，有没有愤怒、有没有轻蔑。或许，他都有，也或许，他都没有。

世人只知那一段佳偶天成的神话，终成无迹可寻的谜团。白敖禹和路夕颜是生是死，白敖禹和路夕颜究竟各自有了什么样的未来，无人可知。

因为知道这一切的人，已经都不在了。

其实是否真的有知道一切的人，都无人可知。

天下人只知道武林第一贵公子之后，武林再无第一；武林第一美女之后，谁还会再遇到第二个白敖禹？

柳莫行从未自比白敖禹。

无论白敖禹是善是恶，他都是白敖禹。武林中人敬他也罢、恨他也罢，都是白敖禹心之外的产物。

也没有人将他与白敖禹做过比较。

他们二人根本无须比较。谦谦君子柳莫行，言行举止都是温柔祥和，对人对己均是心存善意。他这样的人，其实根本不适合生存在武林。

因为柳莫行太好了。

白敖禹尚是个谜。无人能将之看懂看透。

柳莫行却是真相。他表现出什么样子，他本身就是什么样子。

可是，真的是如此么？

只有到了这一刻，才似乎，无人确定。

温良如玉。那玉的明净纯粹，毫无瑕疵。

如玉一般的公子，他生活在这尔虞我诈的武林，却是唯一能保持从不杀人信条的人。要做到这一点，其实，也需要出人意料的强大。

柳莫行的强大，很多人从外表往往无法看出，肤浅的人甚至认为他或柔弱可欺，面对这样的嘲讽，柳公子从未解释或是分心一二。所有的言语都是别人的话，既是别人，又何须在意？赫连兆影将他教养得太好，以至于，让这个公子，色泽完美得他人连妒忌也不忍。

无须违心生存的人，其实才是最强大的人。

他以一颗心，守护了所有。

……本该如此。

本该，如此的……

*

纵然是众花齐放争艳，也敌不过晨露中谁的笑靥轻绽，这分美丽风影。

“皙皙的好，纵然一句不说，我也能自行领会。”那天的天空，蔚蓝而澄澈，那天十八岁生辰的柳莫行，少年清明，由心而悦。

十年的青梅竹马。十年的，喜欢的感情。

他就是这么温柔，代表了一切的风情。

她微微偏过头的样子美得无法言语。丝般绵长黑亮的秀发从肩膀滑落，动静间自然而然带出恬淡的香气一点一滴蔓延在空气。空气中溢满了醉人的甜香，但所有的甜，都比不上她嘴角的优雅。

“莫行哥哥，你，欺负我呢。”或多或少是撒娇着的玩味口吻，赫连皙娇艳中漫过柔和的美眸透穿柳莫行而望。看着他，也看着他眼里的自己。

忽然间就那么看着彼此，整个天下都安静了下来。

仅只是两只手的轻握，你我的彼此。

回荡的涟漪，仿佛在水中旋转，诉说不尽悠远的缠绵。

“皙皙，我想让你从此记住——别人给不了你的，我能给你；我能给你的，我全部都只给你。”

有的人的承诺，是一言一心的。

*

那年那月那日。那时那分那秒。

赫连皙的模样已经模糊到她自己忆不起来的地方。落西凌的毒，从最初就目的明确，他不让赫连皙忘了谁，只让赫连皙忘了那一天。

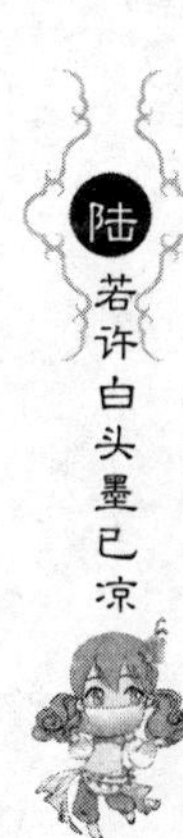

那一天，柳莫行牵着她的手，向她求婚。

那一天，她笑着看着他，为他点头。

她明明已经早在那一年的那一天，接受了他的求婚，青梅竹马两小无猜地终成眷属，却戛然而止。因为有一种毒，将他的求婚，自她心间割落。

让她目所能及之处，再不记得有过他一生一次的求婚。

于是，柳莫行的痛，根本无人可知。

那种无法控制的真实的痛。

她忘记了那一天。他们不是不够喜欢对方。

只是他们的喜欢之间，被第三个人硬生生地刺了一刀进来。——那刀子在赫连皙的心里割破了伤口，血仿佛滴在他的心尖，他不能替她痛她也无法为他拭去那片鲜红。

他们明明都没有错，只是总在心动之际，忽然空白。

他忘不了那个少女是如何地笑开了一靥的温柔暖了他一心的期待。她明明比谁都清甜娇艳，却辜负了他比谁都认真的心意。

曾经是那么深那么深的感情，他不希望，连昙花一现都是奢侈。

*

银杏一般的色泽，又有着，诸如枫叶的耀眼，那是男子的力量，凝然而聚。一分一寸，都是骤然而来的吸引，和吞噬的猛烈。

是谁的身影，此刻凌乱风中。

像是弱不禁风的瑰丽，不知飘零何处。

雪，已经下得好大好大。铺盖在地面，每走一步，都是深深的脚印。

冰雪之城的人开始号叫，开始奔跑。

只有走在他们后面的人，一步一步，雪地上不曾留下丝毫来过的痕迹。

皙皙。我忽然就觉得寂寞。

原来，人要疯狂，竟可以如此简单……

*

他还记得，那一天。

东瀛诸岛，满天飞舞的奇迹蓝樱。她的指尖，牢牢握在萧洛璧手心，就站在花海的一端，萧洛璧低首而语，唇齿倾吐着她听之入心的过往。

十年画像。

十年植樱。

花叶相辅相依，她曾经误以为是他相送的白茶花叶，终于寻到了真正的主人。萧洛璧长身玉立，拥着她单薄里衣，那一刻，却宛若大红嫁衣般鲜艳夺目。

所以他走了上去，同样伸出一双手递与她，他笑着说："皙皙，我自海上来，接你还中原。"那一笑中，藏着太多太多的不可说。

似水温柔。也似水般的，寂寥。

所以他在那一夜进入她的房间，他的指尖擦过她如丝光洁的脊背，白皙的肌理，刻印上他心心念念的触摸。

那么温柔。却也，那么遥远。

遥远到那一天的翌日，他端详着她从睡颜中睁开双眼，她明明仍是那样笑意清甜地问他早安，他却宛然一震，明了了有一种相爱，咫尺天涯。

他看她，点滴，便是全部。那时候的他，心痛到何种有话不能言，有苦不能诉，都在她那双精致的美目间，化作清凉的温柔。

那么温柔。带着亘古缠绵的疏离。

皙皙是知道那个时候，面具人便是他的。

所以她才会用那么一双美丽却也惊讶的眼眸看着他，那时候她的视线，好像穿过了他，穿回了数年前。数年前，他和她之间，有一幕谁也不曾知晓的生死与共。

从那双琥珀色的眸子中，柳莫行仿佛看到了很久以前的一个影子，那个曾经说过"生死有命。但跟莫行哥哥在一起的话，我愿意一笑置之。"的清晰的影子，那个影子的双眸中，也曾经有着这样坚定的光辉，也曾经仿佛要灼痛许多人的眼睛。

柳莫行的心忽然一痛——已经，好久好久，都没有过这种心痛的感觉了。

他的心痛不在于她怎么可以忘记那一天。

他的心痛在于，他竟然让她真的忘记了那一天。

忘记了那一天，漫天而来的杀意，他一袭白衣，迎上另一袭永远隐在光阴中的素白。他将她牢牢地稳在了身后，硬净如玉的脊背，坚固不变的守护。

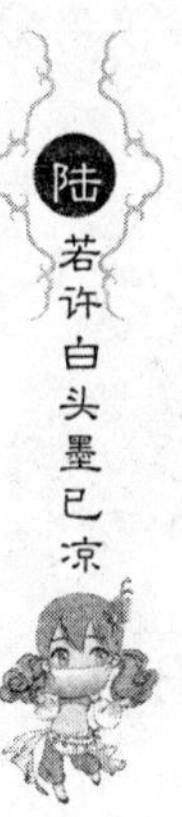

那一天，他们的时间本该都停在那一天。

那一天，那个人要杀了他们中的一个，却终是因为他们之间那种或许不会以牺牲自己挽救对方但绝对要生死都和对方在一起的决心，落下了手中的剑。

那个人隐藏在云里雾里，没有留下一句话地离开。

他牵起了她一片素白，轻轻将无名指的玉扳指抵在她手心。翡翠的凉意尽融了她掌心的柔软，她仰起头看他，他墨色瞳孔，温柔得倾天倾地。

看着她在他眼前那样的娇艳，多少有点不抑情怀的低首——他一探身，就轻而易举地，落一个吻在她唇间。

温柔的，也是激烈的，她一半的凉如水，他一半的火热心倾。

柳莫行发现他非常喜欢亲吻赫连皙的感觉。

在她，用那么一双在他看来那般诱惑的眸子、一眨不眨地看着他时——有什么心跳，打乱了节奏的肆意，让他，迷惑甚至迷恋。

这么多年，他始终不知道那人是谁。

就像这么多年，她再也没有想起过那一天，那个人，以及，他的吻和求婚一样。

孰料，再次吻她，竟然是他成为面具人的时候。他点了她的穴道，抱起她的身子，轻轻将她压在床边，他摘下了面具。

看到她美目中的错落，他放纵地倾情投入，甚至不介意会不会惊吓到她。只是为了吻痛她从而让自己心痛，为什么，会让她忘记了——这不是她得到的第一个吻。

当年的吻，轻柔恣意。

东瀛的吻，激烈深刻。

无处可逃，但就只是吻。

他在她眼中看到了那样的迁就宽容。

但那样的回应，也再不是多少年前的一天，他的皙皙笑着点头的真实。

*

场面混乱得就像战争，刀起刀落，染红整片天空。

激烈的哭号的声音，渐渐远去，渐渐平息。逆向而来，有双人身影，一男一女，来人一袭白衣，甚至，不曾穿裹皮裘。

忽远忽近，渐渐走近。

女人在很远的地方就停下了步子，不时抬起手臂，像控制着丝线牵引木偶，让一个个逃亡的城民做鬼倒下。

男人则越靠越近。他走过的地方，就像柳莫行脚下，洁净得不染足印。

他忽然就站在了柳莫行面前。

没有人看到他有过什么移动，也没有人看到微风受这样的迅速而产生任何的不协调，一切只在一瞬间。

未知的一瞬间。

那是另一张，属于柳莫行的脸。比落西凌的初看神似，还要一致。这根本就是第二个柳莫行。只是他的眼中，深沉着冻裂的刻薄。

异世界中，就是这个男人冒充了他。

那一双犀利的眸既是寒冰又是烈火，却偏偏不会蕴溺杀伤。举手投足，抬眉低首，仅仅是唇间的轻佻，侵肌蚀骨的魅惑散播着逼迫而灼热。

同样的一方颜色，却是相距千万里的不可相容。

这晚的夜，黑得太过暗淡沉重。

两两相对，并没有谁说了什么。

两两相对，柳莫行就像在面对另一个自己。

另一个，或许并不如武林中人看来那般干净、无辜、谦谦善良的自己。

四周围忽然就吵闹了起来。

耳边，呼啸的风雪声音。

眼前，陌生女子手中的钢丝渲染了漫天的血色。

冰雪之城的屠城，本是他的开口，现在动手之人，却是与他毫无关系的陌路。

逃跑。哭喊。号叫。挣扎。肆虐。

那些倒下的人，像是跳动的乐谱，谱出了完整的曲子。在这个寂寞的冰雪山城，勾画出有棱有角的彩绘。

若是平日的柳公子，与人为善，怕是早已上前相阻。他一定会轻旋竹笛，语音清朗：得饶人处且饶人。

若是平日的柳莫行，温文尔雅，应该恰好站定人前，挡住那飞旋的钢丝，轻

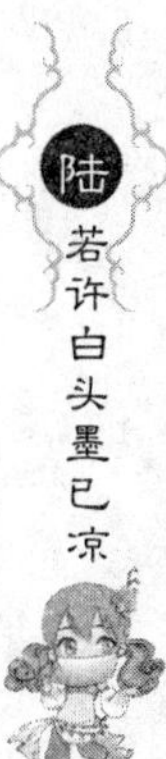

耸着肩膀，笑意温温：何须如此咄咄逼人？

即使柳公子没有变。眼前的他，另一个他，也开始让人分不清，谁才是真正的柳莫行。

是这个，苍白着脸色，几乎没有情绪波动的容颜。

还是那个，目不斜视，冷洌的杀气已然逼迫天际。有种人天生就给人危机意识，即使他什么也没有做。

肆虐的风声，震耳欲聋的瞬间。

漫天飘扬的白雪，开始变得模糊。

——晳晳长大以后，要做莫行哥哥的妻子。

——好啊。

那个时候，谁和谁年少，她被他牵起的手腕，还是稚嫩的细软、犹如那张容颜上的白皙剔透。

那一枚草编的戒指，在大她若干岁已是少年的他手上成形，再戴入她纤细雪白的手指间，轻却牢固。

那个时候，她只是个稚嫩的小孩子，还没有精致端静到举手投足都是女子的优雅。

那个时候，他看着她的眼中那分若有似无的宠溺，谁也没有想到会随着记忆的流逝，回首惘然。

柳莫行清楚自己在另一个自己身上看到了幻觉。

柳莫行清楚所有的幻觉都是虚拟不真实的。

柳莫行清楚这种幻觉会让人要么发疯要么发狂。

但是，到了此时，幻觉也无所谓的，不是么？

是因为心里的苦涩缠绕成无能为力面对，还是羁绊越深缠绵的伤口无法自拔？也许，两者都是吧。

意识终于由模糊到全部消失，铺天盖地而来的，是无尽的黑暗。

*

天空湛蓝纯净，朵朵白云都似轻舞飞扬的婉约，空气中，飘扬的均是絮柳纷繁的熏香……清新的味道，仿若悠远的触感。

一丝一缕。丝丝缕缕。

柳莫行和赫连晳经常会结伴一同出行，有时候赫连晳小女孩的顽皮，着一梭斗笠，任面纱遮挡住娇颜明眸。水蓝纱衣随风轻扬，清漾着不可一世的美丽。

也不一定有什么目的地，也不一定想去看什么风景，只是两个人同游，哪里都无所谓。

他们遇到那个人，就是在这种无所谓的情况下。

让这原本最无所谓的一天，成为了生命中不可割舍的烙印。

只是，他记得，而她忘了。

那个身影高挑纤长，背手而立，就那么安静地站在瀑布边沿。

这里是少有人来的绝壁，连迷路，都不容易。

柳莫行从赫连皙勾起的唇角看出来她对那背影的好奇，他看着她三两步走过去，忽然就伸出手拉住了她的臂弯。

她回头望他，知他心意，笑得清甜而无所谓。美丽的眼神分明诉说着我觉得这个人身上有莫行哥哥你的感觉呢。

他本未心软，却还是松开了手。只因为那一股陌生的力量，忽然侵入。

柳莫行清俊容颜依然是波澜不惊的平和，不失风神的气宇，但还是动了情绪了吧。他心下一惊，为这个白衣人深不可测的武功。

那个人只想显示实力给他，便只有他有所感觉。

赫连皙没有任何不妥的情绪，此刻，已然站在了那个人身旁。

“你好。”她说你好，带着一颜甜美无瑕的笑意，琥珀色的美瞳中闪过丝丝缕缕因为他容颜与风神的惊讶。

那个人听闻此言，慢慢侧转了身子，本该是可以让身后的柳莫行也看清的容貌，却因为山中忽然起雾，而看得模糊。

只有赫连皙看过那个人的容貌。只有她和他有过短暂到连她的记忆都不再存在的相处。

映入眼帘的，是谁白皙的颈项，蜿蜒出柔美修长的弧度，她一侧身的回首，迎上他低沉浅笑的瞳仁，那眸中，最清晰的画面便是她的容颜。

几许清灵。

几许阴柔。

她便也，将他瞳中的自己，看深了几分。深到他目不转睛地看她，能够从她的晶莹里，目睹他是个什么模样。

什么样的视线。

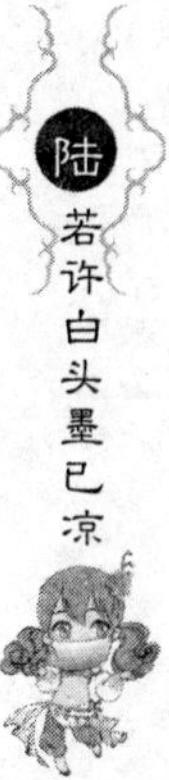

什么样的专注。

什么样的……为她暧昧的模样。

“你越来，越漂亮了。”

他的声音是那种从小养尊处优惯了的人特有的节奏：几分骄傲、几分雍容、还有几分居高临下的温和。不紧不慢、不声不响的掷地有声。

“咦?”

柳莫行听到了赫连皙疑惑的声音。他一个抢步靠近，却发现犹如风墙的阻力横档而来，与此同时，刺眼的光芒掠过眼角。

他们都看到了一柄闪亮的长剑，凌驾于他脖颈一毫之间。

“莫行哥哥!”少女登时反应，毫不迟疑地倾身，身子却似锁在原地。

柳莫行淡然的面容，精致而出尘，永远带着清逸的神情，永远都似不惊波澜。

他看她，她也看着他。

他们似乎都早已料到了如今这一刻，必然的发展。

这不是心有灵犀，却似比之，更深的羁绊。

生未同生，死愿同死。

红颜一笑，如诗如画，美得那般不可芳物。

那一天，他们都活了下来。

那剑指眉峰，改为留下一块青玉，仿佛为了见证他们之后，必然的情之所钟。

*

十数年之前，他第一次离开清寒冷筑，来到了若水山庄。剑舞笛香的世界，他看到了那条浓重的轨道，也看清了那抹香艳的美丽。

十数年之前，还是孩子的他抱起了比他还小的那个小女孩，她一眼几乎是深邃了甜蜜的幽柔，刻在了他心上最厚重的跳动。

从此以后。他每一次呼吸，都能够想起，谁的脸庞，惊艳而轻缈。

是什么样的水墨色，泼洒了全天下的颜色。

让他夜黑色的瞳眸，光影之间。

青白相间的玉佩，拿在那个一袭白衣翩翩的男子手心，飘逸在风中的黑色长发，像是夜幕降临一般深邃，衬得柳莫行白皙的肌肤朦胧了沧桑。

他用尽手心的温度，依然无法让那一块冰玉温暖。

那一块玉里面，再也无法像他对她诉说倾心之时，将她影印在晶莹的光泽中间。

因为她已经不再记得那块玉佩因何而来，她也不再记得他的求婚，而她，答应了他。

她摊开的手心，凝住了水莲般的芬芳。玉佩照出了她的容颜，却照不出她的影子。

他看着她。

正如她看着玉佩里的自己。

是谁的笑，无邪绝美。是谁的记忆，忘了花开的季节。

杀戮和回忆，穿插在须臾之间。

何为真实？

何为虚幻？

花非花，雾非雾。

会发生什么，他本就知道。

会发生什么，他已经无力阻止。

曾经想过这个世界上没有什么是不可能的，还是有一种不可能明明在你面前触手可及偏偏遥不可及。

仿佛。一切都是因为仿佛而变得不可捉摸。

那多少年前的曾经是。

多少年后的如今也是。

他一个人走在没有出口的迷宫，似是等待。

迷离的花瓣，零碎地残了一地，似漾着淡香的吻痕。

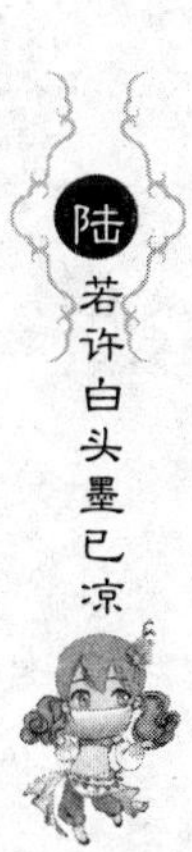

*

是什么时候起，杀戮终止，笛声漫响。

阵阵回荡在耳际，清悠绵长。如果没有四周围血腥的场景，那个吹笛的少年，依然那般临风清逸。

洁白得，就像从天而降还未落地的初雪。

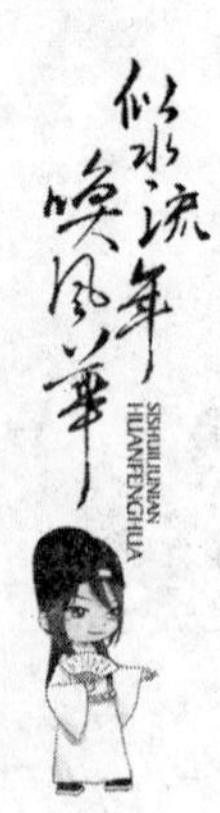

柳莫行的脸庞，开始像个孩子。

无论神态表情，无论眉眼唇角，都柔和了温暖，平静了祥和。与满地的疮痍，格格不入。像是误入地狱的天使，依然，不染纤尘。

优美的笛声，与其说是悠扬，更像是抚慰的安魂。与其说是安魂，更像是在召唤。泛着让人读不懂的温柔悲悯。

召唤那，曾经存在过的，一个人……

从他吹笛开始，一直到结束。

那个纤细的人影，飘然成形。在无风的风中，在云朵承载了阳光的光芒下，一点一点，瞬息成形。

少女的笑，总是捉摸不透的清莹，她的温柔、她的缥缈，似乎总是在最近也是最远的地方真实，为了他，是的，为了柳莫行。

那一双眸，回眸。

那双眼的迷惘，却像终于散开的阴霾一样，越来越浅，越来越浓烈。

他看到，那个少女，甜美轻漾，沉静了面庞所有绝世的颜色，好像风雪中飘零的白茶，冷香如情。

赫连皙浸润在冰天雪地一抹阳光中的脸庞，满是温润的精致，那分精致中，又有一抹苍白，任谁怜惜的不舍。

在她已经习惯了用甜美的微笑来掩饰内心的柔软后，他记得，她再也没有过这么寂寞得让人心疼的艳丽了。

每一笔，都如雕刻记在他清冷的眸光里面。

“莫行哥哥，我找到你了。”

那个声音，就像从天而降，甜美馨然。在他耳边，亲近地轻柔，让他只需一个抬眼，就望尽，她一颜让心惊叹的美好。

白茶香气，此时，肆意的，包围在心的左右。

太阳的光芒，婉约着，悠扬在她白皙的颊面，干净清透，毫无瑕疵。那双眼的甜美，幽深诱惑。丝毫不见一夜未眠的疲惫，只有闪烁的精灵，还有站在他面前的喜悦。赫连皙干净的笑颜，清晰深刻。

她来的一瞬，两个人的一生。

“是啊……这一次，是我被你找到了。”细细的，回味着她那句话里话外的温柔，闭上眼眸的清碎。

那突然的、却顺理成章到比什么都自然的拥抱，紧紧的、仿佛要将两个人抱成一个人的无隙，柳莫行的情深，终至，一字一句。

“皙皙，因为你在，所以，我在。”

对待赫连皙，柳莫行从来也没有片刻的迟疑。因为他从不迟疑，所以他始终也没有错过。

他要将那么一双手，牢牢地牵在他的手心温暖。

再也，不会放开。

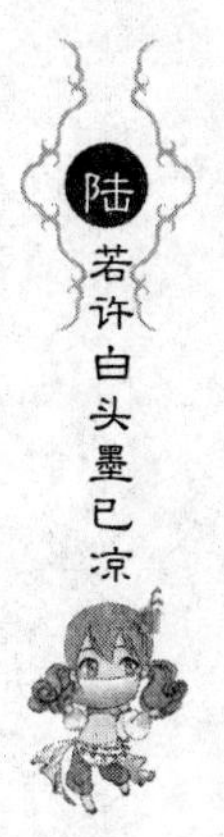

柒 地老天荒只一瞬

7.1 开启花冠

冰天雪地，冰室之前。

有一个人背手而立，身后陆续出现的人都未曾让他动容。他一袭裘袍已掉落地面，略显单薄的肩膀仍有薄薄一层冰雪痕迹。

原本人影绰绰的冰雪之城只剩空壳，很多计划已经浮出水面。无论柳莫行杀的是否一群已被迷失心智的行尸走肉，他终究还是，让那竹笛染血。

原本，该是这样的。

落西凌不知道他的计划哪里出了偏差。赫连皙完璧无邪依偎在萧洛璧怀抱，柳莫行也依然是那个纯粹剔透到出尘不染的柳公子。

杀人的不是柳莫行。

柳莫行决定屠城的一刻，落西凌先是震惊，后有着不着痕迹的欣喜若狂。如果，杀人的是柳莫行……

那个一尘不染、温文尔雅的公子，那个清明平静、淡定自然的柳莫行，如果染了血色，是不是，也会黑暗不见底?

如果柳莫行痛苦，如果占有了赫连皙的人是自己，那么快乐，会不会就会由那个仿佛永远安稳自若的柳莫行那里来到自己这里?

可未知，那种曾有过的昙花一现的快乐，反而将寂寞剥离得更加彻底。

……落西凌清楚，他觉得柳莫行碍眼、甚至是恨他，就是因为他嫉妒他。

但他一个人痛是不公平的，所以他要拉柳莫行一起承受。

落西凌在很多年前之所以会毫不留情施以毒物对赫连皙，就是为了针对柳莫行。

所以很多年前，赫连皙忘记了在哪一天，柳莫行信誓旦旦的爱意。

柳莫行所爱着赫连皙的感情，丝毫不逊于他对那个女子的爱，这么深这么深……或许是性格所致吧，落西凌快意地感到，那个他一直介怀的男人，比他痛得更重。

柳莫行所有的爱，所有的期待都不复存在。他明明应该跟他一样的混乱的，可是惊讶和失落过后，柳莫行却没有变质。

他没有因为寂寞而愤怒。

也没有因为怨恨而疯狂。

落西凌亲眼看到了数年前醒来的赫连皙彻底忘记了那一天那一幕，柳莫行那个瞬间，苦涩的神情。他知道她已经忘了他的情感，眼中，那一片深沉的痛不欲生。

可那个清明的男子，仍是将所有的痛隐忍在心里。

柳莫行没有崩溃。

……即使他明明比谁都要寂寞和痛苦。

落西凌有的时候觉得自己特别后悔。

但是他告诉自己不能够后悔。

包括此刻引诱柳莫行等人来到冰雪之城，包括接下来他要对他们做的事情。他和自己打了一个赌，如果他能够拆散柳莫行和赫连皙，他就是死，也心甘情愿；可他若得不到赫连皙，柳莫行也别想得到她。

他现在是输了。

但他依然会赢。因为除了他之外，没有人知道冰雪之城隐藏的真正秘密。

不是慕容莫生，而是……

冰棺最美的传说。

身后的脚步声久已不再移动，没有人急着开口。

就连得知真相的寒子凉，也只是静静地和赫连皙等人站成并排。

寒子凉一向正直，虽不多话，却有疑惑想要得到答案。他自问他们所有人都与冰雪之城无关，他不懂的是落西凌缘何对他们充满了莫须有的恶意。

“我知道你们有话要问。无须问了，事情都是我做的。如今我的人就在你们面前，你们虽无内力，至少人多势众。要杀要剐，落某认了。”

“由得了你不认么！”

与落西凌显得坦坦磊落不同，若思冷艳斥责的话反倒有些咄咄逼人。不知道为什么，她对这个落西凌有种很不喜欢的感觉。或许，是源于一种同类间的熟悉——若思在这个时候就比所有人更早地确信，落西凌仍有手段未出。

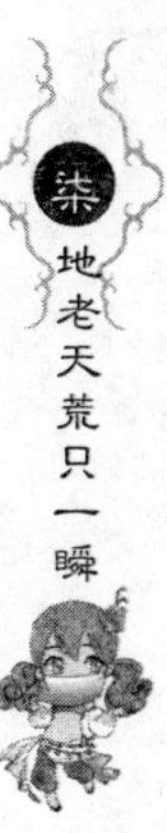

所以她绝不能姑息。若寒公子心软，她不介意代为出手。柳莫行在暴风雪中肆虐的一幕，她隔着遥远，却看得真切，若那样的痛再让寒公子承受一次，她，并不愿意。

可她的猜测果没有错，寒子凉面对落西凌的坦荡，反而更深了疑惑，消减了怒气。“落公子此言差矣。寒某人并不会以多欺少。只是我想知道，你如此设计我们，掳走赫连姑娘，是为了什么？”

“事已至此，多说已无益。”

“你并没有给我们一个解释。”

“我不认为此刻我再说什么，你们还会相信。”

“若你不说，我们缘何判断信与不信？”

“我说了，也并不能改变你们既有的仇恨。”

“若你有难言之隐，我虽不会原谅你对赫连姑娘的加害，但也不会不分青红皂白将所有责怪加诸你一人。”

“寒公子，小心中计，不要跟他废话！”

“难得。这一次，我跟你会有相同的想法。”

前后脚加入落西凌与寒子凉对话的若思和萧洛璧，一个冷得艳若冰霜，一个冷得侵肤蚀骨。

落西凌对他二人的讽刺，却只是露出寂寞的，微微一笑。

“说得是呢。若我有伏兵的话，你们可就中了我的拖延之计了。”

那一笑，像极了柳莫行。那一笑，流落了太多对冰雪之城亡城的痛苦。深深的，无法掩盖。说再多无情，说再多狠心，他依然生长在这里，他可以利用这个城池，却不代表，他不曾在意过这里。

毕竟这里，是他唯一的落脚之处。

人的感情在生死面前就是如此的苍白。他用毒药控制他人的记忆，就要接受三流的结局。——多少年前他曾经相信过人心能胜过一切身外之物，多少年后他再想当年的一段心动不过是年少轻狂。

喜欢过谁，爱过谁，都已经随着时间和记忆消失的好远好模糊。

偶尔在那样的夜里，怀中抱着隔日便不知名姓的妖艳女子，他会想起谁晶莹的温柔的睡颜，也不过只是偶尔……

不属于他的，终究不属于。

“我倒觉得……这不像演戏。”

“赫连姑娘，人心险恶。你最好莫要以你的常识来做判断。”

“若思姑娘想多啦。我虽不认为落公子此刻的忧伤是在演戏，但我跟你一样相信，他其实仍有后话。”

侧目去看萧洛璧那双冷静的几乎没有情感流动的瞳眸，赫连晢的笑容三分肆意七分甜美，让他若无其事的别开了头。好吧小赫连，你那么想玩的话……

“你还想让我们继续帮你开门?”

“冰室中其实有其他人在吧?”

一抹微笑，一声讥诮，柳莫行和萧洛璧心若明镜，也是一种无声的淡薄。

“如果，你们对百年前传说的武林第一贵公子感兴趣的话……”

有什么话，温言温语，落西凌刻意地点到即止。他清楚地看到了，意料中，若水山庄少庄主与天魔岛少岛主截然不同的甜美无辜。

他真的没有看错。赫连晢这个人，正是白敖禹需要的祭奠。

*

武林中传说已百年的第一贵公子白敖禹和其妻武林第一美女路夕颜。

在很多人的记忆里，这两个名字都是熟悉又陌生的。熟悉在于即使过了百年，武林中也未再有另一个第一贵公子，陌生在这夫妻二人只在众人的猜测与臆想中，见到过他们的人，早都不复存在。

每当有人提起白敖禹的时候，那种敬畏，有时候是与挑衅共同存在的。

这天下有恨白敖禹的人，就有敬他的人。

自然，也会有如南宫浅影那般对他丝毫不感兴趣的人。

南宫浅影可以说是武林中少有的纯净性子。她喜欢谁，讨厌谁，不感兴趣谁，区分得清清楚楚，不会因为任何人事而勉强。那是因为她自小便生长在天魔岛天魔岛少岛主的身份给了她足够的养尊处优与任性。

这一点，尽管赫连晢和她生长环境相似，毕竟出生中原，对传说的感觉自是与她不同。赫连晢很尊敬白敖禹，或者说是，对他非常的感兴趣。

所以南宫浅影可以挥一挥衣袖与达暗一同回去天魔岛，赫连晢却不会对白敖禹的踪迹充耳不闻。

落西凌早料到了这一点。这倒并非他有读心能力，而是早在很早以前，就有人在若水山庄做过考证，那一年年纪尚小的赫连晢，已然沉下了悠扬美丽的容颜，深深表达出了那一分“白敖禹是不容他人轻言议论”的心思。

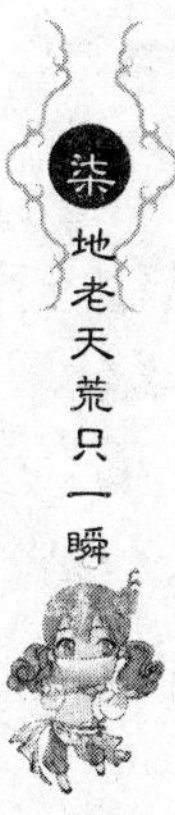

在武林中，大多时候都会有这种能流传后世的人物存在。白敖禹是，慕容莫生是，也许再过数十年，柳莫行或萧洛璧也可能是。

落西凌知道赫连皙对白敖禹的珍惜，所以他才能用一个传说，继续他这个残忍的赌局。

真正在冰窖中的人是白敖禹。

百年前他们夫妻分道，没有人探寻到白敖禹或路夕颜的踪迹，就是因为白敖禹来到了这里。

一百年了，他是生是死，无人可知。但是从他进入了冰窖，开启的冰棺就自动合上，再没有开启。

冰雪之城一直保守着这个秘密。

没有人会怀疑这个秘密的真伪。因为带来这个秘密的人正是慕容三公子。在冰雪之城留下三个圣器的人也是他，就为了，多年后有人能开启冰棺。

尽管这一个多年，已过了这么多年。

“谁会为了一个不知道生死的传说冒险开棺?”

听完落西凌的话，若思冷笑的质疑与南宫浅影离开前的回首颇有几分相似，只不过一个充满戒备冷若冰霜，一个仅只是不感兴趣地拉开距离。

“若是真的能见到白敖禹，我倒是愿意试一试。”

但赫连皙并不是她们两个人中任何一个，所以她的应允，其实不止落西凌早已料到，柳莫行、萧洛璧甚至寒子凉都已经做好了陪她一同的准备。

“说吧，怎么才能开棺。”

同心戒，冰封镯，雪之链。

这三样东西如今都在落西凌手中。他将之递到萧洛璧、寒子凉和柳莫行眼前，让他们每人选择一个。

只要有赫连皙在，这三样东西每一样都能开启冰棺，但只要有其中一样开启完毕，另外两件便失去了作用。乍一听，选择哪一个都无所谓，但落西凌接下来又说了：每一种开启的方式都不一样。

他的话点到即止。但他的意思已经非常明确——他不会再说每一样开启的手法分别是什么，也不会帮着赫连皙选择最为安全的一种。

在此刻，他就是要赫连皙自己选择。选择一个，无论是安全或是危险的，选择。

“其实这不过虚张声势。我也是不知道哪一种具体的方式，才会交由几位自己选择圣器，最后再由赫连姑娘选择结伴之人的。”

“你真的不知道么?”

“这一次，不是说谎。”

落西凌面对寒子凉的落落大方让堂正的寒子凉无法再逼迫着继续问，继而就听到落西凌转向面对萧洛璧的言语。

“萧公子，你就那么想杀了我么?”

“哦?”

“虽然你看起来漫不经心，但我刚才若是说谎，至少已死在你手上十次了。——不过我知道你若要杀我，我应该已死了一百次。如此，真得感谢你对我如此手下留情。”

正经交谈或说道貌岸然的人，总喜欢把词语用得文静而不露风骨，他们说这叫优雅，这叫含而不轻狂。

萧洛璧却是邪邪地扯开了唇角十五度的弧，轻笑间，流淌多少的不屑。

“杀你的话，不需要几十上百次，一次已足矣。”

“说的也是呢……那么，萧公子，柳莫行拿了雪之链，寒公子取了冰封镯，就请你留好同心戒吧。”

轻声叹息，落西凌唯有认同。他继续说话的时候，若思的双眸未曾离开他的双眼，她的幽黑，企图在他的清朗中，读出一丝一毫的真实。

然落西凌的神色，出离纠结，始终，未曾动摇。

“赫连姑娘，落某在冰窖前等你们。你选好和谁一起开棺，就请来吧。无论多久，我都有耐心等待。”

那个人连百年都等了。

这区区的短暂等候，不过是祭祀开始前的星辉。

*

三个男人拿到了三样圣器，好像说好了一般，各自离开。谁都没有说将要去哪里，谁会回来，端看那去找的人的选择。

事情忽然就好像从救人转为选择——也许这个选择里面，还有着，三王鼎立的姻缘与信任。

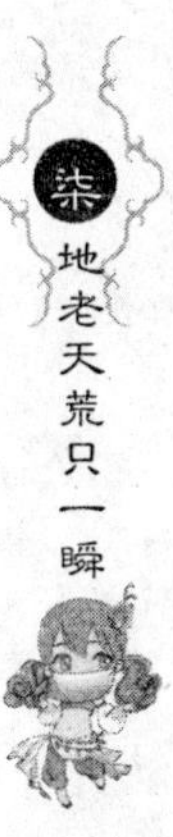

谁也不言，不代表有谁不知。

拦住赫连皙的，反而是若思。这个时候让她去劝赫连皙选寒子凉，那并非若思的性格，即使她有心偏帮，也会考虑到落西凌的不可信而任言语转向。

落西凌欲言又止地开棺，让她有一种错落的感觉。这种感觉就像当初在异世界，谁先出去其实是化解危险，她不想再看到寒子凉那种舍身。

而比这个更不想看到的，是赫连皙与别人一道进入，会给寒子凉带来的失落。

所以此刻，她质疑也好，她不愿也罢，其实都是冥冥之中，记挂谁是友人之举。

“你不觉得你接纳落西凌的话有些过于干脆了？”

“我相信他这一次没有说谎。”

“谎言也会因条件的变化而更改，那个落西凌是要利用你。”

“我知道。”

“知道你还要留下帮他？”

“因为我很想知道，他要利用我做什么。”

勾一勾唇角，那分蜿蜒，漫溢着出水芙蓉的清逸，赫连皙说一句话就像在说我想看书一样平常、一样不动声色。

她不在乎被利用，是因为深知她不会被利用？还是她选择了接受利用，去赌那百年来唯一的传奇仍在继续？——若思忽然有一点分不清楚，此刻的赫连皙还是不是赫连皙。

“赫连皙……”

“若思姑娘，我一直想问你，你真的认为寒公子娶到我会比较幸福么？”打断若思仍要出口的，赫连皙的笑靥，清润而几乎透明。

月色让一切朦胧，也朦胧了，这容颜的精致。

若思一时竟怔住了。很多问题就是这样，没有人问就不会细想。而当有个人突然提问，却又觉得，那个问题，离自己好远好远。

“我怎么认为的并不重要，重要的是寒公子的心意。”

“那你又真的认为，寒公子的心意只有娶我么？”

那个带着三分温柔七分缥缈的笑容，赫连皙的目光，悠然着，望尽了幽幽星月。那星月的倒影，在眸中，晶莹剔透。

有的人，是清透得一眼见底的。如寒子凉。

有的人，是一辈子也看不穿的。如萧洛璧。

也有的人，是看似一眼见底却发现根本无法看穿的，一个柳莫行、一个就是赫连皙。他们在身边，他们笑着温柔，那分温柔之内，却割裂着真实的感触。像是可以触碰，伸一伸手，却因为太过真实，反而找不到真实感。

“……不若如此，那又是什么呢？”

“这世上本就有很多的因为所以，是无法说清楚的。”

这一次，赫连皙并未正面回答。她留下的那句话，波荡在两个人中间的空气里面，蔓延开来……

*

其实，最早会和寒子凉走近，只是因为那一夜他闯入她后院，却见她沐浴出水，突来的局促。这个武林中，如他这般正直的人绝非仅有，却没有一个人能在他这样的年纪，固守内敛的青涩。

那一刻她应是惊艳了。才会对他笑着，笑开了一夜的春色。

之后，和他一起出行，一起经历了无影土城的死祭，一起经历了面具人制造的坠崖，他们订婚，经历了楼兰水国的毒水考验，萧洛璧的抢亲……他们之间，若不是他在东瀛孤岛时为了还她一个自由而退婚，可能已经眷属天成。

赫连皙没有想过自己是否因为考虑到了萧洛璧必然的抢亲才会放任自己嫁给寒子凉，她只是觉得，就算是和他在一起，也可以。

无关乎爱，却有感情。

感情中很多种因素，并不一定要是爱，也能将你放在心里。

一直一直以来，赫连皙与寒子凉，就是这样的关系。她没有刻意为了爱谁而爱，也没有刻意拉开与谁的距离。

武林不是只有男欢女爱，所以武林中男女之间的关系，不需要局限受制。

赫连皙走在冰雪之城蜿蜒的廊道。

冰雪之城已经空荡荡的不再有人，更显得城池的绵长与幽深。她走路的样子非常优美，每一步都像是清影飘动，不带一丝风尘。

精致的眉目，无痕无迹，素手执一株随意摘取的腊梅，看这冷峭时节，红梅的鲜艳。

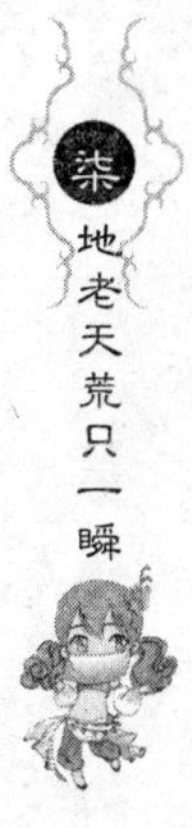

红梅与她周身白茶的香气，格格不入，却又出奇的融合。总有一种矛盾，让人无语无休。

就好像，她与寒子凉。

门扉轻开。

赫连皙的手腕，划过黑暗中的一抹素白，触尽谁心里，为她而入的惊讶。

“是我。”那具坚实的身体抱她满怀。

躲也不躲开她身体的抗拒，握住她下意识推挡他的细柔手腕，寒子凉开口的声音，满是男人深沉深邃的味道。

他料不到她的到来。

虽然他的确是在这里等她。

那双晶莹剔透的美目，似是琉璃，温润如玉。——赫连皙总是一半的甜美温柔，一半的拒人于千里之外。

……至少，对寒子凉而言是的。

她自己也知道这一点。

所以当她看清他眼中因为她侧首而有的痛楚，唇扉轻抿。一股心疼，滋生蔓延。

“寒公子好像总是拿我没办法呢。”

赫连皙的声音很甜很美，她的声音有种特别的魅力，就好像那柔软的唇瓣一直是抚在耳畔吻咬着说话，要么挑逗得人欲罢不能，要么别有用心地转移注意力。

寒子凉心脏跳动的声音，以及握住她的手，更重了。

“你都知道，还要刻意地问我吗?”对于赫连皙说的话不去掩饰的否认，是寒子凉认为有的事实已经清楚地摆在桌面上时，那种无力的挣扎太过苍白。他不会说谎，也不想对她说谎。

只是他的性格，实在与她太远、太远，远到他永远都看不清这个距离，只能决定忘记这个距离再不想起来。人改变不了自己的时候，就必须改变自己的选择。

“你为何会来?”寒子凉的声音沉沉的仿若从很远的地方传来，绵长。这一句话，是说给赫连皙听的，也是说给他自己听的。

“我为什么不能来?”

“我以为，你不会和我一起进去。”这时候，那句话，饱含着何样的无可奈何，或许寒子凉自己都分不清。

“我是不会和你一起进去。”

她轻描淡写的回应，他，浑身就是那么一震。

如此大的动作，以至于寒子凉都没有掩藏好心间的震撼，完全把他的心理、他的情感赤裸地表现在了赫连皙面前。

“我一直欠你一个解释……可遗憾的，是我到现在也不能给你这个答案。”或许是看到了寒子凉的隐忍吧，赫连皙漂亮的脸庞，再度浮现的神色，竟是那般温雅心疼。

她仰起头看他的脸，也让他的眼清楚地印出她的人。

她的眉她的眼，她的唇和她唇边的笑容。

“你心里的迷惑，我即便知道也帮不上忙。”

“赫连姑娘，我……”

“寒公子，我总觉得，和你一起进去的话。你会死在里面。”

有一种感情，其实谁都说不清楚。它或许离得很远，也或许，近在咫尺。赫连皙在说这句话的时候，用上了比谁都真诚的情感。

以往的玩笑，以往的妩媚，以往的若无其事，以往的轻描淡写，在这一刻，仿佛都不复在。存在的，只有她。

她摇头对他以微笑。

她点头对他以沉静。

那一幕的平和，在很多年以后，寒子凉都还记得。当日，当时，当刻，赫连皙可能明知道与他一起进去对她是最安全的决定，仍为了不负他，微笑以对。

而他，其实有一句话很想问她，他没有问，所以他不知道，她不想负他，是不忍心，还是因为她怕还不起……

*

男子的侧脸半隐于树叶的纷扬间，或明或暗的看不清，是隐藏也好，是冷冽也好，都伴随着，比谁都冷静的淡漠。

萧洛璧似乎站得很近，又似乎很远。

很多年以前，他还是个孩子的时候，曾与师尊一起来过冰雪之城。那时候，

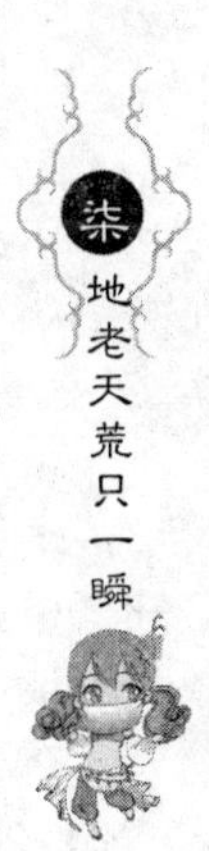

师尊给他介绍圣女，他听得兴致缺缺，他在圣女端详的目光中，游离去想了另一张容颜。

多少年之后，当那个小女孩长大，他们的第一面相遇，他对她说什么好？他扯开唇角的弧度，他站在冰雪之城俯视城下白雪。

直到，他听到那个圣女笑着说：冰棺。

“这天下最美的冰棺，给全天下最爱的人。”冰雪之城冰棺的典故，起源于慕容三公子心爱的女子楚依依。因为相传她的遗体，就掩埋在冰雪之城异世界。

萧洛璧对慕容莫生与楚依依并未有超出寻常人的关心，只是当他随师尊在异世界第一次见过冰棺。他就认为，只有一个人适合。

小赫连。

尽管那时候他和她都还是孩子，也总有一天，他要为她戴上冰冠。

再回到冰雪之城，一切都变得和从前截然不同。

落西凌的出现，城主的发疯，圣女的不复在……连南肆都在异世界找到了自己所谓的身世。萧洛璧感到一股无法形容的微妙。

像他这样对什么人事都漫不经心的习惯，竟会有种抗拒弥生，连他自己都想不到。

直到白敖禹这个名字浮出水面。

百年唯一的武林第一贵公子。他的传说，并未因时间而止住，反而在此刻重现。意味着什么？

只是开棺一见的话，莫说他不信，他的小赫连也一定不会相信。

萧洛璧甚至有感，赫连皙正是因为期待开棺后那或许是天地变色的一幕，才会不顾生死的想要接受落西凌的利用。

那么，那时候的变色，将会如何颠覆山河？

萧洛璧觉得，他知道。只是，那又如何？

他依然会与她，一同相见。

身后，传来那阵白茶的香气已久。只是，那个女子迟迟没有走来与他并肩的地方。萧洛璧不语，他知道他在等待。

他知道她也知道。

落西凌用一个开棺，给了她一个几乎是选择他们三人的决定——他知道她不会选择寒子凉，无关乎爱恨，只在于这不是一个游戏，而是一场生死。

在生死关头，谁才是她愿意执手相牵的人。

那里面，必定没有她不舍得他死去的人。

但那里面，也必定是她不舍得放手的人。

看似矛盾，却矛盾得避无可避。

白茶的香气，似乎，渐行渐远。萧洛璧依然没有回头。直到那香气，又渐渐浓烈。

其实赫连皙从未离开，她只是等待着，他先开口。

他知道。他知道，她也知道他知道。

“你想和柳莫行进去何不直说?”所以萧洛璧目光所及，那分平淡，不惊波澜。只是让人捉摸不透的浅笑，轻若未语，为散发出的高贵气息添抹了一分醉意风雅。

“若我说，我想给你一个英雄救美的机会，你信不信?”

赫连皙在说谎。一叶清高的平和，萧洛璧的宠无声无息。不必近看也知道她在想什么，还真是令人愉快的默契。

“小赫连的话，我为何要不信?”

“萧公子，你有没有觉得，我们的性子才是相差最远的。”赫连皙笑着问，指尖点在水面，感受着那一丝又一丝的凉意沁入，有种凉薄，无声无息。

“我觉得的，未必是事实。”——因为你可以故意逆我的想法而为之。他没说出来的话，在唇边漾出魅惑而讥诮的弧度。

赫连皙又笑，发自内心的甜意，零落了嫣然的娇柔。眼波流转，璀璨嫣然的笑意。温柔的面庞，和温柔的眉目，一样温柔。

“心不在焉够了么?”声音再度从前方传来，如若两人贴近的冰冷气息，那分可近可远的距离，是萧洛璧的声音，难辨抑扬顿挫的优雅。

“寒公子从不会如此咄咄逼人。”

“哦，小赫连可是认为我还比不上寒子凉?”说话的时候，萧洛璧已经站在了赫连皙身后，他的手搭在她的肩膀，拂去她肩上那顽皮的一缕发丝。一双掩藏在暗处的眼睛，平静的如一汪秋水。

“嗬。”身前，那轻笑，甜得绝代风华，几乎融进风中的细腻。少女没有回

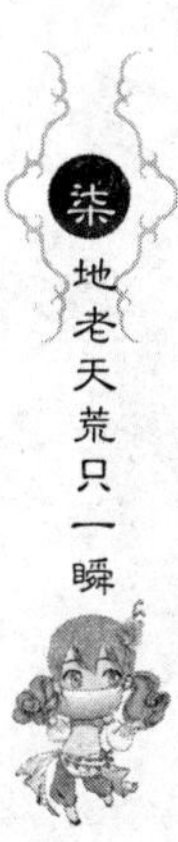

头，也没有移动身姿。

“如果我死了，你会随我一起死么？”

初次见面就有的感觉，赫连皙温柔如水的瞳眸中，有一种不细看就无法捕捉的犀利，深深存在。那不是刻薄，也不是敛藏心机，而是一种类似审视的难以捉摸的情绪。

只不过赫连皙每每总是用精致的笑容让人轻易淡忘了她的那分威严，也就忘了，去探索她在审视观察的究竟是什么……

到如今，萧洛璧终于确定了。赫连皙的心意。这么多年来，她到底在观察什么，在等什么——她是在等一个机会。

一个让自己奋不顾身，从而体验极致的机会。

不在乎生死，不在乎，谁是谁非。

赫连皙骨子里的冒险情结太深太重，深到柳莫行自小极力规避，仍没有压抑住她固执的决绝；重到落西凌轻而易举的引诱，她不是看不懂看不透这个计谋，而是她自己义无反顾的想要涉及。

小赫连啊，你是否，真的那么想体验生死之间，你会想到什么？

没有任何一丝犹豫的残忍，带出了那一种呼之欲出的答案。

“你知道，我不会的。”略显沙哑的声音，掩不住萧洛璧嗓子天生的性感，他不动声色，已然有一种情色，迷离空气。稍一碰触，就是刻骨的温柔。难以有人，真的承受得起。

“寒公子却会。”所以我不能和他一同进去。因为我不能让他为了我死去。后两句话赫连皙都没有说，萧洛璧自是懂得。

赫连皙和一般女子截然不同。她不会把谁能为了她舍身看成是谁更爱她的判断，她只会凭依自己的想法，做每个决定。

“柳莫行也不会的。”

“是呢……”赫连皙轻轻地笑，笑靥甜美地印在平静无波的河面。碧波之上，分外娇艳。像朵忘记了盛放季节的花朵，极力美丽。

“莫行哥哥他只会……从此天涯海角，陪我一起枯萎。”

“小赫连，你，可是介意我如此无情？”萧洛璧冷笑，讥诮得无声无息，在那笑声中，滋长着一种刻薄。但他的声音却犹如冰中的清逸，好听的那么彻底。

“谁知道呢。也许吧。”忽然间，很想、很想轻柔的笑容。笑意在赫连晳容颜上铺开了香艳的色泽，像朵忘了花期的白茶，雪白的缠绵。

她反握住他手背的手心，暖暖地润了他一心的涟漪。

“虽然我也觉得，只有你的做法，才真的堪称活得漂亮。”

如果她死了。他一定会好好地活下去，他一定会去一处空气很纯水源很清的地方，恣意地过着属于他的生活。很快便忘记她。

可是他终此一生，也不会再去看另一个女人。因为这个天下，只有一个她。他忘记了她，便不会再有第二个她。

什么样的感情，足以称之为刻骨铭心……每每想到，都足以扯动心弦最柔软的那分痛。

存在于人心的羁绊，会是一辈子的烙印。

“我觉得，还是你更漂亮。”

萧洛璧的笑，似有似无，波澜不惊。

她有一双迷人的唇，虽然，现在他不能吻她。她手心按在他黑箫一侧，另一侧紧贴在他的心口，他一动，不是伤他便是伤她。若只有他一个人可能会受伤，他应该会肆无忌惮地吻她，也正好看她，是如何轻皱眉梢撤开力道避免他受伤害；可她这次如此聪明，将她会受到的反震力也算计其中，他便不会若无其事地任性。

所以萧洛璧的手，只是高抬起来撩拨开赫连晳因微风顽皮的吹拂到雪白颊边的那一缕发丝，柔软的，缠在手心绕指柔的。

拨到她柔软的耳畔后面，手指和耳畔的触碰，一瞬，一缱绻。

“小赫连，如果柳莫行死了，你便是我的了。”

7.2 美人独睡

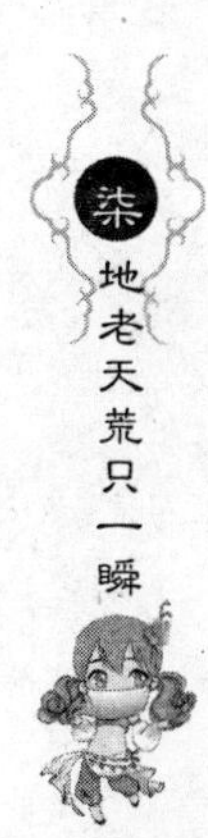

风中都弥漫着不和谐的草长味道，那种忽冷忽热的温度，传递不到心头。

柳莫行独自站着。

就站在那洒满月光的古荫小道，步入一片绯音的摇曳花园，清风拂面的畅快，本不是任何虚拟的恭维可以给予。

人是需要真实存在的，无论多么高高在上都一样。

活在一溺虚伪之中，远远比死亡更可悲。

夜风，很冷。冷到他都不禁一个瑟缩，拉近了颈间裘衣。

皙白的侧脸处在树枝遮挡的阴影下，偶尔有月光从枝丫间透过而照射，仿佛精雕的美玉漾着凝水的明润。

不言不语的安静。

直到，身后的脚步声。

那是一阵轻到几乎不可闻的脚步声。那脚步声，柳莫行很清楚，并不属于那个少女。

童真的容颜，稚气的面庞，却有着，和年龄不符的城府。冰凌会先赫连皙一步来找自己，柳莫行其实并不意外。

皙皙终究会选择和谁一起开启冰棺，根本毋庸置疑。

她不会让寒子凉为她冒险。

她必须留下萧洛璧在危险的时候理智地来救他们。

皙皙并不是没有考虑过危险与生死之间，怎样，才能让他们安然无恙。在其他人眼中看来这或许是选择爱情，他却比谁都清楚，这只是一种习惯。

赫连皙冰雪聪明，她不会拿一场赌，投注一种爱情。

她只会依自己的习惯，去赌冒险的感觉，同时，永远不会迷失方向。

但这些，落西凌不懂，冰凌也并不懂。所以那个从出现就黏着护着寒子凉的孩子，想在最后的时间，替寒子凉解决所谓的情敌。

柳莫行在冰凌出现的时候，轻轻叹息。

他在那一夜风雪天，看到那忽近忽远的影子时，就知道冰雪之城所有活人早已傀儡。既然没有活人，那冰凌又怎么会是城主养子？

早在圣女不在之时，这个孩子，就已不再长大。

而他生命的期限，其实就在他们到来的时刻。

“别做无意义的事情比较好。”柳莫行轻言出口，就像过去的每一天。那样温柔，没有瑕疵。

“想要我走，你得乖乖退出。”

“你已经不小了。不要一错再错。”柳公子凝视眉眼，几许凉薄、几许迷惑。他看到的，是那个长不大的孩子，当初轻信落西凌的协助，冰雪之城为何傀儡，心细自明。

“你以为我不够格对付你？”小冰凌冷哼，端出了那一日对南肆的架子。

“我就是这个意思。”轻未可闻的声音，以及那分轻柔的笑意。柳莫行耸肩，雪白裘袍下随风扬起，泛起一阵迷魅的涟漪。

“我不太喜欢别人威胁我，回去吧。”

“你已经没有了内力，别那么嚣张！”

纵然是孩子，那出手的狠辣却不留情，饶是招招夺命。冰凌对落西凌的毒有自信，不是因为落西凌是他信任的哥哥，也不是因为落西凌是神医之后，而是因为多少年以前，那早已发生的实例。

从冰凌的眼中看到杀意，柳莫行微微皱了皱眉。抬手间，身形已经闪开。即使被封住了真气，他的轻功步法还是能够抢在对方回神之前。

广袖拂动，冰凌只觉得手腕被轻轻一打，长剑便被夺走。

白衣旋转，如同天际缓缓飘浮的流云。

一招行云流水的剑法。没有真气的涌动，只不过是如同走路般轻松、转身、挥剑。森寒的剑光，将夜幕辉映的斑驳闪烁。

“你——”

“在生命的最后一刻，我知你想护子凉兄以安抚曾经选择错误的心意。但让他和晢晢一起进去，未必是最好的结局。究竟怎样才是最好的，只有当事人自己清楚。”

冰凌在柳莫行的眼中，看到了几欲退离深邃的哀伤，丝丝缕缕的真实。

他不懂，他懵懂。

但他所有的力气，都已经渐渐抽离身体。柳莫行并没有下手杀他，是他自己累了。他的时间到了，他睡着了。

在睡梦中，他又见到了那个虽然是第一次与他相见，却救了他相信他的寒子凉。如果，很多年前，他的父亲城主也相信着他是他的儿子的话，如果当初落西凌的父亲没有抛弃他的话……冰雪之城就不会消失了吧……是的，圣女之所以会

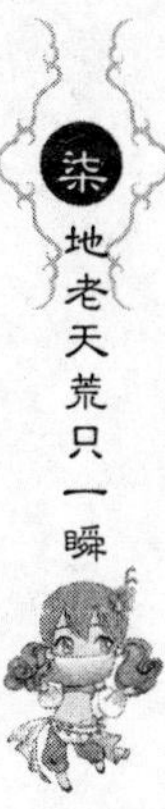

消失，冰雪之城之所以城民皆傀儡，都源于落西凌那一日的毒烟。

他说，控制一群没有真正七情六欲的人，要简单得多。

他说，人多是不懂得珍惜情感的人，既是如此，我就替他们抹去这一笔。

那一日，因为与城主吵架而生气的小冰凌点了头，看着所有城民失去自主，也有过午夜梦回担惊受怕，但时间久了，他就麻木了。

麻木到……直到此时，再想起寒子凉，他竟有了种多么依恋的心境。

依恋到，想要就这样任时间定格也罢……

南柯一梦。

如此，也罢。

血的斑驳，忽就撕裂了极地的雪白。

男人的手掌，割开了谁的身子，看一人的沉重，在风中坠落。重重地砸到冰面，无影无踪的，消失不见。

是谁的身影，在风中肃立。

缓缓而来。

来人勾起了唇角一抹笑容，惊艳而清明，像是一柄闪着寒光的利刃，有着让人不能移目的魅力……和杀伤力。

他手中执着一朵花。

白茶花，赫连皙的最爱。

“这花开得很美。”然后，他忽然轻声开口。声音中满是温和的清明，笑容中也有着更胜清明的朗朗。好像方才轻取一个孩子生命的人不是他。

威风凛凛的站立，他永远高人一等，或审视或怜悯或冷酷地面对着眼前人。

柳莫行没有说话，这个时候，已经不需要他靠说话来表达情绪。无论是否不满，无论是否怀疑，他都保持着温柔的无害的清逸。像朵忘了开放季节的花朵，凋零和盛放其实在一个瞬间。

来人一方白得几乎透明的纤长手指轻轻地拈着花瓣，“美丽的东西，总是转瞬即逝。”似乎是感叹，也似乎是为了证明一般，那一朵娇艳的白茶花，在刚刚还散发着醉人的美丽下，此刻，已然枯萎。

花瓣凋零着飘落到地面，那修长的指尖，也不过留下芬芳。

柳莫行向来的自制不曾让他流露更多的情绪。或许因为那花是白茶，有过心疼，不舍，也只是层层叠叠的弥漫在旁人看不到的心间。

“你在怪我吗?”来人高挑的声线，或讥诮，或审视。

“各有其命……怨不得人。”出自柳公子口中那抹不经意的叹息，有着荡涤人心的脱俗。

“这个地方，是我一个人的地方。”

柳莫行在静静地听。

“这张脸，看过的人都已经不在了……”又是一片朦胧。又是不可解读。

“所以……?”

“所以，你若还有什么话，便快点说吧。”一瞬间，无声无息地靠近，两个人的距离，不过咫尺。

谁也没有移开视线。

尽管一个高高在上的犀利，一个看似缥缈却出离迷茫的坚持。

“……你不会杀我的。”沉默了不知道有多久的时间，山城雪地，才静静地响起一个温和清明的声音。淡淡的，却像圣洁渲染九天云霄。“你若是想杀我，那一天就不会收起语灵了……”

柳莫行的竹笛，不知道何时，已碰到了来人腰间佩戴的长剑。

只那么一瞬，他没想到，他也没想到。

深沉的杀意，还来不及蔓延，柳莫行已满是歉意地轻轻弓身。他尊敬着，这本该终其一生也见不到的传说。

却在咫尺之间，丈量了平淡的清冷。

他说：“这么多年，我终于知道为什么皙皙必须失去那一天的记忆。”

他说：“前辈，我想我知道了，你是谁。”

*

记忆是人心中的那根刺。

刺在人心最柔软的地方。

灵然的笑意，在心间清扬，有种温柔，也有种惋惜。

慕容莫生把玩着手心中一枚青玉。他失而复得这样东西。很多年前他将之给到那个小女孩手中时，她仰一目稀奇看他。

如今，柳莫行替那个小女孩还回了青玉，其实是要他也还给赫连皙失去的记忆。

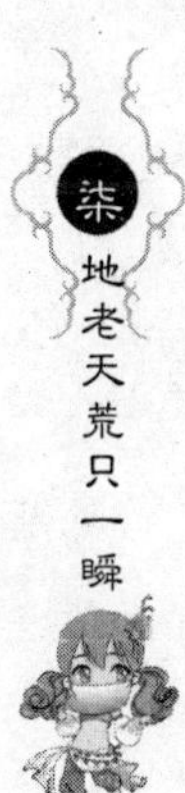

这块青白相间的玉佩，是很多很多年以前，那个乱世红颜亲手交给他的。她说这不是我的东西，但是我希望，你可以好好地把它戴在身边。

终有一天，如果我们不得不分开，它会带你再找到我的。

如果你相信，这就会是事实。

那块青白相间的玉佩，泛着冰光，却比清泉还要透彻无瑕，照在上面的人影子，似乎连心都无所遁逃。

就好像那个红颜的目光，偶一接触，都是刻骨的相思。

很多很多年前，慕容莫生便将之拿在手心把玩，他没有说无论我信与不信我都会戴着它。只是他真的一直没有丢掉。

“很漂亮。虽然，尚不及你。”

犹记得，楚依依听到他的回答时，暖暖地依偎在他怀抱的纤细身躯是那么柔软，回一回眸，她笑开一抹娇艳，无人能及的艳丽。

“莫生，我真的好爱你……”

那个时候总觉得她还有什么话想要继续，她却点到为止，亲一润温暖在他的唇角，乌黑的秀发泛了他一身的诱惑，缠绕出醉人的缠绵。

“希望，你将来不要恨我……”

恍惚间，他似乎听到了那甜美的声音，如此清语。因为听不清楚，因为不想要打扰她那已经沉睡的容姿，他什么都没有问。

只是将全部的困惑，隐忍在了心底最深的那个地方。以至于，真相大白这么多年，无人触及。无人抚平。

其实他从未想过她。

已经离开的人事，他久已不再去想。

今时今刻会如此清晰而灼热地想起来，只是因为柳莫行。柳莫行太像他了，只是柳莫行不是他。

因为赫连皙，并不是第二个楚依依。

就好像他再像白敖禹，都终不过，只是相像。他没有在最后一刻救下楚依依，没有留给自己一个为她等待百年的相见。

楚依依不是路夕颜。

这天下间，早已没有了那乱世红颜。

多少年的跟随，多少年的误解。

不在乎所有人的看法，只为了心中那个决意的坚持。——这是个秘密，连他所要保护的那个人都毫不知情。

——心爱的人，其实唯独不曾辜负于你。

他明明没有表情，却比谁都要温柔。

虽然他的温柔，只剩了他一个人的温柔。

慕容莫生淡淡的笑容忽如流水天边。此后，再也不会有人看到。

*

这样一个夜，连月亮都偷隐于黑暗之下。

伸手不见五指，百年难得的一个黑夜，是否也隐喻着有什么百年难得的事情要发生？不知道，也不能肯定。

只是，据冰棺的摘记纪录：冰棺开启的夜，是一片黑暗。

这片黑暗，连接的不只是天下与异世界的轨迹，通道的入口和出口，开启只是百年的一瞬。

落西凌满意地看着最终走来的人是柳莫行与赫连皙。

这是一个赌局，这是一个战局。来的人若不是这对青梅竹马就没有任何意义了。白敖禹与路夕颜青梅竹马，慕容莫生与楚依依相识年少，所以只有赫连皙选择了柳莫行，一切才在冥冥之中。

三个圣器的确都能开棺，但开棺之人，早已注定。他知道柳莫行一定会和赫连皙来的。他知道赫连皙一定会选柳莫行。无须确认赫连皙的心，只要赫连皙知道自己失去的记忆与柳莫行有关，她就别无选择。因谁而逝的记忆，也只能因谁而唤回。

虽然他们，拿了其中最刻薄的一种圣器。

那的确是他恶意地递给他们的。

因为他实在想不到一个，可以善意的借口。

落西凌转个身，优雅地走在两个人前面，他知道这两个人一定会毫不犹豫的和他走进传说中的冰棺。

他们既然来了，就不会轻易回去。

通往冰棺的路仿佛很远很远，又仿佛并不遥远。

塞北雪山内部，巅峰之位。

那里，有一座非常高的冰门，透过冰门，可以看到对面仿佛另一个世界的清晰。满目皆冰。那里似乎什么都有，就是没有人。

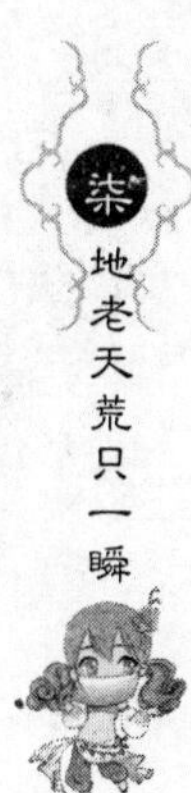

落西凌感觉到身后赫连皙似乎是停了脚步。

“皙皙，你在担心什么?”

以柳莫行的声音、柳莫行的称呼方式与赫连皙交谈，并不在乎柳莫行本人还在这里，落西凌的笑容中，若隐若现薄情与犀利。

但他的薄情、他的犀利，都与萧洛璧那种与生俱来的锋芒不同，落西凌的骨子里，有种稀缺，总也无法填满。

“这个时候，你该回答我一个真相了。”身后，还是那分沉静的美丽，不动声色的安宁。

“你想知道哪一种真相?”

“最后一个活下去的人，你猜是谁?”

身前，忽然清正扬起的嗓音，陌生又熟悉，在他浑身一震的间隙，唤起了身后谁烟波温柔的首次流动……

那身影如风而动，比风更加凌厉轻盈。

一闪而逝在瞳眸的寂寥，终无人所见。

是谁，竟有着那样陌生又熟悉的心悸?

不是害怕，不是惶恐，不是紧张，而是一种朦胧到想要失神的冷静，太过空洞反而更落满难以忽视。

自从武林第一贵公子白敖禹一身白衣出现，他那身玉色的衣衫便代表了一个男人的精致风骨——那本是清淡而无邪的颜色，那本是严肃而疏远的象征，穿在谁身上，变成了舍不得移开视线的耀眼，看白敖禹一眼，都是满满的贵气优秀。

有些人就是贵公子，他不需做什么、不需说什么，甚至笑一笑都不必，他只要存在，就能代表一方风景。

且，比谁都炫目。

其实，在场的所有人都不过双十年华。他们没有谁真的知道百年前，那个武林第一贵公子的尊容，也没有谁能告诉他们一个真伪。

但当白敖禹出现的时候，竟没有人会怀疑。

他就是他。

武林第一贵公子，从来都只有他一个人。

每个人都有每个人的特色魅力，并不是说白敖禹就比萧洛璧、或者柳莫行更优秀，相反，三个人站在一起，会是三道不同的风景，赏心悦目。

只是柳莫行的特色若是温润如水风度翩翩，萧洛璧就是讥诮魅惑亦正亦邪、好男人也是他坏男人也是他，而白敖禹，则是天生有一种王者的贵气。

想要接近他，却总也无法接近。没有人能猜透他在想什么。他淡漠的清明，忽然之间，却更清漾着忽远忽近的迷惑，无与伦比；他温和的微笑，临风惊世，却更加神秘而深邃，无法捉摸。

看似很近，实则很远。

咫尺之隔，便是天涯。

百年前的传奇。百年后他再现。

这整整一百年的时间，他留给了谁，他如何度过，无人能知。

只是那张连天都羡慕的容颜，绝非驻颜有术那么简单。白敖禹的清明幽若，从来也没有改变过。

他百年前什么样子，百年后，亦是如此。

没有人能做到的事情，他就是能轻而易举地做到。

无论这看起来，有着多么的不可能。

白敖禹。

赫连皙没有唤出这个名字。她眼前的时间，如同那飘然的纯白色。

白敖禹。

柳莫行没有唤出这个名字。时间有如静滞，泛出冷冷的蓝色。

白敖禹。

落西凌也没有唤出这个名字。只是因为他忽然，不知道该如何调整语气，才能不再困惑，这么多年的距离。

“你过来。”

白敖禹对赫连皙说，你过来。

之后他没有再重复第二遍，就那样肆意清明地转过身，引她随他一同进入开启的冰门。冰门因他而开，也因他而闭。

柳莫行势必一同倾进，如影随形。

落西凌自也捂闻心口，紧随而来。

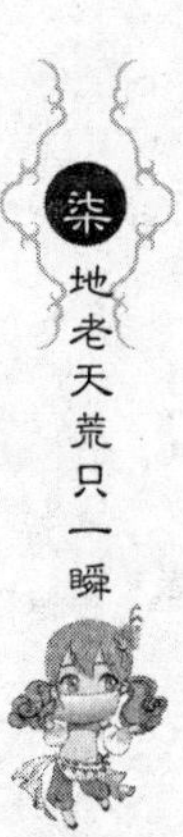

冰门闭合，门外一袭黑白重影，一步一步踏过冰雪，方才站定。

风雪已经停息，流动的光凝成了冰霜的门。眼前的人消散成了漫天的涟漪，连那女子的身影，也只余下海市蜃楼的斑驳。

门外一世界，门内一世界。

“谁允许你进来的?”

那张玉质出尘的脸，不用亲见，他仿佛也能看到谁那种植在骨子里的骄傲。不言不语，抖落几分清逸的高作，那种傲慢，声色不动仍能风云变色。

白敖禹在质问的时候，神情依然是不紧不慢的优雅。

他从容的、用满不在乎的目光，将未请而入的落西凌一览无遗。包括了他竭力隐藏的悸动，和那矛盾得无从自理的情绪。

白敖禹明明都知道，只是，没有触碰而已。

“我只是……想要跟你见一面。”

落西凌唇畔张合，飘散开的情绪，如同一场早已凋落的风花雪月。

“我还给你带来了，唯一能开棺唤醒路夕颜的人。”落西凌即使刻意掩饰，仍然无法掩饰他满身的杀气，好像是周身为了抗拒来自白敖禹的压力自发蒸腾，仿佛翩飞的剑刃，已经变得苍白而寂寞。

“你清楚的，这天下，除了他们两人不会再有人的血能帮你开启冰棺了。”

“夕颜，与你无关。”

一种微凉的蓝，带着冷凝的波澜。却让落西凌，止住了话语，静默了时间。

许久，真的是许久。

“你……早都知道?”

这一问的出口，或许落西凌自己也清楚，很多事情已经没有了退路。就像感情的付出，已经没有办法收回。

他从一开始就无法回头，因为他向前走了。但是前面，却亘古地站着白敖禹。

“你和我，根本不可能比较。本来就是两个世界的人，我们之间的距离，从一开始就是你根本追不上的距离。”

风声，呼吸声，还有……心碎的声音。

真相。

此起彼伏，清晰和模糊。

黑夜中尚有点点繁星的闪烁，白敖禹偏是那一步步走向黑暗中头也不回的身影，明知道前方是多么的深邃混沌，依然保持着固有的不变的清醒，冷静地步步前行。

每走一步，都是一个烙印。

烙印在他的每一个步伐，也烙印在注视着他的人心之上。

完全的绝情完全的冷酷并不可怕，对杀人没有感觉对犯罪没有隐瞒的人并不难对付，可怕的是他用着最浓烈的感情做着一件件绝情的事情，难以对付的是那种明明看到了黑暗明明觉得前方很黑还不在意更黑一点的人。

白敖禹没有弱点。

因为他对自己，也可以毫不在乎。

他在乎什么呢？——只有路夕颜吧……

那个武林第一贵公子漂亮的脸庞，似笑非笑的神态，一半纯粹一半迷魅。百转千回的视线，诉之不尽对谁那种牵扯进骨髓的爱恋。

“开棺需要鲜血。你们自己动手吧。”

忽然，就换了谈话对象。白敖禹似乎习惯了一意孤行，决定的事情从不跟别人商量，也没有要跟别人商量的这种观念。

他的声音，一半温和，一半不容置疑的命令。

他没有强硬的口吻，也没有冷漠地端起面孔，却能让人、不由自主地无法拒绝……或者，违抗。

有一种人，他就是有这样的影响力的，听他的声音，你就会相信，他是无所不知的。在他的面前，你终将无所遁形。

无论你是柳莫行，还是赫连皙。

*

“皙皙，过来。”

他摊开的掌心，等待的是她手腕的轻放。

赫连皙没有问柳莫行叫她做什么。她心里怎么想的，他既已全都知晓，那么他会如何选择，已是她心照不宣的

她没有丝毫的迟疑，将她的手平放在他的掌心上，凉和热的混合，与他十指相对，只是一瞬间的事情。

一瞬间之后，是他笑弯了唇角。

那一刻，竟然惊艳。

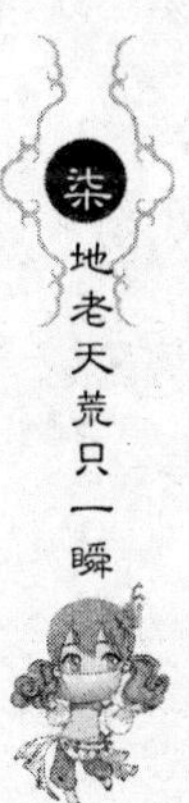

少女倾抬的脸庞，清碎了眸中若有若无的涟漪，在他咫尺的距离凝视，风起风落最无言的柔软。

温柔，而不沾纤尘。

那不是风情。

亦不是魅惑。

却在他眼里，留下了痕迹。

“莫行哥哥，你这么宠我，真的好么?”

雪之链，将两个人的手束在了一起。

从冰棺的缝隙中嵌入，不到以血充满边沿是不会挣出。柳莫行和赫连晢的血，彼此擦过，一丝滚烫，一丝甘甜。

本该是及时收手，想办法自救的一刻；本该是为对方担心，相慰问的一刻，两个人却谁都没有迟疑，就任那鲜血，温暖流淌。

不是为了白敖禹的命令。

不是为了白敖禹的威慑。

而是忽然有了一种，暧昧的亲近。

若他和她，情亦至此?

她的模样，就那么清晰地落入了他清魅的眼中，他不偏不倚，将她的举手投足一览无遗。

——赫连晢看得很清楚，柳莫行瞬间倾城得温柔无悔。

心口，没来由的一热。

柳莫行低垂了十五度的脸庞，眉目恣意，微热的呼吸近在咫尺的连染到赫连晢白皙的脖颈，有一分分，不经意的瑟缩。

她抬眉，对上他似有些恶作剧的无辜笑意。在这样危险的时候，他们本不该开这种孩子气的玩笑，但这样的玩笑，却让他们轻松而亲近。明明觉得这么危险，亦甘之如饴。

“莫行哥哥，你如此想一睹武林第一美女的芳容么?”在唇角扯起了柔软的美丽，赫连晢轻声笑语，玩味多情。

果然他又笑了，笑得像个孩子。“你在装傻，晢晢。”他叫出她的名字，温柔的，还带着，那么一分分让人心醉的熟悉。

她忽然就想起了那一夜雪坑内他说“我在等你”的神情。

她忽然就明白了，为什么他会在来到这里的当日，就断然直宣：“你也该嫁给我了”。

他能包容她一切的任性与随意，他能支持她一切的所想所愿——即使她的举动会将两个人都带入万劫不复，他也无意后退。

只因为他的选择，其实一如白敖禹对路夕颜的选择。

如若我们分离，纵是百年，我也等得起。

“你相信我么？晢晢。”

这是完全没有缘由开口的一句询问，带着属于柳莫行的郑重温文。此时此刻，或许是结束，也或许是开始。

他不在意等待。

他已经等待了她那么多个日子。

她忘记了他情之所钟的求婚，他一个人，等待着，她想起来有一个人早在最初，就已经允诺了一生的情谊。

我们初见的那一天。

我们执手的那一天。

我们，将彼此放进心里的那一天。

直到。

有那么一道声线，凝柔甜蜜。

在他的心中，如花绽放。

“你选择相信什么，我就相信什么。”

他转个身子，他前倾了姿势，他无须伸出手折叠力量，就将她置身在他咫尺的怀抱。

犹如深拥，一梦千寻。

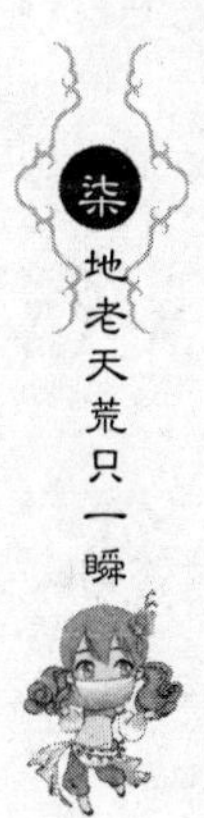

*

当所有的往事不复再，我们之间，也只剩下故事。

你可以回忆我，但是你，已经再也无法触摸我。

在白敖禹的眼中，那一分分从最初到最终的美丽。

那是一个女子，惊艳了绝美。

她始终未曾说过一句话，未动一下，甚至，连呼吸都没有一般。

这分分出离的存在却给人最深刻存在感。

她纤弱的身子上，只薄薄裹了一件雪白的羽衣。她的脸色很苍白很苍白，仿佛已有好久未曾沐浴在阳光照耀下。她的嘴唇也是白色的，没有血色的惨白。

她的人也是这样，没有一丝存在的气息。

“这个人果然是……白少夫人?”

一时间，连风都无声息，美到极致的凋落。赫连皙一眼而望，与柳莫行彼此心照不宣。

落西凌的双目，在冰棺外，如刀锋犀利，那抹凝重的深沉，重印了哪般场景的腥风血雨，从未忘却。

一瞬间，她的美丽，出离了以往的漫不经心，犀利的如同刻在心上的刺，拔不断，一厢情愿的努力，谁也无法触碰。

“路夕颜……”

静静地端详着那开启的花棺中女子的睡容，白敖禹的面庞，似水而温，清浅地弯起了一抹若即若离的笑容……

7.3 忽然而已

再相遇时，有一点冷。

宛若苍穹之冰天雪地中，开启的冰棺，内里，比冰更透彻的白皙无瑕。是谁一身雪白的裙袍，绵软的衣料清逸之下，单薄的身子骨因风飘摇。不声不响，漾着那仿佛不属于这个天下的缥缈不真实。

她在他的记忆里，总是这个样子。

这么多年过去了，始终没有改变。

那颜白皙的侧脸，精致的巧夺天工，却也因为太过于美丽，反倒像不该存在的生命，依然苍白的不见血色。

有一种，若隐若现的，虚弱的诱惑。静默地投影在水中的清莹，有月色的苍清迷惘，将那苍白的容颜幻化丝丝缕缕的阴柔。

这是百年来，她再一次睁开了双眼。

时间，静静地终止。

那双眸的肆意美丽，仿佛将一润甜美蜿蜒烙印在竹笛清悦无杂的音色之间。

她抬眉看他，那分轻柔的迷离，似乎早已看透了他的终将出现。

他凝视着她，许久不曾移开视线，内心执著的是对她一语的温柔。

对着路夕颜，白敖禹的声音，温柔得好似天上人间。

对着路夕颜，那个恐怖的白少主，充满了绵延的爱意。

对着路夕颜，呼唤着，他等了百年、想了百年的那个她。

“一百年了。我始终，认为那杯茶是最好喝的。”

相爱而相忘。相忘却依然相爱。百年前的一杯茶，白毫苦涩的味道，因为她素白纤手的递上，变得香郁绝美。他明知道那是一杯会杀了他们两个人的茶，却依然毫不犹豫地喝了下去。一百年了，有多少人妄图猜测这其中有几分若无其事，又有几分无怨无悔。

茶与酒最大的不同，便是酒若醉人，茶偏让人清醒。

他肆意的骄矜，始终未曾改变她贤淑的隐忍。所以他们那一刻的背道而驰，即使过了百年，也无法重归于好。

他清楚。

她又何尝不清楚呢?

所以他的话，似乎是令她笑了。在她本就有的轻柔笑容之中，更深、更重、更浓地，铺满了眼角明润的温度，直达他的胸口，声声切切。

馨香，刹那，沁人心脾。

他们之间究竟是经历了多少个春夏秋冬的守望，她不知道，他也不再记得。他们明明近在咫尺，却远如天涯。

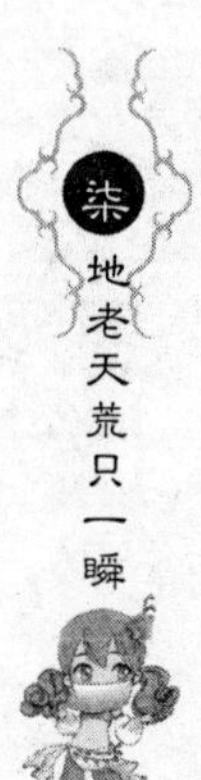

“我多么希望，当日我陪你一起喝下了那杯茶。”

路夕颜的声音柔柔荡漾，仿佛是深海的不见底，空灵而缥缈，如同白昼的水

珠，晶莹剔透想要拥有，却在摊开双手去接的那一瞬间，什么也没有留下。

历时百年。

他们相爱却分离的谜题，他们背道而驰的真相，他们之间究竟是存在了怎样一种默契与差距，这一刻，已全然明了。

如果百年前，喝下那杯忘记一切的茶的人不是白敖禹，而是路夕颜……武林的历史就改写了。白公子是会带着他心爱的妻子远离世俗还是会执掌天下令生灵涂炭，都只是他一念之间——但这假如，始终假如。

因为路夕颜用行动，与自己的心情道别。

爱情是很自私的一件事。

白敖禹肆意薄情，路夕颜唯有情深。

情深不寿。

百年前，她选择与他分离，目送他渐行渐远，不是因为她想救下武侠，只是因为她不想让心爱之人当那个万劫不复的罪人。

纵使成王败寇他胜利其他人莫敢造次，纵使白公子本身根本不介意正义与邪恶的区分，她依然，将他看成是武林中唯一的贵公子。

武林第一贵公子白敖禹。他既已如此清高，她唯愿他生世纯粹。

他不允许任何人轻触哪怕是她名字的边缘，她又怎甘心听到他人对他的议论纷纷——所以，敖禹，我们都从天下消失的话，就不会再有任何他人存在了……

内心，忽地一痛。

他们之间，这无人能看透的丝丝缕缕，羁绊与牵挂。

百年前，他喝下了茶，他看着他眼中深印的她，那一分分欣慰与亏欠，直到今天，才揭晓了真意。

如果，当初，是他吻着她一起喝下了最后的白毫……他会在忘记她之前想起她，而她，则会忘记自己一切的坚持与原则。

只做一个，爱他的女人。

……他不是看不透他们之间还能有这样的两全，他只是太明白，什么样的路夕颜，才是他唯一所爱。

那种爱的美丽，一语难休。

尽管那个字，也终成心底的伤，养成了今生的离别。

百年来，这十秒。

唯独是你，我不死不休。

香溢，太诱惑的甜。

深深的一个吻，深深地拥抱着，手臂之中，承生命心心念念之人。

安静的火热，是隔绝了全天下的温柔——专属的温柔。

白敖禹再一次抱起路夕颜，他怀中抱着的，只有一个路夕颜。

曾经，是谁笑一分分端静无瑕，顷刻，风柔雪暖。

曾经，又是谁执手一握，自有，两个人的相望。

百年之间，天地的变幻，还有什么是不能够看透的？

有一种痛深入骨髓，心依然平静。

他的笑靥，带着为她存在的最后一丝温柔。

他左胸口，刻骨的印记，一丝血腥的味道，撩拨了一心的柔软的弦——痛也好、爱恨也好、都不过是一个人，最真实的情感。

与外人无关。

即使那外人，用鲜活的血液，唤来了这一幕沉寂百年的风华。

白敖禹等了一百年，终于等来了柳莫行和赫连皙。

这两个人，青梅竹马，两小无猜，像极了曾经的他们。只是，他们已然，端起了那一杯忘情茶；而他们，还有着无限的可能性。

昔年，慕容莫生和楚依依因为一场武林争霸，没有能来到冰雪之城。语灵上挥不去的羁绊，早已香消玉殒多年。

如今，柳莫行和赫连皙将会何去何从？

柳莫行的眸色，渲染了蓝与银。

很多人都不会想到，在远离中原的塞北，在冰雪之城，会有这个传说已百年的武林贵公子的踪迹。

他是真是假，是虚幻还是想象，一时竟无须区分。

百年前，他们夫妻欠武林的一个真相，这一刻，也还只有他们才懂。

只是如今，柳莫行近在咫尺，看着一段无人能解却终将继续成谜的传说，轻

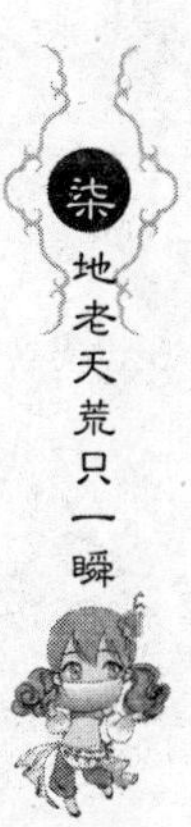

轻叹气。很多绝美的爱情，因为戛然而止让人惋惜；很多热烈的爱情，因为天雷地火让人羡慕；很多平静的爱情，因为亘古不变让人心安。

白敖禹和路夕颜显然属于第一种。

但柳莫行却忽然觉得，他们，其实或许也真正属于第三种。

一百年了。这响彻武林的第一贵公子白敖禹，当初是如何下了决心等待这或许永远不会找到的适合开启冰棺之门的情侣，他们猜测不能；只是白敖禹选择了自然而然的等待，一等，便是一百年。

有多少人能甘心用一百年的守候唤来十秒的相聚？

又有多少人，能真正了解，什么样的爱情，比执子之手与子偕老更为厚重？

“路夕颜已经不会再醒来了……”

落西凌朗朗的声音，在此刻多了一种如同花朵盛放到凋谢的清郁，摸不着看不到，却无比的真实，植入心间。

他的目光，透过谁的臂弯，看在谁睡下的容颜之上。

他的目光，透着如同凋零的思念的悲悯，为他，也为了她。

他的沉默，与柳莫行的沉默不同。

柳莫行再像白敖禹的存在，终也有着赫连皙的身边涟漪；落西凌埋藏心尖的浓情，苦涩而决绝，却只有他一个人品尝。

路夕颜的名姓。百年前，白敖禹就不许任何人触摸。落西凌如今肆无忌惮地倾吐，多么柔和，毕竟清晰到声声入耳。

他为何不惧怕白敖禹的威慑？

还是到了此刻，他清楚，那个曾站在武林顶端的贵公子，再不会有任何的威慑？

天崩地裂。或许只用了一个瞬间。

身在冰室的人看不到城外是否忽起了暴风雪，也看不到这震撼河山的晃动是否有千军万马的侵袭，只是，能深刻感到，冰雪之城毁了。

即使它现在还在，它却真实地毁了。

轰然的响动，裂开的山石。

一道深深的巨壑，就从白敖禹与柳莫行中间分裂开来，越裂越大，越裂越深。

一望无际的黑暗。

还有，刹那间银白色的发。

白衣贵公子那一头如沉浸夜空中的黑色长发，恍然间，竟然全白。

那是一种杀意，在萧索中升华。

直到他，再不去想，她曾经多么温柔地对着他露出甜甜笑意。

他背对着所有人，硬净如玉的背影，怀中抱着那丝清漾的柔软。再没有人能看到他的脸、看清他的眼，因为他想让之看到他的人，再也不会睁开双眼了。

这百年来，都神秘地保持着青春的贵公子，原来，只是为了这十秒的相逢？

他若无其事地等待。

他肆无忌惮地坚持。

是不是一场梦。

是不是一场幻。

梦境、虚幻与现实，在此刻，再也分不清。

只是在所有人面前，冰室之内的，冰室之外的。在那种寂静到连呼吸都已不存在的空间中，一步步离开。

他走的每一步都没有回头。

他走的每一步都没有停下。

他越走越远，越走越缥缈。他走过的地方，青烟阵阵，弥漫到再也没有人能追随的地方。又是恍然间，仿佛有一道大门开启，那门扉结冰，清白无瑕。

活着的人，还没有人能走进。

可是，死了的人，又如何还会行走？

是不是失了神？

是不是晃了心？

谁也没有机会再看到白敖禹的脸。谁也不知道武林第一贵公子，在此时此刻，是一种什么样的表情？

他是愤怒，是悲伤？

是冷漠，还是恍惚？

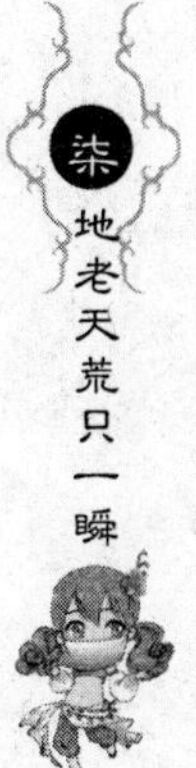

再没有人可以看到。

白敖禹那张出尘俊美的容颜上没有任何冷漠凶狠，它所有的，只是让人近乎绝望的平静。

那些，不过是幻象，不过是镜花水月，不过是流年无垠中的片刻风景。

而他，不曾驻足。

勾勒了血意，绵长了冰封的霜寒。

苍天大地，亘古的绵延，少女唇角解脱似的笑意，前尘旧事，一刀挥去，风轻云淡，是谁的血，染红了谁雪白的衣衫……

血的颜色，已经让地面变得沸腾。

隔绝着现实、与远古的、那一道谁也无法分裂的门扉，在天与地的交界处、蓦然而立。是打开，还是合上？

一步之遥。

*

唇角，弯着残忍的弧。

地动山摇，山崩地裂，都没有让目睹这一幕仿若幻觉般刻骨铭心爱情的人们回神。落西凌冷笑着，侧开了眼神，望向那山岩边变得羸弱的少女。

这一刻，赫连皙非常的安静。她的人，她的心，似乎都已经陷在了白敖禹与路夕颜沉淀了百年的深情气氛中。

到底还是忆起了吧？那曾经深深埋藏在心底的喜欢的感情。

赫连皙的世界，变得遥远而空静的一刻，仿佛有一种回忆，滚滚而来，像潮起潮落，无休无止。

她的震撼，她的萧索，与她的回忆，缠绵而不知所措。而她周边，再没有任何人能顾她、护她。柳莫行淌血的脉搏，早已染红了瑕白的衣衫，纵使身子端立，也不过，只是站着。如此而已。

突然就听到一向不动如山、一向平静得只有讥诮的萧洛璧，那一声从冰棺外仿佛穿透空气袭来的怒意：“柳莫行，注意小赫连！”

冰棺之内，随即领悟或者本就想到，柳公子强撑着身子转身时，那一种欺近的上演，留给他的，只剩下一声叹息和一眼万年的距离。

“……和我，一起死吧。”

落西凌的身子腾空而起，直逼赫连皙的娇柔，翻手相握，丝毫不留情面的短刀刺出。他一用力，就可以撕裂那个少女纤细的身躯。

风中，是谁凌乱，不躲不闪。如浓浓夜色般发丝，飘扬肆虐。

在那柄短刀刺入身前的痛楚，弥散前，扭转了刀柄的所向——就像幻觉一般，但是真实的，刺入了另一个人的胸膛。

凄厉的肃杀。悲凉的，柔软而深邃的痛楚。落西凌的面庞，那个瞬间，惨白而消殒人烟。他眼中的赫连皙，已经，模糊得越来越远……

远到，再也无法让他分清，看到的是她，还是那个再也不会睁开眼睛的武林第一美女。

那柄杀人的短刀上，染满了主人的鲜血。

滚烫的红，仿佛碰触到都会割裂的痛楚……落西凌的手腕，极力坚持，都不过是把一柄短刀，刺入了自己的胸膛。

扑面而来的、干涸苦涩的味道。仿佛尸体一般，失却了所有的重量。就那么、撞翻了灵魂、坠地……

一片漆黑。

终于，还是累了吧……

风声，逐渐听不见了。

好像有人在问——在这个世界的最后一刻，如果是你，你会想到谁？

想到的那个人，必然是心底深处，割舍不下的人吧？

明明，不该有复仇之外的情绪的……明明，不该有那种所谓的心动的感觉的……可为何？

不属于他的她，那身影、那最后的一颦一笑，却如此的清晰而自然？

……在想什么呢？

落西凌……你真是个单纯到极点的笨蛋！

可是……

我没后悔……

——路夕颜，你跟白敖禹，从来就没有分开过。再也不会分开了。

泪滑落，是火焰也融不去的寒冷。

漫天的血光，染红了人们的瞳孔。

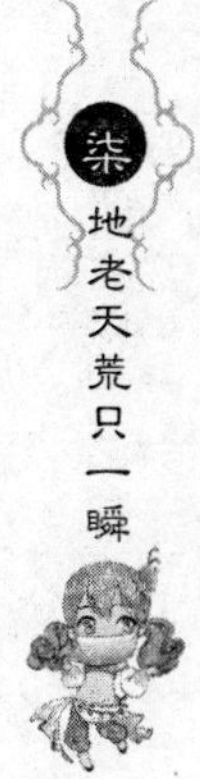

在那个男子昏睡的脸庞上，滴落了短刀飞溅的鲜血，绯红色的、如同罂粟战栗了花香，挥洒比泪水更清透的痕迹。

一滴，就已经深入。

因为那最后的一刀，终是没有劈下去。

于是那思念的一切，也被完全地截断了。

柳莫行那张温柔的，总是微笑着的脸庞上，那一瞬间，定格的悲痛——要如何才能抚平？如此如此的真实。

他身后，因为开馆后失血的虚弱，再加上落西凌匕首转向后蓄足全力的掌风惯力，赫连皙纤柔的身子，失去所有力量地飘扬，像朵忘记了开放季节的花露，弥漫在空气中满是空虚寂寥的味道。

就那么，坠落去白敖禹与路夕颜离开的方向，仿佛没有尽头，仿佛，谁人伸出手，都拉不住她。

落西凌一张神似柳莫行的清俊容颜，即使连染了血的泽度，依然是，玉面英姿的精致。他笑容温柔而冷酷，他敛起的恣意，眸色幽深。他问的最后一句话，永远留在了柳莫行近在咫尺的心口。

“你伤心么?”

伤心自己，终于还是要失去——最爱的那个女人。

眉目清宁，柳莫行温柔的时候，天地似乎都和他一起温柔。他抬起了唇角，呈十五度的弧，笑容，出离了寂寞。

谁的不惊波澜，从此，咫尺天涯。

他永远也不会忘记，她曾一袭白衣翩翩，缥缈韵世，谈花笑影间，那张笑颜，是连天下都心存的美丽。她什么都没有做，只是一个眼神，就已惑魅他而倾心。

“兄长，我多么羡慕，皙皙那满身白茶的香气，都起源于你十年前不间断送来的鲜活绿叶……”

花叶相依。

若今后必须要再有一个男人守在她身边，我希望是………………

一句誓言，用一生最重要的时间来维护。

他为了一句誓言，送上了也许是本该属于两个人的生命。

风，漫过耳际的纠葛。

在这一刻生与死的边缘，来自谁的冷峭刻骨。萧洛璧终于不再静默、抖落一身尘嚣、踏前一步，闯进了冰棺。

可眼前那一场风起云涌，已换来由他接住那纤细的身躯。赫连皙的唇色，苍白得不似生机，在风中摇摇欲坠，随时都会因风而逝。

风中的气息，割伤了脸颊的痛楚。

萧洛璧抱住柳莫行毫不犹豫地纵身向前、在最后一刻用尽全身力气拉回的少女，而柳莫行的身姿，却再没有回头的力量。

独留那一抹苍白的温柔，波澜不惊的嫣然。

一黑一白，在光影之间，承天地之姿。

那一幕，发生得理所当然，任谁也无力阻止。

那一幕，好像已经过去了很久，却谁都不知该从何回神。

那一幕，还在眼角徘徊，仿佛伸出手，仍能拍碎幻觉的纠缠。

那一幕，……

究竟，已经成空。

兄长，你说，我到底有没有全力以赴呢？

呵……

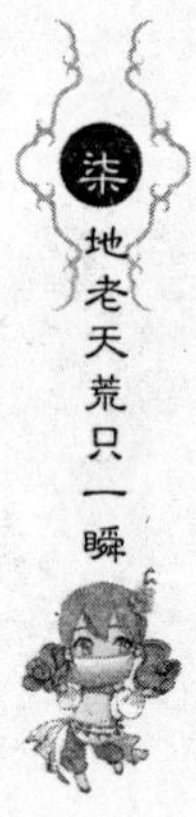

尾声：彼时相许念如昔

谁都无法说明因果的善变。

在眼里，将一个人的影子刻印得比谁都清晰。

在心里，将那个名字养成了一生一世的深沉。

风的冲撞，似乎扬起了肆虐的倾斜。

听到了柳莫行的话，萧洛璧没有言语，一张清俊的容颜，即使连染了血的则度，依然是，玉面英姿的精致。

他怀中抱着那个少女纤细柔软的身躯，他竟没有再低头去看她安慰她——只因为在抱住她的瞬间，他比谁都清晰地看到了她眼中那分苍白的温柔。

赫连晳波澜不惊的嫣然，为着柳莫行坠落黑洞的道别，流落了最真实的痛苦。

有的行动，是只有两个人绝对信任彼此才能够做到。虽然这行动，会在最后要了他们两个的生命。

我不想死。

但是，两个人一起死，总比让你一个人孤单地死去要好……

萧洛璧笑容温柔而冷酷，他敛起的恣意，眸色幽深。

他的小赫连，那一刻竟抛开了生死，不在乎谁会因为她的决定，刻骨铭心；她那一刻在乎的，只有柳莫行一个人。

很多种心意，不到一个临界点，是不会大白于天下。

很多种情感，只有面临选择，才会不由自主。

……萧洛璧忽然间，就体会了那一种，也许他一辈子都不会有机会感受的，身不由己。

“萧公子啊，速度快，这里要塌了！”

山石瓦砾颤抖的巨响，南肆箭步蹿进来拉人，他们在更为外围的人还不知道内里发生了什么事情，只是当山城晃动摇摇欲坠时，原本隔绝各个区域的大门自动开启，他和寒子凉、若思便一同冲进来。

那时候看到寒子凉冷峻严肃的表情，南肆压抑住自己接近真相的猜测，比他和若思更快一步闯进冰室，为的就是验证落西凌当日说过的话。

真正的圣女根本就不存在。

从阮神医假扮圣女开始，冰雪之城就注定了这一日的崩塌。

那么，谁会是那个陪葬者?

当南肆看到萧洛璧抱着赫连皙，地上是倒下的落西凌，却不见柳莫行的身影，他就明白了这里发生的一切。

惋惜和痛惜。

但也仅止于此，活着的人必须要继续活下去。

这是他从生在武林就一直坚信的命理。任何的伤心、任何的追随，都唤不回逝去的相思，既然如此，唯有努力活下去。

他是没有体会过相思刻骨的爱，他是了解柳莫行与赫连皙多少年青梅竹马的执子之手，但他更明白，活下来的人，是凝聚了为了护她才甘愿死去的人多少的真心。

只有你，我才心甘情愿去死。

或许这一刻，在这个武林，只有南肆一人瞬间参透了当年楚依依死在慕容三公子剑下的心情。

只是只有一瞬。

短短的一瞬，连南肆都没深思原来这就是那乱世红颜的真意。

一瞬间之后，他只顾着拉人，那双遇到危险跑得比任何人都快的脚，这一刻，不顾危险踏上了已然崩裂的颤抖中央。

不过南肆的手还未及碰到萧洛璧，那个身影已与他影影绰绰地擦肩。

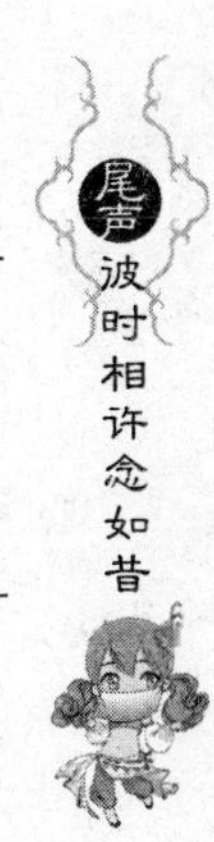

“只要我活着，小赫连就不会死。”

萧洛璧的言外之意是，要我对小赫连的生死视若无睹，除非我先她一步死去。

萧洛璧的话里话外，充斥的只是一个心意：我必须要让她活下去，所以我绝对不会轻易地失去生命。

谁的承诺，一言，就是一辈子。

所以，在浓烟之中，最终留下的只有那一抹酷似柳莫行的落西凌……以及，已无能为力再和他说别开玩笑了你快回来的柳莫行……

是谁的离开，终在风中沉落。

*

少女，迎着风闭上了那双明透的双眸。

此刻，聚集在塞北山下的几人，数量上，比来的时候要少了一个。在冰雪之城的一幕幕，落西凌、冰凌、真假圣女，乃至慕容三公子与武林第一贵公子的白少主……都已不在。他们中死的死，消失的消失，传说终究是传说。

到头来，什么都没有改变。

改变的，只有那个谦谦如玉的公子，不知何影何踪。

寒子凉、若思已经知道了冰室内发生的事情。萧洛璧不肯亲讲，见不到柳莫行，不代表南肆不会把自己所知大致道来。

南肆相信若思和自己一样，都懂得在武林中生存，很多时候需要抛开感情用事。不是不能对谁用情至深，只是所有的感情终须分辨轻重。

他们要在武林中继续活下去，就必须，让所有的爱与恨，都尽融生命的片段。

不是人人都能做白敖禹与路夕颜的。

若人人都是白敖禹与路夕颜，他们又岂会传说至此，终成记忆。

“寒公子，去赫连姑娘那里。”

事实上，若思听完这一切的过往，即使面上有过瞬间对武林传奇的感叹，有过瞬间对柳莫行的沉重，仍是在很快平息下，对寒子凉说了一句话。

她不是教唆寒子凉要乘虚而入，而是明白地告诉寒子凉，既然这个时候你开口不开口都改变不了她的伤心，你至少，应该去照顾她。

那样，她的心中，才会留下你还在的印象。

寒子凉何尝不知道此时此刻，与其规避乘虚而入的嫌疑不如凭心所愿去安慰赫连晳。他的犹豫，不在于被误解卑鄙，只在于他心中的矛盾。

为什么，他就是不能接受莫行死去的事？

是不是莫行一年前的那次假死，让他心存侥幸认为只要是柳莫行，他就一定会回来的？

……可是他们都知道这只是他的假想。柳莫行掉入了崩溃的冰雪之城地底，没有内力没有体力甚至连血液都几乎尽失，他已经无力回天。

明知道如此，为什么，他就是不能接受？

这师兄弟多年的感情，其实，根本也胜过世间一切的爱恨情仇吧……

“寒公子，是要找我么？”

赫连晳总是那样笑着，漾起三分甜意七分温暖，温吞着眼角意犹未尽的浪漫。若是有一种勾引最若无其事也最刻意，应该就是如此了吧？

寒子凉没有点头，也没有摇头。重叠在眸中的映像，是谁，又不是谁。那曾经笑望青天的真实，已经变得那么遥不可及。

他看着萧洛璧不知所踪离去多时，她一个人走离众人，便跟来了身后。想着该如何开口，她已经先回过了身子，面对他，仅只是勾勒开，唇角似有似无的笑靥。

一抹娇甜，腻了千百年的风情。

“赫连姑娘……”

那一刻，寒子凉忽然不知道自己该以什么样的身份、什么样的言辞来安抚这个少女。赫连晳明明比谁都伤心，她却用着若无其事的温婉，疏离寂寞。

他莫名的、说不出来的恐慌，为她这种似真似幻的温柔。

“对不起……”最终，他只能说出这三个字。是对不起曾在开启冰室时眼睁睁看着他们走进去却没有阻止，还是对不起保护她替她离开的人本该是他却不是他的自责……他本来或许欲说的，我还在，终究没能说出口。

我还在这三个字，不是任谁都能轻易说出口的。

“这个武林没有谁能真的对不起别人，能对不起的只有自己。”那个少女飘一漾青丝，似水风中，时近时远。米白的裙袍悠扬，如同云烟，雾里看花。

“赫连姑娘!”

“寒公子，我很好。真的。我很好……”寒子凉的话顿在喉间，赫连晳的人已将头抵在他的胸口，距离心尖最近的位置。

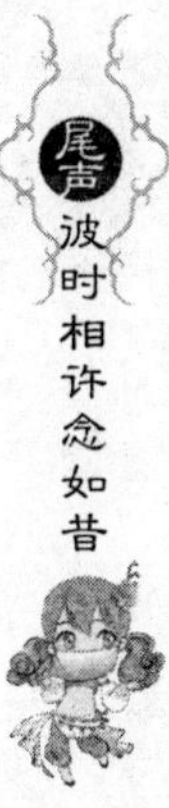

她重复着我很好，声音很轻，很近，却也似乎很是遥远。

寒子凉不知道赫连皙是不是哭了，但是他看到她纤细的肩头，瑟缩的寂寞。那瞬间，他的心头仿佛打上了重重的叹息，有什么话，欲言又止。

仅只是环着她的肩膀，陪她一起。他们近在咫尺，也似乎远如天涯。

赫连皙从来都不是最温柔的那个人——寒子凉很清楚，即使在她与他有婚约的期间，她给他的温柔都是带着淡得不能再淡的距离的。她的温柔，是最近也最远的距离。

但是，偏是只有她的温柔，进了他的心，深入骨髓，就像是刻在心上，每一痕，都牵动着思绪万全的专一。无论他甘心与否，他没有办法。

人能够控制很多很多，却控制不了人心。

无论是他人的。

还是自己的。

但这个在赫连皙本该一心一意追忆柳莫行的时候，寒子凉抱住赫连皙的手臂间，却忽然，暖了。

连寒子凉都想不到。

他再度低下头，看着她已经为他扬起了精致苍白的脸颊，暗香浮生，那种仿佛精雕玉琢出的绝世美玉——赫连皙苍白的容颜，最终让寒子凉暖了面庞。

“寒公子，我很好。所以，你不要再自责了。”

不要自责，那一刻陪我进去的人不是你。

不要自责，因为你的迟疑而忽略了内里的危险。

不要自责……如果现在和莫行哥哥换位的人是你，我依然，会是这般的心痛。

所以，这样就可以。

后面的话，赫连皙都没有再说，寒子凉这一次也听得明明白白。他仿佛忽然间就懂了一件事：为什么独独是赫连皙。

赫连皙之外，再无他人。

“赫连姑娘，寒某希望可以收回一年前在东瀛的大方。不管是多少年，请你给我一个等待的机会。”

“谁又同意你们这种私定终生了？”

身后，传来谁的声音。

稍一回头，就看到萧洛璧执箫而归。漂亮的面庞上，满是令人猜不透的轻描淡写。

"萧兄，到了这个时候，我们还要争下去么?"

"寒子凉，我早就说过，你太天真了。"

这个男子冷峭归冷峭，淡漠归淡漠，却从来也没有过这么生疏的冷。不同于曾经的不屑与无视，多的是一种拒人于千里之外的残酷与自若。

萧洛璧的精致，无血无泪。

"小赫连，你，跟我过来。"

寒子凉本欲阻止地错身，在赫连皙轻轻按手间停顿，他看她，看到了她眼中若有所悟的期许。也看到了，她的唇边，笑容中的叹息。

"赫连姑娘……"

"不用担心，寒公子。我想，这冰雪之城最后的结局，有答案了。"

*

他还记得，那一天天空的蓝色很纯。

他在天地之间，看着那个少女撩起水袖的纤盈，一足一舞，一靥一心。水面波粼着湖绿的涟漪，圈圈折折，都掩不住的娇艳痕迹。

细水长流。

那个时候，似乎看到了这样的景象。

也想到了，这种本来很遥远很遥远的心情。

爱本容易一见倾心，情倾此生却不若天般明净。

他们面对面。

他们肩并肩。

直到她侧过身去，留下精致的侧脸供他恣意赏析。皙白的脸颊不沾纤尘的艳丽，粉魅涟漪，延续着唇角眼角的不经意性感。

米白色裙袍被人从身后揽过，萧洛璧稍一用力地牵引，赫连皙的身子就那样柔软的蜿蜒在他男性温暖的胸膛。

听他心跳的声音，在她近在咫尺的距离。

萧洛璧的面上总是那抹似笑非笑的表情让人捉摸不透，然每当赫连皙看到的时候，都会从那一双幽黑的眸中读出诉之不尽的温柔。

"你喜欢柳莫行太久了……"

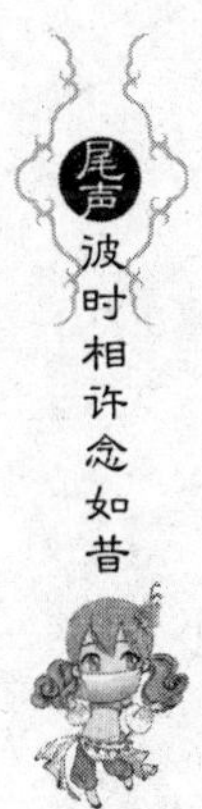

从萧洛璧唇间逸出的声音，细细品味，会发觉那若隐若现的嘲讽。知道他不是对她，却不是很清楚，是不是对他自己。

其实他们很了解对方，了解到很多话不用挑明，总有人能明悉。

“现在，该换人了。”萧洛璧唇角勾起的笑若有似无，眼中的宠溺可以化成汪洋的波澜，深蕴成意，一半魅惑一半清邪。

一个吻，轻柔地带着点滴的诱惑，缓缓地落在了那白皙的眼角。她知他所为，知他有话要说。所以轻轻地闭上眼，凭他温柔地呵护不尽。

即使吻如蜻蜓点水，那只手的轻抚脸颊，也厚重得挥之不去。

“那残恒中，你没有看到人对么？”耳畔，仿若不似人间的清雅嗓音，呢喃出似有似无的低吟。

萧洛璧二十多年的生命中不轻许任何一件事的诺言，不执著任何人事的得到归属，也不轻易出口对任何一个人的暧昧。

唯有她。

他给了她别人用一辈子追他也得不到的心仪，什么都顺着她、什么都依着她、什么都宠着她、什么都给了她……

所以，这一次，也依然，如故。

萧洛璧戏谑着，微微吊起的眼角，透露着精明的光泽。那张精致无边的脸上依然是那种淡然的掀唇，即使是冷笑，也透着说不出的魅惑。

“不必问我。等将来，你问他吧。”

*

旭日和风。

几线白云在高远的蓝幕上缱绻，随风遣来那数缕樱草的清香，虽不浓厚，却恰到好处地沁人心脾。

多久以后，赫连皙再想起柳莫行当时的回答、还有他被她所看不到音容，就会有一种淡淡的哀伤的情绪，弥漫开来。

那不是一种感动柳莫行将生的机会留给她的谢意，也不是一种担心青梅竹马的他安危的留恋。而是……

“莫行哥哥，你终于还是对我任性了一次。”

原来……这个翩翩公子，牢牢地握在手心的，除了武林中所有人的信任和好感，还有她回眸间被他留在瞳中的身影。

她的每一步，从没有离开过他的视线。

就那么尘埃未定。

就那么宛如隔世。

*

那是一个男子，眉清目秀，浑然天成的清逸，精致而惊艳。

卓然而立，身影高洁，他一柄竹笛在手，深邃的瞳眸，黑亮而悠远。明亮的气息，干净而不染尘嚣的气息。

他的静之中，有种温文，无可亵渎。一眉一眼，像是雕然的存在，深刻明朗。

他身前离去的身影，一袭玉衣，尘世不沾。

突然间就想了起来，那个本该已经不再记住的回忆。在很久很久以前，久到自己都已经记不住的年纪，有过那么一次相遇……

谁在谁眼底，谁在谁心里?

传说终究只是传说。无论他有没有，让他不同于他们的两段凄婉而出手救了他。

他是何种心态，他至此，已无须细想。

谁让传说，已都是那么亘古悠久的温存……

不过一段回忆。只剩回忆。

男子只是独自站在一片沙漠的晚霞之中，清逸的身子，迷艳的红，涟漪着倒影的仿若仙姿。

“皙皙，我回来了。”

全文完 2012－6－9

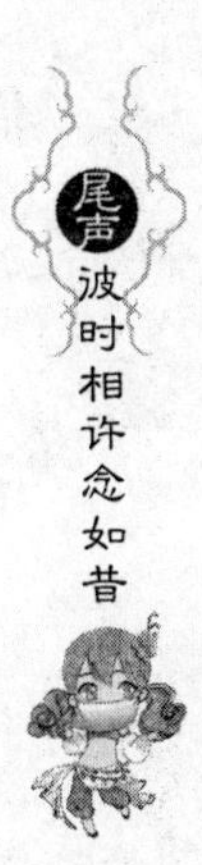

番外一：眼中天下谁占去

人和人之间的秘密，不过是心的距离。

——题记

那时候天蓝海阔，那时候他们师兄弟二人常一起游在后山，举剑切磋。他们的师父当时的武林盟主就站在一旁，看他们的眼神，温柔而深刻。那时候还没有多少年之后的身世真相，物是人非。

一袭白衣的翩翩少年，一袭藏衣少年老成的男孩子，他们在很多很多年以后，经历了残忍杀戮，仍为对方抱有儿时那种友情。

信任、情重，不离不弃。

彼此视对方为兄弟，共同喜欢了同一个女子。

柳莫行常常都会想起来，在赫连兆影伯伯第一次领他离开清寒冷筑时对他说过的话：胸怀有多大，天自然就有多宽。

“莫行，你愿意做个什么样的人?”

*

初见。那小女孩举起了一枚青翠的竹笛，呼呀呼呀地摇晃，一张童稚洁白的笑颜，铺开了一心的喜悦颜色。

小孩子是不懂什么喜欢和讨厌的情绪的。仅只是笑着好动，一双琥珀色的大眼睛，满是精灵的滴溜闪烁。

柳莫行很自然地伸出手从赫连伯母怀里抱过那小女孩。很自然的，就让自己喜欢了她。

那一年，赫连晳三岁。

就那样进入了时值七岁的柳莫行的眉眼心间。

从此，若水山庄中，无论春夏秋冬，无论日月星辰，都有人能看见一个小小的少年牵着一个更为小小的少女的手，慢慢地踱步于花开花谢的庭院。

忽而，柳莫行会拾起一株掉落地上的花瓣，捏到赫连晳仰起脸看着他的翦水大眼前面，晃一两晃。她白嫩的小手立刻就会抢他手中柔软，抢过来就要往嘴边送。

若说小孩子贪吃，她又会在咬下一半后将另一半高高地举到他唇边。柳莫行那抹从小已弧度优美的唇角，便会扯开十五度的温柔无双，吃下那瓣或许并不可以当食物的花。看她璀璨的笑容，吻一吻她指尖的白皙。

七岁和三岁的孩子。没有人能明确地分清何为喜欢何为爱。但他们之间的喜欢，却是从最开始便已开始。

*

有一年。他们约在后山。

离开清寒冷筑的柳莫行并没有完全和清寒冷筑脱开干系，至少他会和师兄寒子凉经常约在一起切磋。

两个人年纪相差不过三岁，虽然性子迥异，却奇妙地融合。时常一起谈天、对饮，从小便不苟言笑的寒子凉在面对柳莫行的时候，会非常随和，言语表情皆很自然。

就是在这一年，柳莫行的武器不再使用剑器，而替换了竹笛。

与寒子凉几番武斗之后，两个人坐在山头，伸直长腿，感受着风吹的凉爽舒适。

柳莫行说："子凉兄，你可有喜欢的人？"

那时候寒子凉一心向武，对师弟这个话里有话的问句毫无察觉，只是摇了摇头。"天下之大，儿女之事慢谈。"

柳莫行笑着，未再多表。

他看着后山的绿植花草，想象着那个小女孩如果出现在花间，该是多么美的一幅画面。那时候，还只有他一个人欣赏。

而已。

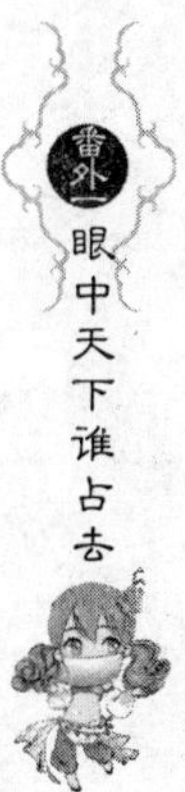

*

青梅竹马。两小无猜。

都说长久地生活在一起，两个人会越来越像。每当那袭翩翩白衣吹一曲笛音在唇边恣意，都会有一抹纤盈的身姿舞动生情。

赫连皙是个性子很随意很恣意的女子。与武林中的大家闺秀不同，也与那些争强好胜的女侠不同，她对规矩和名利的淡看，就像从未知晓那两者的存在一般。

十岁那年，她白皙而纤细的指尖上套住一枚晶莹剔透的翡翠玉扳指。赫连兆影送给爱女的生日礼物，据说是受过他照顾的朋友从西域珍稀之所得来，是否真能百毒不侵尚无定论，作为一种美好的寓意或保护佩戴身旁自是不错。

小姑娘看着那枚略显宽大的玉扳指，再看看身边望着她笑的父母和青梅竹马，忽然就将戴在拇指的玉扳指取下，拉起柳莫行的手，不发一语将之戴在了柳莫行修长纤细的无名指。

那时候，该是让多少人惊讶了。

赫连兆影夫妇只是笑着。看着柳莫行在一个有礼的弓身后，拉着赫连皙的手一同从屋内走向庭院。那时候，艳阳高照，风和日丽。

柳莫行戴在无名指的玉扳指在阳光的滋润下，丝丝清润得透亮，干净得一尘不染。他用那只戴着玉扳指的手牵着赫连皙。

“真合适。”

柳莫行笑了，阳光和玉扳指的透亮，都不及他脸庞上温柔的线条。那一句真合适，不知道指的是扳指的大小，还是他们两个人。

那张笑脸，忽地划开了月光的明净，秀丽的，挑动心弦不止的颤动。少年的有那么丝苍白的俊美，只脸红过这么一次。在那个少女晶莹无邪的瞳中，绽放光彩。

一生一次，终生不悔。

多少年以后，柳莫行从不离手的竹笛，开始闪耀出和玉扳指相同的色泽。

*

时间过得飞快，快到离开清寒冷筑时那个年幼的少年，已经成年。他一袭玉色白衣，仍旧纤尘不染。时间仿佛没有在他身上刻下多余痕迹，初时多么温润的气息，此刻依然临风惊世。

柳莫行回到了清寒冷筑。他踏几步海水上岛，扑面而来的冷凝气息，是与若水山庄的温馨截然不同的感受。

有些寂寞。却也，心静如水。

身后，传来一个男子的声音。

“莫行?”那声音，几分冷漠，却也，几分诚挚。

柳莫行停下脚步，面带着笑容转回了头，那张漂亮的脸，用着温和的清秀勾画弧度，每一痕，都轻漾着一眼见底的干净。

一眼看过来，像是个好纯真、好透彻的孩子。可是细看他的眉眼，有种气势，浑然天成。

唤他的人，是他的师兄寒子凉。

成年后的二人，因为寒子凉武修四海，总是聚少离多。尽管此时柳莫行已经再回清寒冷筑，那里，却也不常有寒子凉。

武侯和武林盟主的杀戮阴谋，知道的人、承担的人，只有柳莫行。他甚至为他离开了那个与他牵手听风看月吹笛舞袖的少女。

看到这个他为之隐瞒、保护的师兄，看到他对他心照不宣的信任和真诚，柳莫行在心里一声叹息，同时，也是一念欣慰。

寒子凉难得玩笑，听得出这一趟远行后的好心情：“你之前问我，是否有心仪的女子，这些年来，你可是有了喜欢的人?”

“早晚会有的。”此时的柳莫行，却唯有淡言淡语，只字不提那惺惺相惜的儿女情长。他多么清楚。有的话，一旦出口，便是思念千丝万缕的袭来，便是，藕断丝连的不能理智。

他从不把友情和爱情放在天平上做个对比。是因为对柳莫行而言，这世上很多种感情，都来之不易，应该珍惜。

无论他是否早已猜到，他这个至今都未情窦初开的师兄，很有可能会与他爱上同一个女子。

在将来的某一天。

和他一样心动如蝶。

*

若水山庄那一日。夜。

一前一后的两个身影，柳莫行看到了寒子凉误入赫连皙闺居的后院。看到了少女娇媚翩翩风雅的恣意，他师兄瞬间僵硬而微红了的脸颊。

子凉兄的心，开始有了和他一样的人。

这是早已能想到的事情。那个时候，他是有那么一丝欷歔也有那么一丝欣慰在心口弥生的。欷歔在所有的爱情中，只有一对一；欣慰在无论将来揭开那命运分歧的一刻有多么残忍，他们，总也有相同的羁绊而挂牵。

那一夜，柳莫行虽然伫立远端，却没有现身。

晚风轻抚他脸庞。有一些凉意，也有一些萧索之气。

手指，不自觉就覆上那枚绿莹莹的翡翠玉扳指。真是奇怪。他十三四岁戴着合适的扳指，到了二十二岁竟然还那么合适。完全没有一丝大小上的不适合。

难道，这玉扳指真有灵性?

柳莫行低首轻轻看着自己左手无名指上的玉扳指。翡翠的晶莹和他眸色的无双在瞬间竟似重合，同样美得妙不可言。

有些事情，注定了，因为最初，所以永远。

*

若水山庄的今日。晨光洒满偌大的院落。满园的白茶花开，香满溢。走到哪里，都是一袭香的浸润，美得无声无息。

赫连晳今日起得很早。柳莫行走进她的闺房中，看到她正随手拈着一纸书信笑意盈盈。那模样，难以细述的调皮与惊艳。

萧洛璧今日还没有到。寒子凉就更不能如此早时踏进姑娘闺房了。所以房中，只有他们两个人。

温润的气息，出奇的和谐。

脚步声忽而就缓了，他站定到她身后的时候，她未闻脚步声却凭直觉回过了头。两个人瞳眸相对，眸中均未染第三种颜色。

“苏姑娘的信?”不必看信的内容，也能猜到是谁，是他们多年的默契依然。

赫连晳笑弯了晶莹美目，随手将书信放于桌角，“尘尘的性子，得亏青痕剑客能够钟情不移。”

“你想撮合鸳鸯?”她即使不说，他也能一语点破她的心情。

于是赫连晳便露出了那种让柳莫行很熟悉很熟悉的笑靥，三分清凝三分甜美三分温柔和一分总也挥之不去的妖娆。

“人嘛，偶尔也得做点好事呢。”

苏挽尘接到赫连晳的回信，正是那一出新婚之夜抢绣球戏码的前引。虽然苏姑娘也说过皙皙我不要你嫁人啊不要你嫁啊，饶是架不住赫连皙一个暧昧的咬耳：“那尘尘把绣球藏起来不就好了，找不到绣球，他们拿什么娶我？”

苏姑娘一个握拳说没错啊就这么办！浑然不觉，这样一来，自己的婚礼可是实打实地举行了而她也将从此成为青痕剑客的妻子……

墨染的黑箫，在晨日阳光的照耀下恣意闪烁，黑与金的交错，是那么华丽美丽。萧洛璧半坐于房檐的飘逸，始终不及他唇角为谁而掀的骄傲。华美而绝世，足以耀华所有人心。

“小赫连啊小赫连，你，可真顽皮。”

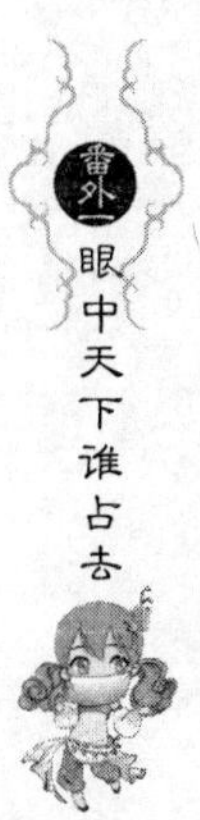

番外二：红尘一场淡秋水

现在的我只能闭上眼，等待着与你再次相逢。

——题记

当这个天下有人的时候，就有人的心情。

人之所以无法掌控人心，就是因为每个人，都有属于自己的情感。

爱着谁，为着谁。将谁，看成这一生的羁绊与寄托。

“如果没有先遇上路夕颜，其实我曾经有可能会喜欢上你的……”

这一刻，谁的叹息，声声萧索。落西凌用尽最后的力气，扑向赫连晳的推搡，其实并不是想要她死的，他只是想看一看真的到了必须抉择生命的瞬间，柳莫行会怎么选择？

他会不会还像很多年前一样，拉着那个少女的手，愿意和她一同死在慕容莫生剑下？

语灵久已不再染血，从它饮了前主人楚依依的血开始，慕容莫生便再也没有让语灵上的气息混合第二人。纵是他狠心绝情杀了楚依依，也不过是他们两个人之间的默契，非他人所能议论。无论是刻意，还是本心如此。

不曾有过情感，怎么会信赖？不曾有过希望，又怎么会有爱？

落西凌曾经想过，楚依依是否恨着慕容莫生？到头来他依然只能断定，恨着那个武林传说的人，只有他自己。

他恨着他认为有其血脉的慕容莫生，也不知道是不是恨着，那个武林第一贵公子。

白敖禹和路夕颜。慕容莫生和楚依依。柳莫行……和赫连晢。

白敖禹和路夕颜夫妻分道。慕容莫生和楚依依天人永隔。柳莫行和赫连晢呢？落西凌曾经在喂毒给赫连晢让她忘记生命中最珍贵的那一天时，思考过，自己想让赫连晢忘记的是慕容莫生报出的身份，还是柳莫行的爱？

慕容莫生玩味地告诉了那时年幼的赫连晢自己的身份，所以她才不得不忘记那一天。

可是落西凌真正暗自庆幸的，却是柳莫行选在了那一刻的告白。他一箭双雕的，拆散了他羡慕得无法言语的那一对神仙佳偶。

其实，他又何尝不知道无法真的拆撒？

其实，他又怎么会真的认为忘记一天就能绑住一生？

柳莫行没有告诉赫连晢真相，没有企图帮赫连晢想起来那一天，才是让他真的震撼的起始吧？

落西凌真的没有想到，这世上，竟真的会有柳莫行那样的人。他只是看着，他只是等着，他只是想着，不争不夺，却依然，近在咫尺。就好像那一日慕容莫生逼人的杀气，柳莫行选的不是晢晢你先走，而是，晢晢——我也在。

那是生死关头，让人嫉妒的我也在。

生命中能够毫无顾忌地说出这三个字的人，只有，彼与此。

柳莫行和赫连晢是彼此。

但落西凌和路夕颜，从来就没有彼此的可能。

无可奈何，对他，对他们，其实都是如此。

爱是一柄双刃剑。

能让人起初震撼地深邃。就能让人永远刻骨相思。

他所有的错，都在于他不该在爱路夕颜之深的时候，妄自为她安排一切他认为是为了她好的未来……

是后悔吗？是后悔吧。

如果能给他一次重来的机会，他们或许就是另外一番局面了吗？落西凌不知道，很多事情，也没有给你假设或者重来的机会的……

错过了，就不再。

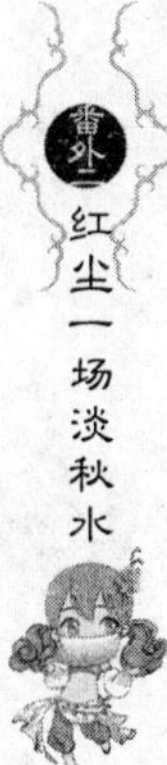

从零开始的机会，在这个武林，从来就不曾存在过。

“……到最后，我连跟你说一句再见的权利都不剩下了。”

所有的爱恨情仇，因你而起那么因我而止吧……

路夕颜，我想让你记住我，记住有一个落西凌为了你的存在。

可是我知道，你是不会答应的……

因为，我们的相逢从一开始就是错误的。

你根本就不知道有我这个人的存在。

没有开始，又何来的结束？

那些不复记忆的日子，从今以后，继续不复记忆。

*

记得还是很小的时候，因为身世的问题，他曾怨过恨过这个武林。所以他想要变得比谁都强，无论是否报复，至少，他能控制别人的生命。就好像那个人，曾经控制了他的生命与成长。

落西凌生命中始终记得有一个传说是慕容莫生。直到有一天，他遇到了白敖禹。

遇到路夕颜的时候，他不知道那个美得连天都惊叹的容颜，是属于武林第一美女的。路夕颜之后，武林再无第一美女，不知是怕了红颜薄命，还是怕了这红颜终会再遇上另一个白敖禹。

偶进冰室，他想见的，只是冰棺。

见到那冰室中的容颜，瞬间而已。却惊艳了一眼的风情，

谁的颜色，璀璨着银白，她安静的睡颜，在他心底印下深刻的痕迹。

他固执地站在原地，克制住心中忽然冲动的想要伸手去摸一摸她的脸颊的举止，越看她的精致越像是不真实的存在，也让他，没来由的觉得心中一动。

是少年的怜悯也好。

是儿时不懂的惋惜也罢。

落西凌的内心，蜿蜒出百转千回的惦记——惦记着，这个白衣缱绻的少女，是否能有醒过来的那么一天？

一身轻扬婉转的艳丽。

只是落西凌并不知道，自己之外，还有一个白敖禹。

那一天。

那个一袭白衣翩翩而雅的男子，走进冰室，修长笔直的身段，骄傲地比天比地。他长腿一迈，捧一手白皙，那个下落凡间的仙子，纱衣珍珠都是他的手中画。

谁几许魅惑几许冷漠，谁苍白得足以令世人尽失颜色。

白敖禹和路夕颜会出现在这里，谁也没有想到。落西凌瞪大了眼，退后了步子，他观望了多年，想了多年的女子是什么身份，在此刻，再无疑惑。

原来他偶尔前来看不到她的身影，或以为那是镜中花水中月的虚幻，只是有个男人，带她去感受天地间，清新旖旎。

擦身的瞬间，路夕颜身上高贵的兰花味道，和白敖禹身上从不曾如此刺鼻的白毫茶味道混合着，闯入落西凌的感官。

那一瞬间的回神。

那一瞬间差一点麻痹的感觉。

白敖禹看也没看他一眼、视他于无物，只是比抱更珍惜地捧着路夕颜向冰室里面前行——仿佛他不是那个百年前让人担心的存在，仿佛他们不是远道而来的客人……而是，本就在这里生活的一对神仙眷侣。

……只除了，路夕颜一直在睡觉。一直，也没有醒过来。

白敖禹的神情，倨傲而淡漠。漂亮的眼中或浓或浅的讥诮，都抵不上唇间扯出的那闲闲懒懒的恣意，旁若无人——无论有多少个护卫因他的出现，明显是，紧张了的脊背与眼光。

白敖禹视而不见，所有人的瞩目。

只捧着他心爱的妻子，一步一步走他已经决定的道路。

这个世界上没有什么是一定能解释为什么的，爱，尤其是个找不到出路的迷宫。

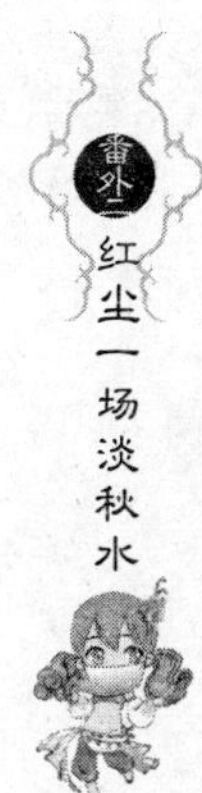

……疼。

落西凌忽然就有如此感觉。

他想忽略，却终是那么真实那么真实感受着。谁给的寂寞。

有一种错觉，以为我们似乎认识了很久。

那一种错觉，不过是错觉。

*

“连天都这么照顾的情感……我若执意要诋毁，又是否逆天呢?”

仰望苍穹，那无边无际，那即使拼命伸手也不能触及的无奈……从来也没有这么清晰且让人厌恶过。

在很多年以前，曾经有一个孩子，在这片广袤的土地上寻找过属于自己的心意。慕容三公子。他寻到了，可是没有得到身世的秘密。

因为他不是属于这里的，所以也带不走这里的任何人事。

武林中有很多的弱肉强食，这天下自也有很多的规则。

规则就是规则，无论是谁都要遵守。逆天？那要看你有没有这个本事。

有的人做一件事，是因为他应该做。

有的人做一件事，是因为他想要做。

有的人做一件事，是因为他必须做。

有的人做一件事，是因为他不得不做。

有的人做一件事，只是因为他无聊。

还有的人做一件事，却是因为……一种距离。

“徒剩已经忘却的爱情……柳莫行，明天，你会用什么样的表情看着你的皙皙呢?”修长的手指不染一滴猩红，尽管那地面上早已是尸身一片。

身后的院子，睡下的少女，无论天真无邪，还是无忧无虑。

转身而那般轻然离去的男子，衣袂翩翩，带着只有微风才懂得寂寞……

有的距离，用视线可以目测。

有的距离，用言语可以表述。

有的距离，用感觉可以领悟。

有的距离，却是永远也没法企及……

就像他对路夕颜的爱情。

从一开始，就已经结束。

外篇：清歌一曲莫相思

什么都不会珍贵过生命，除了，自己最爱的那个人的生命。

——题记

有的人就是这样的，天生就和别人不一样。

他不必说什么不必做什么，只要安安静静地站在那里，眼角含笑，旁人视线的第一落点就会是他，看到，于是深深地记在心底，无论如何都抹不去。

人区别于其他人的特征，是一种风神。

如果说一统武林的慕容莫生三公子风神如玉，临风照水；那么二十年前祸乱武林的白敖禹白少主就是风度翩翩，仙姿玉骨。他对妻子的温柔，是植在骨子里的干净。

有一种涟漪，滋生得无声无息。

有一种亲近信任，自然而然。

好像全身都闪动着光芒，让人舍不得移开视线的、比谁都漂亮的男孩子。完美地呈现着神的深韵——他不言不语，他只是勾起了唇角，三分轻柔七分优雅的笑痕，那双漂亮的眼睛，仿佛千言万语的璀璨。有着倾天动地的魅惑。

无论你开始在想什么，都在见到他的一刻尽融。

这不是一种幻觉。

是一种本能的，不由自主。

白敖禹身上，有种气质让人逼视不得。从他还是孩子的时候，就与众不同。

*

晌午的日头，烈的有些诡异。

他一个人不动声色地隐在林间。他已经在此等了三个多时辰，如果算上千里迢迢的赶路，大抵三十个时辰也有了。自从天下频现采花大盗，不少武林中有头有脸的闺秀都遭了非礼，他就奉师命下山。

他不一定是武林中武功最高的人，但他无疑很有忍耐力。足以忍耐旁人所不能忍，足以等待旁人所不耐等。

所以纵然武林中各门各派、包括四大世家都派人缉拿采花大盗，第一个遇到那神秘人物的还是他。

他本就不是一个多话的人。从古皇派下山以来，他还未说过一句话。

忽而阴风一阵。他沉下面庞，压低身子，蓄势待发，随时准备擒住那途经此地的来人。却在瞧见一匹马两个人的同时，任震惊攥住了自己。

本该是只有采花大盗的。

现在一同出现的人竟还有那样一个女子！

似乎连采花大盗都因为怜惜她的美丽而不忍惊扰她分毫，故而点了她的睡穴把她抱在怀中，只留下风中难描难绘诱人的兰花香。

兰花香气，不染俗脂。宛若滴在水中轻扬而起的阳光，一点一滴就足以遍布天下，用温柔满溢。全天下能有此惊天艳容的女子，除了一年前获封武林第一美女的四大世家路家小姐路夕颜，不做第二人想。

他屏息以待。

直到那一马二人将要飞奔过他隐藏的地方，他似乎才反应过来。四大世家的千金会遭到劫持他多少有些吃惊，最吃惊的却还是望向这马蹄前来的方向竟无追兵踪迹。

没有人来救路家小姐是不可能的。但是，人呢？

他来不及多想。身形一闪，几步的距离，已经逼近了那马那人。

同一时间，马上的人似乎也发现了这个不请自来的护花使者，反手抄起腰间的马鞭就向着来人抽去——马鞭尾让一股深沉的力量捉取，采花大盗甚至来不及为保平衡扔掉马鞭，就连人带怀里的少女一起跌下了马。

不过跌到地上的只有采花大盗一人。

原本在怀中的少女，已经安稳落入了另一个人臂弯。

他抱住路夕颜的时候，仿佛松了口气，也仿佛刚刚开始紧张。

直到，身后那一袭胜雪的白衣走近，无声无息。

这是古夜昊第一次如此近距离和武林第一贵公子见面。

白敖禹是十八岁那一年成为武林公认的第一贵公子的。五年了。现在再回想谁是当年第一个那么说的人，已经想不到了。只知道当武林人记住这个与白家少主如影相随的称谓时，所有人都那么说了。

白敖禹这个人，和普通人完全不一样。

虽然具体也让人说不上他究竟是哪里比一般人要好，只是每个人都无法将他当成平凡的人来看。

白皙的几乎透明的肤色。清凉而透彻的眸瞳，似水又似冰，忽远忽近，却平静得不见一丝涟漪。五官精致到极致，最美的玉也无法雕琢出其风神一二，他矗立世间，却没有任何的违和不自然。

白敖禹就站在那里，仿佛清明干净近在咫尺，又仿佛深不可测触手不及。

古夜昊一时找不到一个词来形容。如果非要他给眼前的人下一个定义，一个男人好看到令人发指的程度本该让人害怕。

但是白敖禹让人害怕的却是他自身。不声不响，不动声色，他就站在那里，轻描淡写地让人毛骨悚然，无法忽视。

会有杀气，几乎是一瞬间的事情。当古夜昊反应过来一向自制的自己竟在那瞬间起了莫须有的防御，整个人不禁感到无言的压抑。

可是他想卸掉紧迫感，却无论如何都无法自然的做到。

缘何会如此紧张？其实那个瞬间，他真的有种刀起刀落，自己已经倒在地上的错觉。

“……白敖禹？”古夜昊本不是多语之人，与武林中大多数人相比他甚至不喜言谈。但是和白敖禹面对面站立，有的话，好像就该他先讲。

“白少主是跟着采花大盗一起来的？”

这是疑问。之所以用不能置信的口吻，皆因为古夜昊没有看到另一匹马匹，而他在白敖禹身上也未看到轻功追赶的风尘仆仆。那么，白敖禹真的有追着来么？可若非如此，又该怎么解释他现在在这里呢？

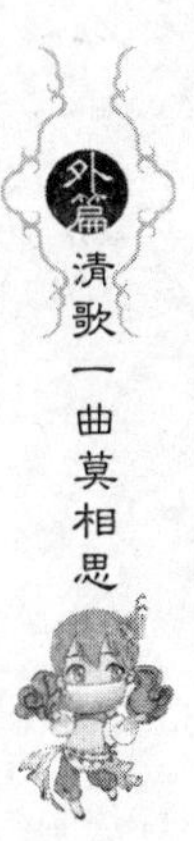

古夜昊不认为白敖禹会轻易地给他回答，武林本就尔虞我诈，谁又会轻易对陌生人坦诚以对。可他错了。白敖禹回答了。

清薄的扫眼，迷魅着极致的冷然。“比他早到一点而已。我方才，就站在古兄身后。”清凉而平静，那种一尘不染的说话方式，武林中除了白敖禹，再没有人能如此清远。他的声音和他的人一样，不是单纯用清冷华丽或冰凉魅惑就能形容，白敖禹的声音，是那种一听便知只属于他的声音。

他就站在那里，他只要开口，便是他，只是他。

对于一个自负武功的武人而言，有人站在自己身后却不自知，恐怕是最大的耻辱。所以古夜昊其实并不相信也并不想相信白敖禹这句回答的真伪。

尽管他从这个男子宁静的脸庞看不出分毫虚张声势——那种情绪对于白敖禹是多余的。古夜昊看到的只是一抹清明、一抹讥诮，无言却深不见底。

所以他没有再对这个回答追根究底，他忽然想起来去看一看刚才那个让他扯下马的采花大盗。按理说纵横武林多起夜香的人不该如此无能，偏他觉得当时自己只是用力一扯就将那人轻易制服。

这一看才发现，方才还在马上耀武扬威的采花大盗已经像睡着了一样，躺在地上不再动弹。心下一惊，自觉自己不曾伤人，古夜昊原本欲蹲身去探他鼻息，却因为怀中还有一缕熏香，只得生生止住动作。

仿佛直到这个时候，他本该全心所在的注意力，才再度回到怀中所抱的少女身上。

路夕颜不知道在什么时候，已经醒了。

武林中多少人企图形容过她。秋水为神玉为骨，明眸皓齿谁复见，都不过是寥寥的形容，形容不出其千万之一。

路夕颜是真的美丽。

几乎所有见过她的人，都会为她的美丽而震惊，从而，柔软了一颗心的距离。而她身上那股风神，就更是诉之不出的美妙。也许容貌尚能赞美一二，这种与生俱来的气质，则天赐的浑然天成。

古夜昊一时之间，不知道该怎么对那一双眼言语。即使，他救了她。

“夕颜，古兄从采花大盗手里救下了你。”替他开口的人，居然是白敖禹。这一次传来的声音，依然是那种清凉如水，却比流动的水，更多了一种本属于光斑的温暖。

好像错觉。

这却是白敖禹在跟路夕颜说话的声音。

接下来，古夜昊仿佛听到了路夕颜说了声谢谢，而自己即刻回的那仿佛不属于自己的生涩的：不用谢。

但是，他真的救了她吗？

这一刻，他忽然不太确定。

*

秋冬交替之后，又一个春暖花开。

半年的时间，并没有过得与之前那十五载岁月有何不同。路家别苑，仍然是植满大片幽香的兰花，醉人醉己。

四大世家家规极严，这武林又是充满杀机的世界，名门闺秀往往更少有朋友。但是自从采花大盗那件事后，古皇派的古夜昊曾来拜访过三次。

路家因他是武林盟主高徒，又是救了小姐之人，次次以礼相待，满腹盛情。

古夜昊和路夕颜年龄相差不过十岁，他这种并非有明确目的的拜访，很快就在武林中涌动起“莫非郎才女貌”“英雄救美好事成双”的猜测。

虽然，路家小姐自小就和白家少主是青梅竹马。

这武林，毕竟是好看热闹的武林。

就连古夜昊，有这么一段时间，都想把自己的心意对佳人做哪怕分毫的表白。

但到底，古夜昊也没有说过一句对路夕颜的爱慕。

这不是他移情别恋变了心思，也不是他怜惜她年纪尚轻，而是有一种感情：当你心爱的女子成了别人的新娘的时候，已不适合再做倾诉。

路夕颜和白敖禹成亲了。

就成亲在，他准备去提亲的那一天。

武林中的喜宴是一下子铺开的。

之前毫无风声，大婚之日，却无人不知无人不晓。无须喧天锣鼓，无须客宴四方，武林中每一个角落的人，却都已知道。

古夜昊策马赶到路家的时候，看到的就是那匹赤兔玉马，马身上脊背硬净如玉的翩翩公子。

白敖禹就连在大婚之日，也是一身素净的白衣，不染纤尘，却比红袍加身更

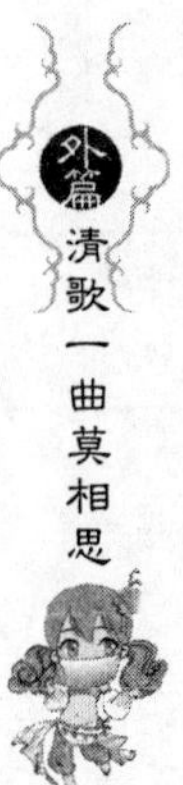

有新郎的郑重与贵气。

谁浅浅微笑，抬首扬眉间，三分傲气七分温柔的清逸，只一个转身的零落，逼人心弦微颤的惊艳。

华宅金门前，缱绻的红地毯。走在上面那娇媚无双的新娘子，每走一步都像戴着金铃清脆作响，一步一步，隔着红盖头也不会错伸手给予其他人。

路夕颜，从来也不是别人的。

白敖禹迎娶的人，是从一开始就只属于他的人。

这一生一世唯一的心动，让他只有低头而退。古夜昊也不知道自己松开牵马的缰绳要走到哪里，也许至少今天，他没有目的地。

可是他很快就遇到了那个人。

那个这一生，他应该都不想再面对第二次的人。

那一袭白衣飘逸，永远都远如天涯却又近在咫尺的清明讥诮，从来，也让人分不清不知所措和赏心悦目。

白敖禹就那样站在偌大的湖畔。卓然而立，修长手指轻拨发际的淡然，清碎出迷离的高高在上。

一阵风吹过，都好似临风惊世。没有人能形容他站的多么飘逸，就像没有人能想透这本该大婚的日子，他怎么会留下新娘而独立湖畔。

高挑修长的身姿，一眼望不到尽头的碧波。

顷刻间，铺天盖地的水意，就像不是来自湖泊而是来自白敖禹。清清凉凉，冰冰透透，却又有股无温的温暖。

古夜昊仿佛忽然就明白。

他忽然就明白了半年前，他认为自己救下被劫持的路夕颜是一个什么样的笑话。白敖禹明明就在她左右，却不动声色地看他沾沾自喜以为救美于前，就好像这半年他殷殷切切的拜访，不过是武林贵公子品茶看的一出自作多情的戏目。

古夜昊仿佛也在同一时间明白了。路夕颜从来也没有说过拒绝。不是路夕颜对他也有着好感，而是路夕颜对他什么感觉都没有。甚至没有，他喜欢着她的那种认知。

因为不在意。所以，才完全不在意。

“白少主是来警告我不要再对路姑娘心存妄想的么？”平日的古夜昊绝不是一

个会口出妄言的人，但他毕竟是个男人，任何男人在那个娶了自己心爱女人的胜利者面前，都会有一种呼之欲出的纠结情绪。

或许这都不是嫉妒，只是，一种挣脱不能的寂寞。

“我以为，你至少该称呼内人为白少夫人。”一袭雪衣的白少主开口的口吻，竟也像他身穿的衣衫色系一般清冷，原本那如玉般润泽让人分不清冷暖的声音，唯有此时，凉入骨。

古夜昊忽然就又有了擒获采花大盗那天的错觉。他以为白敖禹已经杀了他。

但很快回神就发现，这一切不过是错觉。

昙花一现。好像他错以为是的爱情。

也好像那天他本以为死了的采花大盗，不过是昏了过去。他将那人带回古皇派交与盟主的师父，也以处理那人的后续为借口一而再拜访路家。

……白敖禹会不会早就看透了这一切将如此发展？

所以他故意看着路夕颜被劫持，故意不救路夕颜，故意让自己有机会结识路夕颜？但他这么做的目的又是什么呢？

古夜昊想不到。

所以古夜昊并不确定。他只确定一件事情，虽然古皇派是禁止私斗的，但他今天，有一场无论如何都需进行的私斗。

“白少主，请拔出你的剑吧。”

飞雪剑无情，袖里剑无影。

武林中关于四大世家登峰造极的剑术，早有传闻。其中，路家飞雪剑，白家袖里剑，是人人都想亲见却极难见到的剑法。

皆因为这一代继承飞雪剑的人是路夕颜和其兄路堂傲，路夕颜长居深闺，剑术高低无人知晓，路堂傲虽是武林年轻一代中少有的俊才，却与人保持距离，两个人均不喜靠武力震慑他人；而袖里剑唯一的继承人则是白敖禹。白敖禹清凛而从容、讥诮而淡泊，从不刻意与人保持距离，但奇异的是，当每个人发现的时候，早已与他间隔了最远的距离。

所以其实比起路家飞雪剑，袖里剑才是真正的无人亲见。

武林传闻，白家少主人的袖里剑，是活人不能见的剑法。

因为当你看到袖里剑的一刻，你见没见过已经没有意义了。

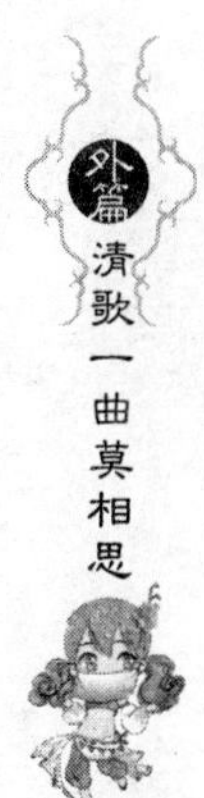

或许那本该是一场华美的战役。

古夜昊，古皇派掌门最得意的弟子，武林盟主钦点的继任人。他的剑法，自是硬朗娴熟，不落人下。

白敖禹，四大世家白家少主人，几乎无人见过他的剑法，可他行走武林如入无人之境，从未有过一个敌人。

武林中多少佳人曾暗自腹揣：白少主的剑法应该也同他的人，清明俊逸，倾心销魂。他抬起了手腕，就如同撑起了整片华彩的天空。

武林中唯一曾和白敖禹双剑合璧的人，此刻仍留在他洁净整齐寝室内的床沿。她大红嫁衣，娴静婉约。

他出门前，在她耳边轻柔的言语几乎吻痕。

“夕颜，我去摘朵花与你。”

最美的兰花，永不凋零的盛放。

天下间，唯有此一抹芳华。

白色的剑气逼近，近在咫尺。

倒映在长剑雪亮的侧面，那张容颜的清俊飘忽，却安然真实的有些讽刺。他未曾拔剑，甚至不躲不闪。任凭那锋利的尖端，已直指他纤长的颈项。稍一偏差，都足以轻取性命。

他看生命，不过须臾之间。

他看生命，就像未曾留心。

古夜昊青了面色，愠了气息，“白少主，你要用不战而败羞辱古某么?”我堂堂的古皇派第一弟子，竟也不值得你拔剑?

白敖禹笑了，三分不以为意的清凝七分难描难绘的讥诮如月光挥洒大地，那双清亮的瞳孔，一时间竟漂亮的天上人间。

“何须再战？我早已经赢了。”

是的。如果以生死论输赢，古夜昊在路夕颜嫁与白敖禹的一刻就已经心死了。

有的感情不一定经历大起大落，不一定经历生离死别，它只要存在，就是铭心刻骨，真实的感天动地。

感情是很神奇的。有的人的爱，一次，就是一生。

古夜昊唯有转身离开。

不止离开这一生的心动，也离开，白敖禹这个不动声色便已经优雅着赢得了胜利的武林贵公子。

有的人就是这样。

你嫉妒他，或者恨他，都改变不了他胜利者的存在。就像有的人是为了天下而改变，而这个天下，却会为了他改变。

只此一人，再无其他。

*

天下武林，武林天下。

让古夜昊所没有想到的是，那场让他心痛的喜宴，那让他忘不掉敌对的人居高临下蔑视的仰望，不过五年。

属于二十年前的一场复仇，刀客卫痕的出现，武林中没有人知道武林第一贵公子白敖禹为何会和他那个第一美女的妻子分道扬镳。只是当四大世家一夜之间没落后，武林中再没有人能寻得白敖禹或者路夕颜任何人的痕迹。

是生是死，无人知晓。

那一场爱与羡慕的神仙眷侣，苍白得几乎透明的爱恨情仇，也变成了萍水相逢的陌路迷踪。

*

时间是在不知不觉间，一点一滴过去的。

多少个春夏秋冬，多少个阴晴圆缺，多少种花开花落。最美最香的仿佛永远都只有那一种兰花，为谁盛开，为谁而在。

起初，武林中人议论纷纷。

到后来，那分分青梅竹马爱的两小无猜，二十年来眼波缱绻的心无杂念，已经让古皇派成为天下霸主的变更而淡忘。

再见，是连古夜昊都想象不到的一个巧合。

他偶尔会有流连湖边的散步，那一天，天空蔚蓝，白云轻飘。一阵风吹过，他侧身，看到了一袭不变的白衣。白敖禹一个人，仿佛走过时光的痕迹，穿越了那流光飞舞的景象再度临世。

昔年，有武林贵公子白敖禹在的地方，就会有他那个第一美女的妻子路夕颜在。如今白敖禹就在这里，路夕颜却到哪里去了呢？

白少主明明翩翩而姿，他却觉得仿佛看到了另一个人。怎么会这样？古夜昊

因为惊讶，而下意识掩身。

那地还是青草碧连天。那湖水还是清透可见底。

一切的景象都在，记忆却已物是人非。

白敖禹仿佛没有看到古夜昊。

他看着碧蓝湖水中轻许的涟漪，一纹一纹，黄金般璀璨美丽。他看见自己一袭白衣，清魅无痕。

那一双冰凉的眼眸，只有冰凉。

身后，一抹足音而至。她仿佛在说：白，我们该回去了。

他根本没有去听她说的话。她说话的声音，越过他，轻轻地飘到他根本无意追逐的地方。心过无痕。

那个叫商凌的女子，总是在他身边。翠绿衣衫，满身春意，她举手投足的温柔，给不了他丝毫的有感而发。

一丝一毫的感触也没有。

他没有回头，他能感到她靠近了他身旁。湖泊中倒映出她滟涟如迷的醉人容颜，他的眼波越过她一切的美或诱惑，毫无声息。

忽然，水面中一抹光斑耀眼。

他清凉而无温的眼波，忽然就起了剧烈的、毫无掩饰的火热。朦胧中，心痛而心动。有什么思绪，本就不可能遗弃。

那淡烟玉琉璃耳坠，不该戴在商凌耳畔。

他的心宛然一震，手心被指甲刺出了深深浅浅的烙印。

从此，他毕生难忘，那一种痛。

顷刻间，铺天盖地。

他眼中的他，将他所有倾心的守望，遗落在了回首已惘然的过去。

从此，他的眼里再没有进入过其他的身影，一眼一人，一人一世。

从此，他的心里再没有遗忘过有那么一个人，他还要再见。

路夕颜。

他的爱人，他的妻子。

只是那个瞬间。没有人跟古夜昊说什么，他所观察的两个人甚至没有任何的变化，可古夜昊就是有种感觉，白敖禹又回来了。

那个翻手为云覆手为雨，那个肆意高洁骄矜淡漠的武林第一贵公子。

白敖禹轻抬的眼角，那瞬间，仿佛烈气，准确无误的扫过掩身于柏树后面的古夜昊。将古夜昊下意识的防备，收揽无疑。

白敖禹却又是笑了。

几许若无其事的凉薄，几许漫不经心的讥诮。

让人分不出，这几年，或许更多的几年，他与年龄的距离。

这是古夜昊最后一次，再见到与他心爱的女子相关的人事。

因为六年之后，他便因武林之争而逝。直到永远地离开这个武林，古夜昊都没有再爱过路夕颜之外第二个女人。

就像是为了印证，路夕颜无论在哪里，都不会属于白敖禹之外的人。

*

淡烟琉璃玉坠子。

那是一次去西域的路上，她从一个商人手中看到的东西。精巧而简单，简单却精巧。初看得第一眼，她就喜欢得不得了。

就像第一次见到那个叫白敖禹的男人。

他一袭白衣，翩翩恣意。十六七岁的年纪，却有一双凉薄至极的眼睛。那里面不是没有感情，而是他所有的感情，都给了与他青梅竹马的那个少女。

商凌和白敖禹初识的那一年，路夕颜只有十岁。

那个时候还是孩子的路夕颜，已经是白敖禹所爱的人。没有人知道白少主究竟从多大开始喜欢的路夕颜，只是当他开始喜欢她的那一天，就是有她在他心里。

深邃。

而柔软的地方。

或许换了任何一个人，都会叹息不是我们不合适，只是我们相遇太晚。商凌看着白敖禹的眉眼，却从未有过分毫的自我安慰。

因为她比任何人都清楚。即使是她先遇到白敖禹，他会爱上的人，也只能是路夕颜。

这不是商凌不如路夕颜的问题。

而是白敖禹，爱的就是路夕颜。

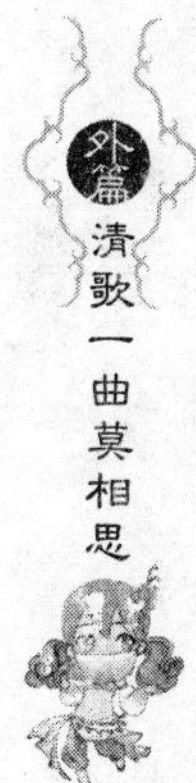

那个时候。十岁的少女，娴静而温雅，安宁地坐在兰花盛放的花圃，侧一颜水漾，玲珑无邪。

那个时候。十七岁的少年，清凉的眉目，骄矜而自然的靠近，执起她素白的玉手，握于手心。

谁都不是路夕颜。

因为白敖禹与众不同。

这么多年来，商凌一直觉得路夕颜之所以会越发的美艳动人，之所以会得天独厚比谁都干净温暖，皆因为她是白敖禹爱的人。

容貌之美，或许人各有偏爱；风神唯一，却胜过了全天下的华美。

一举一动，一颦一笑，所有属于路夕颜的独一无二，都是为了白敖禹而存在。

这天下没有第二个路夕颜，只因为没有第二个白敖禹。

所以，如果白敖禹的爱不在了，路夕颜也不需要继续存在了。

那颗永远沉睡不醒的毒药，和那杯忘记一切的茶，商凌是一起交给路夕颜的。

她看着那个对她说“如果能阻止白敖禹杀戮的继续，我愿意”的路夕颜，任一抹残忍的弧度出现唇角。

“路夕颜，我让你服毒来换取给白敖禹的忘情茶，不是我无情，而是因为你太残忍。”讲出这句话，商凌知道，路夕颜未必会理解这其中的真意，但若白敖禹有天知道这一切，他一定会懂得。

真正的残忍，不是绝情断恨，也不是自以为清高着伤害自己的人。而是她的存在，注定得到那个人的爱。

“虽然我不觉得你配得上白敖禹的爱。但我不得不承认，白敖禹爱的人只有你。”

淡烟琉璃玉坠子。

她曾问那个商人想要买来，那个商人却没有卖给她。她没有深究原因，每个人都会有一两件舍不得的东西。

可是当她有一天看到那坠子在白敖禹手中把玩的时候，她就知道这个坠子再也没有属于她的一天了。

白敖禹似乎也喜欢那个坠子。

所以她知道他会把这个坠子送给他喜欢的人。是路夕颜，不是商凌。

感情的事情，就是这么巧合。

所有能强求得来的，未必都是好的；但你若真的喜欢，不强求，可能便是失之交臂。

所以她眼睁睁看着白敖禹将这个坠子扣在了路夕颜雪白细嫩的耳畔。

所以她眼睁睁看着嫁给白敖禹的女人，是路夕颜。

“即便她不是那个能跟你执手一生的女人，你也不会改变想法。”这天下，最了解白敖禹的人便是商凌。至少，她是这么觉得的。路夕颜实在太过干净的环境中生长起来的，白敖禹将她圈在了自己触手可及的保护中，反而让她模糊了得到与失去的距离。

“所以我一直都很好奇，你是因为她而喜欢她，还是为了喜欢她而喜欢她。”

会说出这样介于犀利与洞悉之间的话语，她早已做好了他看也不看她，更不会回答她的准备。

这么多年来，即使她所有的问话都能得到回答，她得到的也不过是回答而非他的人。

时间越来越久。

久到，她几乎开始分不清，自己是希望得到他，还是仅只是爱他。

“我和夕颜的感情，不需要第三个人……”

那后面，或许是还有字的。但它究竟是“懂”或是“干涉”甚至是其他更多的意境，白敖禹毕竟没有说出来。

他不说出来，其他人就无法真正的懂。只有商凌，在那一刻，她觉得自己是认为那后面没有字的——对白敖禹而言，他从不需要其他的人。

即使，他失忆后，她一直在他身边。

即使，他恢复了记忆，也没有马上去找路夕颜。

是找不到么？

是觉得不必再找么？

商凌一直在默不作声地揣测这两者的区别。直到白敖禹轻描淡写地笑着，说了上面这句话。

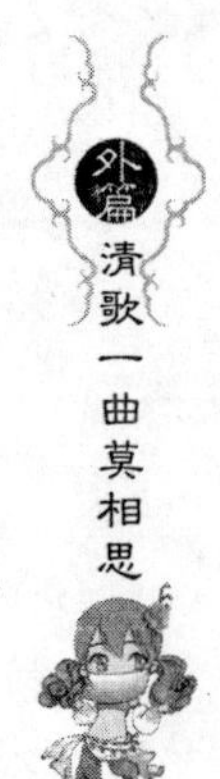

这一天，阳光明媚。满山的红叶枫火一般，随风摇曳。

从湖泊回来已经过了好长一段日子。他在那天，那一刻的回头，目光只落在她挂在心口的淡烟琉璃坠上，他什么都没有说。

可她知道，他恢复记忆了。

神医商凌的药她自己最清楚。没有人能从失忆中再度想起，除了，白敖禹。她戴上那个从他妻子处要来的坠子，不是嫉妒、不是贪图，只是想赌一把。

一生唯一的赌一把。

这坠子，和白敖禹这个人，能不能真正的属于她。

冰凉的目光，一瞬间的若有所思。白敖禹什么都没有做，生气或责怪都没有，他甚至没有任何情绪的起伏，仅只是若无其事地抬起脚步。

与她擦肩。

那个淡烟琉璃坠子。从此，与他再无所谓。不是他亲手戴给她，商凌终于明白自己可能也没有所想的这么喜欢这个坠子。

只不过是个坠子。

只不过，如此而已。

白敖禹明明什么都没有说。她却是明白地懂了，他无言中的每一个细节。

爱这种感情就是这般残忍。

白敖禹全盘接受了路夕颜对人对己的残忍。从一开始就是。

睡眠的毒药，约定期限是一年的时间。

那翩翩白衣的男子，不慌不忙、不紧不慢，没有任何犹豫和思索，就那么清高地离开。他走的每一步路，似乎都没有停过。

商凌看着自己攥在手中的药丸。

她知道白敖禹是要在路夕颜毒发这一天去找路夕颜。他在这里等了那么多天，就是为了直到此刻再去。

她知道白敖禹知道自己手中有制止那毒发的解药，凡药有毒必有解。可是白敖禹没有问她要，就像他没有斥责过她缘何会给路夕颜服毒。

他那么爱他的妻子，可是他却没有因为她将毒发而有丝毫的担心、丝毫的不悦。他的态度，永远如冰凉的冰与水，看似剥离，本质上却从未改变，骄矜而平静。

她知道这是为什么。即使，她忽然不想知道。

……我和夕颜……

是这天下对白敖禹而言，只有他和路夕颜两个人么？

白敖禹爱的人只有路夕颜。无论，她是生是死。

白敖禹要路夕颜生命中只有他的爱。所以，路夕颜选择了亲自服下毒药，他宁可让她从此睡下再不醒来，也不会用另一个人的药去喂她。

因为她没有要他这么做。

因为她是属于他的。

生与死都是。因此，生与死，都无所谓。

这天下对白敖禹而言，其实什么都没有。

没有商凌。

没有四大世家。

没有武林。

就连……白敖禹都没有。

原来，真的只有一个路夕颜。

那颗药。在阳光下顺着溪水而流。流到再没有人能捡到的地方。

商凌就那样看着。自己空空如也的手心，她已无须再度握紧，她已没有再需要握住的人事。

从此，这天下也不会再有人能制做出救治路夕颜的解药。因为商凌不会再去炼制。她下的毒，只有她能解。

路夕颜永远不可能跟白敖禹执子之手与子偕老。

就像她因他中的毒。此生却再也无解。

因为他走的时候，甚至都没有把那淡烟琉璃坠子要走。

红尘一场淡秋水。眼中天下谁占去。

一个路夕颜。

一个白敖禹。

他们从一开始，就是天下无双的唯一。

*

有人会说，这样的白敖禹太过高傲和危险。

试问，什么样的男人才有着清高的资本？

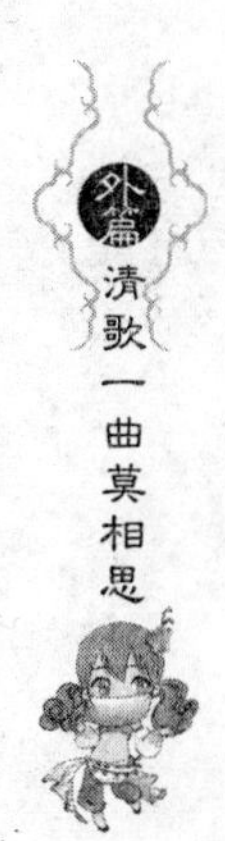

如果他天生的气宇轩昂、天生的聪明绝顶，他何须非要站在原地去等一个总是苦苦在跟的人？虚伪的温柔，不如不要。

他不屑付出，对他不在意的人。配不上他的人，他不会动心。

白敖禹说，我从认定了夕颜就不曾更改过心意，是因为她出生在这个天下，仿佛就是为了让我爱的人存在这个原因。

我知道，除了她之外，再不会有别人。

她为了被我所爱而生。

所以这是她的命运。

——夕颜，你这一生，都只是我的。

*

蔚蓝的天幕悠远绵延，晴空的颜色一入眼底的清澈，让人心旷神怡，让人心情平静。流水潺潺，满是花香的园林，瀑布的飞流直下。

偶有凉水溅到脸颊，冰凉的触感，将一心的杂质全部洗涤。

抬一抬眼，就可以看到，谁在水上泛舟的中心，缱绻而姿。

那一叶小舟上，轻卧的女子，她晶莹的容颜，温柔滟潋。——这个时候，白敖禹轻到几乎没有痕迹地笑了，任优雅的弧度在他唇角绽开温暖的颜色。

一年前的茶一杯。白毫的香气，酩酊的苦意。

却原来，她是搭上了自己的生命来给他一分亘古的忘记。

她说："从我们第一次认识，你就给了我相守的承诺。"

她说："能嫁与你为妻是我今生的幸运。"

她说："我要你记得有个人曾经如此的爱过你，但我要你忘记她叫路夕颜……"

呢喃细语，犹在耳畔。

流转的瞳眸，顾盼的神风。

有一双白皙而柔软的素手，轻轻执起他冰冷而修长的指尖，她落下轻若无痕的吻，留下她为他终此再无他人的誓言。

无声，但决绝。

一年前他用尽一生唯一的疯狂，咬破了她柔嫩的唇瓣，看她在他眼中凄艳如斯的美丽。他如何能舍得责怪她的狠心绝情？

一年后他来到她身边，看着湖泊上泛起的那叶小舟，她安然而温仪的容颜，就像是睡着了一般。他从来就没有怀疑过，生性善良温雅的她，最终还是将所有的残忍都用在了她自己身上。

她给了他一杯相忘茶。她再也不会出现在他的面前。直到有一天，他真正地忘记了她，从此和另一个女人相约相守。

她留给自己一颗毒药。永远睡眠。他再也不能将她抱在怀里，感受她体温温暖，体香清郁。直到有一天，她的身体连呼吸的感觉都忘记。

……人是可以轻而易举便忘记一切的。忘记自己，忘记爱情，忘记生命中的点点滴滴。

生命剥落了兀自等待，遗忘选择给时间多少种寂寞。

随着风，他轻轻地靠近她。安稳卓立的身形，站在水上的身影笔直而飘逸。水面上不起波纹，安静得好像空气都为他而芳香。

有一种气质，远远的凌驾于人的样貌之上。

那是举手投足的惊艳，艳涟成迷，颦笑间，恍惚若梦。

所以倾心，所以倾情。

“路夕颜。你告诉我怎样忘记？我们那样地相爱。”

雪衣宽袖上零落的兰花花瓣，悄然无声地坠落水中，漾起一个更美丽的涟漪。从此那涟漪，缠绵了百年……

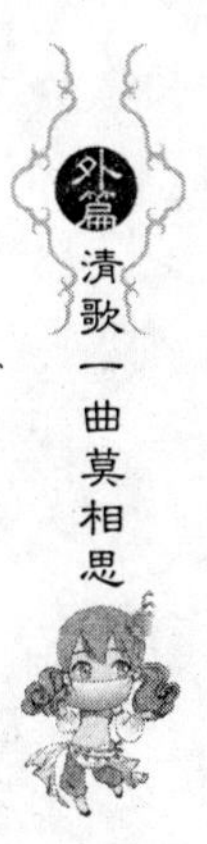

随笔：一生缘浅相休

愿得经年，如初相见。你尚年少，而我未老。

——题记

武侠小说中，人物最是精致。

一眉一眼，一心一情。往往是一支笛、一把剑，融入刀光剑影，在血雨腥风中挥洒凉薄的热情。

我格外的偏爱武侠小说，是因为真的钟爱那样一种男子。他们，只有在武侠的世界，才会笑傲天下，肆意清明或恶意。

古风中，“坏人”，要么坏得本色，要么坏得矛盾，偏，唯涉足江湖之人，将坏变成了一种风情。

记得很早的时候，有读者问过我，为什么独独是“武侠”小说。

当时并没有用言语来回答。

喜欢武侠小说。喜欢的是那种“一心天下，一生江湖”的气概，又何尝不是那些一眼之后的惊艳？

因为有些男人，是独存于武侠小说中的。当他们纵情善恶，彻底颠覆了记忆中每一页画面，也就轻而易举，让我们倾心。

给这本书的前篇《两生花瓣凉若水》写作者手札时，我写了一句话：“我相信，看一部书，最容易留住人心的，便是人物魅力。”

不知道这句话在旁人听来是否共鸣，但当我们很多年后都不再记得一部书的名字时，也许，徘徊在我们脑海的，还有那个，曾经深深进驻我们心底的人。

他没有从纸张走来我们身边。

他却在文字上舞剑，剑气心尖。

波澜不惊的，便，皱了一池又一池春心。

所以，才有了《两生花瓣凉若水》那一个谦谦如玉的柳莫行，那一个恣意清邪的萧洛璧，也在这一个武林，如生栩栩。

爱着同一个女子。

用同样的一言一笑，暖弦心尖。

他能够温柔地倾尽天下。他能够薄情地颠覆天下。

武林中的那种男人，往往，矜持而高作。

——对那个她，唯有她，情之所钟。

他们的爱情中，用尽了生命中所有的心机。不择手段，亦步亦趋，步步为营。

“四月已飞樱，伊人何日归？我植樱万株，只等伊人归。”

原来。东瀛一行，终是让她看到了，看遍了，看透了。她和萧洛璧之间，那系了十年，甚至更多岁月的，缱绻情思。

一发青丝。依依绵长。

“我自海上来，接你还中原。”

子不言，子不语。那时候，眼神优雅生姿，柳莫行笑而不语的话，是清凉温柔中，她始终在应的哪一句——“我信。”或是“我等”。

十年的时间。

所以，才有了《梦起江湖》一袭黑衣华服，清高亦清冷的暗大人。

达暗温文尔雅的气质中，有一种清薄，深沉似海。偶尔他漂亮的眸中会有一丝若有若无的萧索沉淀，都被那种完美的隐藏，只能看见那温柔的笑容中，嘴角十五度的讥诮，清明得让人难以解读难以深究。

他守护着、计划着、残忍并温柔地忽近忽远，震动了谁眸色中依依难舍的错落。

那时候，南宫浅影和达暗的本该相爱，早已是不曾点破的心有灵犀了。只是，他们站得很近，隔得太远而已。

这就是武林中人。生在武林，长在武林。

他比谁都矛盾，亦，比谁都近在咫尺的真实。

所以，才有了《清歌莫生》白少主一人倾心，万人倾情的不忘、不舍、不懂却绝不弃。他在前传的故事，一眼惊鸿，深入骨髓。

第一次在微博上收到读者哭着发来的私信，问的就是白敖禹是不是真的和路夕颜天人永隔？那时候本想回一句生离是能给他们唯一的结局时，却在看到“你真的很残忍”这六个字而欷歔。

白敖禹一尘不染的矜持，究竟墨染了多少人心？大家是，也许，我又何尝不是一个？

可是白敖禹的骄矜从未改变，白少夫人的隐忍，又怎能忽而渐忘？

就如同王见王，只能是一出死局。

他们两个在一起，剩下的只能是百年来，这最后的十秒。

是悲是喜，不同人必有不同的看法。

这其实是我写得最不知所措的外篇。本不该有，却认为如果是他们，一定可以有。至于白敖禹等了百年只为的那十秒，究竟有什么意义，怕是谁也说不清楚了。

白敖禹是我最爱的一个男人。

执笔之际，本未多想；一曲终了，却犹自心痛不休。

那个武林贵公子。

那个白敖禹。

究竟是，写了才爱上他。还是，为了爱他才写。

那已经是很久很久以前。

曾经有过一个男人。他对我说：“即使到哪天我真的连呼吸也忘了，也不会忘记你的。”

这么多年过去了。这句话始终是我心中永远的痛。

痛不在于那时候我们都无能为力，痛只在于有的深情，注定因为痛而深沉。

那是多少年前，无意中，扣紧心弦的人，动心之深，用情之重。那一分心心念念，思恋至今，终有结论。

白敖禹是我写作的一个巅峰。

我再写第二个、第三个人，都已无能为力是他。寒子凉、萧洛璧和柳莫行都很好，慕容三公子、萧少和暗大人也都有着居高不下的人气。

可是，他们都不是白敖禹。

所以只有白敖禹，从开始，到结束，因此永远。

薄情而淡漠。骄傲而慵懒。

武侠世界的男人，往往更容易绝代风华，

但大多数发生在这个江湖的、让我们记忆深刻的故事，却不得不以一句叹息，一语欷歔收尾。

那种爱的美丽，一语难休。

尽管那个字，也终成心底的伤，养成了今生的离别。

一生缘浅相休。

是情深缘浅?

不，是情到浓时情转薄。

能做到这一点的，据我所闻。

唯我所闻。

只在武侠这一页一页篇章中，那些傲骨男儿，独有。

所以，那一分温柔，侵肤蚀骨。

爱不释手，唯有如此。

所以因为　2012－3－2